Annette Mingels

WAS ALLES WAR

Roman

Knaus

Verlagsgruppe Random House FSC® N001967

1. Auflage
Copyright © 2017 beim Albrecht Knaus Verlag
in der Verlagsgruppe Random House GmbH,
Neumarkter Str. 28, 81673 München
Der Abdruck aus Margaret Atwood, *Alias Grace*,
erfolgt mit freundlicher Genehmigung des
Berlin Verlags in der Piper Verlag GmbH, Berlin
Umschlaggestaltung: Sabine Kwauka
Umschlagmotiv: © Bridgeman Images
Satz: Uhl + Massopust, Aalen
Druck und Bindung: GGP Media GmbH, Pößneck
ISBN 978-3-8135-0755-3
Printed in Germany

www.knaus-verlag.de

Wenn man sich mitten in einer Geschichte befindet, ist es keine Geschichte, sondern nur eine große Verwirrung; ein dunkles Brüllen, eine Blindheit, ein Durcheinander aus zerbrochenem Glas und zersplittertem Holz, wie ein Haus in einem Wirbelsturm oder wie ein Schiff, das von Eisbergen zerdrückt oder von Stromschnellen mitgerissen wird, und alle an Bord sind machtlos, etwas dagegen zu tun. Erst hinterher wird daraus so etwas wie eine Geschichte. Wenn man sie erzählt – sich selbst oder jemand anderem.

Margaret Atwood: *Alias Grace*

ANFANGEN

Der Brief traf an einem Montagmorgen ein, ich sah kurz auf den Absender und steckte den Umschlag in meine Tasche. Es war warm, die letzten schönen Tage vor dem Winter, wirklich goldenes Licht. Peter, der Hund, hechelte neben mir. Ich öffnete den Brief auf dem Weg zur Arbeit, ich las: Ihre Mutter würde Sie gerne kennenlernen, sie ist Schauspielerin und lebt in Indien. Ich las: Melden Sie sich bei ihr, falls Sie Interesse haben.

Der kurze Weg über die Promenade zum Maritimen Museum, Ilka am Telefon hinter dem Infoschalter, ich ging an Maltes Büro vorbei, die Tür stand weit offen, er sah mich und rief, lass uns heute endlich das Paper für die *Biological Reviews* schreiben!, er rief es mit einer Dringlichkeit, als ob ich ihn die letzten Wochen und Monate daran gehindert hätte. Ich ging in mein Büro, die Tür schloss ich sehr leise hinter mir.

Wenn ich Henryk damals schon gekannt hätte, hätte ich ihn jetzt angerufen. Ich hätte gefragt, was mach ich denn bloß?, und er hätte gesagt: Na, was wohl, du schreibst ihr eine Mail. Aber so saß ich nur vor meinem Schreibtisch, Peter darunter, und dachte nach, dann ging ich zu Malte, der an seinem Laptop saß, aufblickte und sagte: Den Titel hab ich bereits – Geschlechterkampf der Würmer!

Wenn ich Henryk schon gekannt hätte, hätten wir am Abend darüber gesprochen, über den Brief und die Aussichten, Viola kennenzulernen, über die Frage, wie das für meine Eltern sein würde, ob sie Angst hätten oder im Gegenteil plötzlich keine mehr, weil es, da war ich sicher, so sein würde, wie ich es immer geahnt hatte (kein Aufschrei, keine Heimkehr oder Einkehr), einfach eine Begegnung, das Schließen einer Klammer, die bei meiner Geburt geöffnet worden war. Vielleicht hätten wir auch über die Würmer gesprochen, wie sie einander zu überlisten versuchten, oder er hätte von seinem Tag erzählt, den er wahrscheinlich in der Bibliothek verbracht hätte, in den letzten Zügen seiner Habilitation zum Erlebnisgehalt des Minnesangs oder etwas ähnlich Abseitigem, es muss damals, vor fünf Jahren, ungefähr das gewesen sein, was er machte, aber da es weder ihn für mich gab noch Paula und Rena, somit also niemanden, mit dem ich sprechen oder dem ich vorlesen, dem ich Haare flechten oder Geschichten erzählen konnte, saß ich schließlich vor meinem Computer und schrieb an Viola. Ich habe den Brief vom Jugendamt bekommen, schrieb ich, und ja: Ich würde dich auch gerne einmal treffen. Dann drückte ich auf Senden, und die kurze Nachricht sauste davon, unaufhaltbar, uneinholbar, ich schaltete den Computer aus und ging ins Bett. Ich wünschte, ich könnte sagen, ich hätte von Henryk geträumt und von den Mädchen, darum wären sie mir schon eigentümlich vertraut gewesen, als ich ihnen dann ein paar Wochen später begegnete, aber so war es nicht.

Liebe Susanna,
nun hätte ich beinahe Alina geschrieben. Denn so nannte ich dich immer, wenn ich von dir erzählte. Ja, ich habe von dir erzählt. Immer wieder. Alina, die kleine Alina, mit dem Schopf nasser Haare, die ich nur kurz gesehen habe, bevor sie mir von der übereifrigen Krankenschwester weggenom-

men wurde, einer norddeutschen Kratzbürste sondergleichen, die wahrscheinlich ohne jede Freude durchs Leben kam. Nun ja, weggenommen ... Let's be honest: Ich hatte dich freigegeben, schon Wochen vor der Geburt. Damals wurde man da noch nicht so verständig behandelt, wie es heute wahrscheinlich der Fall ist. Rein ging's wohl leichter als raus, höhnte eine der Schwestern, als ich in den Wehen lag. Stell dir das vor! Und die Muttermilch, die ich während der ersten Woche jeden Tag ins Krankenhaus brachte, haben sie wahrscheinlich weggeschüttet, kaum dass ich ihnen den Rücken zuwandte.

Um fünf nach acht an einem Dienstagmorgen im Februar wurdest du geboren. Meine wunderbare Freundin Alina, nach der ich dich benannt hatte, erstellte mir später dein Horoskop: Wassermann mit Aszendent Waage. Also kreativ, mutig, freiheitsliebend, dabei charmant und um Ausgleich bemüht, jemand, der im Leben zurechtkommen würde. Ein chinesischer Drache, im Baumhoroskop eine Zeder: eigenwillige Persönlichkeiten, die gerne führen, voller Energie und Lebensliebe. Aber vielleicht ist das alles Quatsch für dich. Vielleicht ist dir die Stellung der Gestirne gleichgültig. Was soll es schon ausmachen, wo die Venus stand und was der Mond trieb, als du das Licht der Erde erblicktest! Mich jedoch hat es beruhigt.

Deine Eltern, so sagte man mir, seien künstlerisch veranlagt. Auch das beruhigte mich. Ohne Kunst verdorrt das Leben, ich hoffe, das haben sie dir beigebracht. Ich selbst bin zeitlebens der Kunst gefolgt. Sie ist mein Ziel, mein »leuchtender Pfad«. Und als du dich entschlossen hast, zu mir zu kommen, musste ich dich darum freigeben.

Aber nun endlich eine Begegnung. Wie sehr mich das

freut! Werde ich dich erkennen? Wirst du mich erkennen? Lass uns keine Seelenverschwandtschaft erwarten, aber vielleicht ein Quäntchen Vertrautheit? We'll see. Im März kann ich kommen. Schreib mir, ob dir das passt. Ich habe keinen eigenen Internetzugang, aber alle paar Tage kann ich hier, im Büro meines Freundes Goyal, an den Computer.

Vor mir steht ein kleines Bild der Göttin Durga, sie hat acht Arme und reitet auf einem Tiger, so vollkommen in ihrer Weisheit. Let's take it as a sign.

Viola

Eine Fahrt über Land, vorbei an Dörfern und kleinen Städten, manchmal kilometerlang nichts als Wiesen, Gruppen von Windrädern darauf verteilt, wie kleine Kolonien, das Meer nah, aber fast nie zu sehen. Der Winter hat schließlich nachgegeben, die Sonne scheint, noch blass. Ich höre Radio, singe den Refrain der Lieder mit. Da, wo einmal die Grenze war, steht ein blaues Schild: Danmark, inmitten der gelben Sterne. Um halb vier parke ich das Auto vor dem Flughafengebäude, eine Stunde früher als nötig. An einem Kiosk blättere ich eine Zeitlang in einer dänischen Architekturzeitschrift und kaufe schließlich eine deutsche Zeitung, die ich im einzigen Café des Flughafens lese, dann gehe ich zum Terminal, der auf dem Monitor angegeben ist, und blicke wie die anderen Wartenden auf die breite Schiebetür, die sich immer wieder lautlos öffnet, um jeden Fluggast wie auf eine Bühne zu entlassen.

Da bist du also, sagt Viola, aber vielleicht sagt sie auch: *Das* bist du also, und ich nicke und nenne meinen Namen, was so formell klingt, dass ich es mit einem Lächeln zurückzunehmen versuche. Mein Auto steht nahe des Ausgangs, hier lang müssen wir, ist die Tasche schwer, soll ich sie nehmen? Sicher nicht? Wir haben uns fast sofort erkannt, nicht, weil wir uns ähnlich sehen, sondern weil wir uns angesehen und nicht wieder weggeschaut haben. Wir haben uns nicht umarmt, sondern einander die Hand gereicht, aber Viola hat ihre zweite Hand daraufgelegt, wodurch die Begrüßung etwas Feierliches bekam: die Begegnung zweier Staatsoberhäupter.

Hattest du einen guten Flug?

Ja. Doch, doch. Eigentlich waren es ja drei. Drei Flüge, meine ich. Neu Delhi – London. London – Frankfurt. Frankfurt – Sonderburg.

Über der Schulter trägt Viola eine lederne Reisetasche, in der rechten Hand einen Beutel aus bunter Seide. Graue Haare, die das Gesicht fransig umrahmen. Sie ist etwa einen Kopf kleiner als ich, nicht eigentlich zierlich, aber durch das schmale Gesicht wirkt sie schlanker, als sie ist. Dazu ihre Art zu gehen: der Gang einer Tänzerin, eher ein Schreiten als ein Gehen, aber sich seiner selbst zu bewusst, um wirklich anmutig zu sein. Auf ihrer Stirn sehe ich jetzt einen kleinen glitzernden Stein.

Auf dem zweiten Flug, sagt Viola, saß ein Geschäftsmann neben mir, der die ganze Zeit Zahlenkolonnen in seinem Laptop anschaute, unablässig. Wirklich. Sie sieht mich mit hochgezogenen Brauen an.

Gab's keinen Direktflug?

Nein.

Wir haben inzwischen das Auto erreicht, und ich öffne den Kofferraum, um die Reisetasche zu verstauen, die Tür ist offen!, Viola setzt sich auf den Beifahrersitz, den Seidenbeutel auf ihrem Schoß wie eine zutrauliche Katze. Sie hält sich sehr gerade, schaut aus dem Fenster, wenn ich ihr erkläre, woran wir vorbeifahren, sieht mich manchmal von der Seite an, als ob sie etwas überprüfen wolle, und ich schaue dann angestrengt geradeaus. Nur einmal erwidere ich ihren Blick, und Viola sagt, du siehst aus wie er, die gleichen Augen, das blonde Haar. Meins war braun. Schnurgerade und braun, bevor es irgendwann grau wurde. Sie fährt sich mit einer Hand in die Stirnfransen, ordnet sie ein wenig, klappt die Sonnenblende herab und wirft einen prüfenden Blick in den Spiegel. Und du tust gut daran, die Brauen nicht zu zupfen, sagt sie, ohne mich anzusehen. Ich habe es übertrieben und jetzt wachsen sie nicht mehr nach.

Auf Höhe der Grenze säumen Lastwagen den Seitenstreifen. Käfige auf einer Ladefläche, je vier übereinander wie Kojen, hinter den Stäben undeutliche Bewegungen. Auf einem Kleinlaster ein Schriftzug, *Aloha-Transport*, zwischen den Lastwagen Zöllner in grellgrünen Westen.

Hast du Hunger?

Appetit, sagt Viola. Das schon.

Was ich bereits vor dem Hauptgang weiß: Sie fing ein Studium an und brach es ab, heiratete einen Medizinstudenten, sie lebten in der norddeutschen Provinz, das Schrecklichste vom Schrecklichen, sagt sie, dabei habe sie immer rausgewollt, raus aus der Provinz, raus aus Deutschland.

Mit dreiundzwanzig war sie geschieden und auf dem Weg nach München, wo sie zwei Jahre blieb, bevor sie nach San Francisco zog, dann Rio de Janeiro, Melbourne, Gomera und Ko Samui, dazwischen zwei Jahre Italien, einem römischen Schriftsteller verfallen, der große Ambitionen hatte, es aber zeitlebens nur zu einem – immerhin anerkannten – Buch über italienische Sommerweine brachte. Wovon sie lebt? Sie hebt beide Hände wie zu einer Willkommensgeste. Mal von diesem, mal von jenem. Meistens übersetze sie Bücher. In Indien, wo sie seit einigen Jahren lebe, brauche sie nicht viel Geld.

Es reicht, ich bin nicht gierig. Und du? Sie wischt den letzten Soßenrest mit einem Stück Brot auf. Du bist Biologin?

Ja. Meeresbiologin.

Keine Kinder?

Viola hat den Teller inzwischen von sich geschoben und presst nun den Zeigefinger mehrfach gegen den Stein auf ihrer Stirn, der abzufallen droht. Sie sitzt auf der gepolsterten Bank an der Wand, sodass sie fast das gesamte Restaurant überblickt, während ich meinen Blick einzig auf sie und das hinter ihr hängende Bild richten kann. Irgendwo habe ich einmal gelesen, dass der Platz an der Wand der der Frauen sei – jeder Mann mit Manieren müsse ihn seiner Begleiterin überlassen –, aber wie sieht die Sache aus, wenn zwei Frauen zusammen essen gehen? Wer muss sich dann mit dem Blick auf die Wand begnügen? Die Jüngere?

Nein, sage ich.

Ich erwähne Henryk nicht. Weder Henryk noch Paula und Rena. Ich kenne sie erst seit ein paar Wochen. Sie sind noch nicht meine Kinder und er ist noch nicht mein Mann.

Viola betrachtet den Kellner, der am Nebentisch eine Bestellung aufnimmt, ein Lächeln lauert in ihrem Blick, und als der Kellner in Richtung Küche davongeht, ohne sie angeschaut zu haben, gibt sie es mir, das Lächeln.

Ich habe vier Kinder, sagt sie. Alica – das war die Erste, dann kamst du, dann Cosmo und schließlich Samuel. Alles wunderbare, kluge Kinder, finde ich. Sie greift über den Tisch, legt ihre Hand auf meine und zieht sie gleich wieder fort, um ihr Kinn aufzustützen.

Erzähl mir von ihnen, sage ich.

Ihr seid alle Halbgeschwister. Ich liebte das Leben – und die

Männer. Tu ich übrigens immer noch. Sie lacht und sieht sich im Restaurant um, in dem außer unserem nur noch zwei Tische besetzt sind. Als niemand ihren Blick erwidert, wendet sie sich wieder mir zu, präsentiert sich wie eine Kostbarkeit, als wäre sie, wenn sie wählen könnte, sich selbst die liebste Gesellschaft. Alica wuchs bei ihrem Vater auf, fährt sie fort. Wir haben ein sehr enges Verhältnis. Sie ist Pilotin – wegen ihr kann ich mir überhaupt all diese Reisen leisten. Eine kleine, zierliche, schöne Person, die diese Riesenmaschinen steuert. Ich find's immer noch schwer vorstellbar. Und Cosmo. Ja, der. Wuchs bei seinen Großeltern auf, väterlicherseits, der Großvater ein alter Nazi. Ich durfte Cosmo nie kontaktieren, stell dir das vor! Als er achtzehn war, rief ich bei ihm an. Hier spricht deine Mutter, sagte ich. Er hat sich unheimlich gefreut. Er macht irgendwas mit Werbung, hat eine eigene Agentur. Ein unglaublich kreativer Mensch, eigentlich ein Künstler, weißt du. Dazwischen du. Und am Ende Samuel. Der Einzige, der bei mir lebte. Sehr talentiert, aber nicht immer einfach. Mal hasst er mich, mal liebt er mich. Aber das ist wohl das Los der Mütter.

Sie hat den letzten Satz mit gespieltem Ernst gesagt. Jetzt ändert sie ihren Tonfall, klingt auf einmal wirklich ernst: Ich bin wohl nicht so sehr der Muttertyp. Oder zumindest nicht vorrangig. Ich bin in einem kleinen Städtchen in Bayern aufgewachsen, meine Mutter, an der ich sehr hing, starb, als ich acht war, mein Vater war entsetzlich, einfach furchtbar – selten da, und wenn, cholerisch. Ich ging von zu Hause fort, so früh ich konnte. Ich wollte immer frei sein, ungebunden, wollte reisen. Und mit einem Kind – oder mehreren – ging das nicht.

Ich sage: Ich mach dir keinen Vorwurf, weil du mich weggegeben hast. Ich fand das immer eine gute Entscheidung von dir.

Das stimmt. Ich wusste immer, dass nicht ich als Person das Problem gewesen war, sondern die Umstände. Ich hatte mir vorgenommen, Viola das zu sagen. Ich weiß nicht, was ich erwartet habe. Erleichterung? Dankbarkeit?

Das sehe ich genauso. Viola lächelt zerstreut, bevor sie den Blick wieder durch das Restaurant wandern lässt, wo er sich für einige Sekunden in irgendetwas oder irgendwem verhakt. Ganz genauso sehe ich das auch, wiederholt sie.

Viola hatte am Telefon gefragt, ob sie bei mir übernachten könne.

Ich kann dir sicher ein günstiges Hotelzimmer besorgen, hatte ich gesagt.

Die Sache ist die, hatte Viola geantwortet: Ich habe kein Geld.

Das Hotel, in dem ich ein Zimmer für sie gebucht habe, liegt zwei Querstraßen von meiner Wohnung entfernt. An der Front des vierstöckigen Hauses leuchten gelb der Name des Hotels und daneben drei Sterne, von denen einer unruhig flackert. Das Haus scheint dunkelgrau zu sein, und ich versuche mich zu erinnern, ob das seine richtige Farbe ist oder ob es nur im spärlichen Licht des Eingangs so dunkel wirkt. An der Rezeption steht eine müde aussehende Frau mit streichholzkurzen Haaren, im Fernseher läuft lautlos eine Nachrichtensendung, es riecht nach frittiertem Essen und einem Raumerfrischer, Kiwi oder Waldmeister.

Das Hotelzimmer ist schmal und niedrig. In einer Ecke ist knapp unter der Decke ein Fernseher angebracht, die Bettwäsche zieren grellgelbe Monde und Sterne auf blauem Grund. Die Dusche im Bad ist ein in den Kachelboden eingelassenes Kunststoffviereck, das nicht tief genug scheint, um eine Überschwemmung zu verhindern. In der Seifenschale zwei braune Seifenstücke, dünn wie Schokoladentäfelchen.

Es ist ziemlich einfach.

Es ist wunderbar, sagt Viola, wirklich. Ich bin anderes gewöhnt. Schöneres, aber auch viel Schlechteres. Je nachdem, wo ich auf meinen Reisen unterkomme. Mal bei Freunden, die verreist sind, mal in einer Jugendherberge, mal in einem Schlosshotel oder in einer Strandhütte. Das Einzige, was ich immer brauche, ist das hier. Sie nimmt den Seidenbeutel und holt ein kleines weißes Kopfkissen daraus hervor. Das ist der einzige Punkt, in dem ich heikel bin. Sie geht zum Bett, schiebt das bunte Kopfkissen zur Seite, legt stattdessen ihr weißes hin, singt leise: *Wherever I lay my hat that's my home*, na ja, in meinem Fall ist es eben ein Kissen – Marvin Gaye, kennst du den?

Schon mal gehört.

Unser Spiegelbild im Fenster. Zwei Frauen, unscharfe Konturen, zwischen ihnen das gemusterte Bett, im Fenster nun nicht mehr blau, sondern braun, sepiafarben die ganze Szenerie wie auf einer alten Fotografie. Von der Straße dringt das gedämpfte Geräusch einer zuschlagenden Autotür herauf, irgendwo auf dieser Etage läuft ein Fernseher oder Radio und durchbricht – beruhigend und enervierend – die Einsamkeit, die das Hotel einhüllt wie ein Leichentuch.

Was ich dich fragen wollte, beginne ich, und Viola sagt sofort, ja?, als habe sie den ganzen Nachmittag auf diese eine Frage gewartet.

Was ich dich fragen wollte: Wer war der Vater?

Ach so. Es ist Viola anzumerken, dass sie sich eine andere Frage erhofft hat, aber welche, welche bloß?

Ja, der Vater… Ein Musiker. Ein schöner Mann. Groß, lockig. Muskulös, wenn ich mich recht erinnere. Benjamin war sein Name, Benjamin Rochlitz. Sie hat den Namen englisch ausgesprochen. Nun lächelt sie mit geschlossenem Mund und legt den Kopf schief.

Morgen, okay? Ich erzähl dir morgen von ihm. Geht das? Kannst du es noch so lange aushalten?

Ja, sage ich, natürlich. Ich hebe meine Handtasche vom Boden auf und hänge sie mir über die Schulter. Benjamin Rochlitz. Ich habe nun einen Namen. Werde ihn in dieser Nacht so lange im Kopf wiederholen, bis er sich von jedem Sinn gelöst hat und zu etwas Figürlichem geworden ist, Buchstaben, die auf einer endlosen Schlaufe hin- und hersausen wie Perlen auf einer Kette.

Morgen früh muss ich arbeiten, sage ich. Aber wir können uns zum Mittagessen treffen, wenn du willst.

Sicher will ich das! Rufst du mich hier im Hotel an?

Ich gehe zur Tür und Viola folgt mir wie eine beflissene Gastgeberin. Sie hat die Schuhe ausgezogen.

Schlaf gut.

Sie macht einen Schritt auf mich zu, und bevor ich zurückweichen kann, nimmt sie mich in den Arm. Du auch.

Die zwei Würmer haben sich ineinander verhakt. Sie sehen aus wie ein einziges, zitterndes Wesen, bevor sie sich wieder voneinander lösen. Die Besamung ist vollbracht: Beide Würmer, jeder von ihnen ein Zwitter, haben besamt und sind besamt worden, sie treiben auseinander. Ich beobachte, wie sich die Würmer zu ihren weiblichen Geschlechtsorganen hinbeugen. Erst vor Kurzem haben Malte und ich herausgefunden, was sie da tun: dass sie versuchen, den fremden Samen rauszusaugen. Offenbar wollen sie einzig die männliche, nicht die weibliche Rolle übernehmen. Wollen ihre Spermien verbreiten, nicht aber wertvolle Ressourcen damit vergeuden, die Eier auszubrüten. Aber die Spermien dieses Wurms haben sich auf die ungastliche Behandlung eingestellt. Sie trotzen ihr mit Borsten und Widerhaken, klammern sich im weiblichen Genital förmlich fest; sie sind winzige harpunenartige Geschosse, äußerst kampftauglich, die sich gegen den Willen ihres Wirtes einen Weg bahnen und sich dann einnisten.

Malte sitzt am Laptop und sieht mich abwartend an. Ich schaue wieder ins Mikroskop, das Wimmeln hat nicht nachgelassen, neue Wurmpaare haben sich gebildet und getrennt, also, sage ich, fangen wir mal an, schreibst du? The *Macrostomum lignano*, a small, transparent, non-parasitic marine flatworm, is part of the intertidal sand meiofauna of the Adriatic Sea.

Mit Viola habe ich am Telefon verabredet, dass sie zu mir ins Museum kommt. Es ist ihr Wunsch gewesen zu sehen, wo ich arbeite.

Bist du sicher? Interessierst du dich denn für Fische?

Nicht wirklich. Aber für dich.

Was sollte ich dazu sagen, zu einem Kompliment, das so einfach zu geben und zu haben war, ein Kompliment, das so wenig bedeutete, dass es fast wie Ironie wirkte.

Na schön. Dann kannst du dir die Ausstellung anschauen und wir essen im Museumscafé etwas zu Mittag.

Wir hatten vereinbart, uns um eins vor dem Haupteingang zu treffen, aber bereits um zehn vor klopft es an meiner Tür, und Viola tritt ein.

Ich habe mich einfach durchgefragt, sagt sie. Nette Leute hier.

Sie trägt heute einen pink leuchtenden Seidenmantel, groß wie ein Kaftan, über der ihr Kopf seltsam klein aussieht. In der Hand hält sie ihren Stoffbeutel. Sie blickt sich im Büro um, bleibt vor der Bildtafel stehen, in Frakturschrift als *Buntfarbige Fische* überschrieben, darunter die hundertjährigen Abbildungen der Goldmaid, des Geringelten Meerjunkers, des Zauberfisches und der verschiedenen Barscharten, leuchtend rot der Lippfisch, urzeitlich der Knurrhahn, sie sieht sich alles ganz genau an. Als sie sich wieder zu mir umwendet, presst sie die Lippen zu einem hilflosen Lächeln zusammen.

Willst du dir das Museum anschauen?, frage ich, und Viola sagt: Klar. Wenn ich schon mal hier bin.

Auf dem Weg zur Ausstellung begegnet uns Wolfgang. Er hält einen Brief in der Hand, den er aus seinem Postfach am anderen Ende des Flurs geholt haben muss, aber sein Gesichtsausdruck – gespielte Überraschung, hinter der Neugier lauert – zeigt mir, dass er mit der Absicht sein Büro verlassen hat, uns zu begegnen.

Darf ich dir, sage ich zu Viola, meinen Chef vorstellen?

Ich nenne Wolfgangs Namen und den von Viola, und Wolfgang deutet eine Verbeugung an und lächelt maliziös.

Sie sind eine Freundin?

Die Mutter, sagt Viola erfreut, während ich sage: eine Bekannte, und Wolfgang lässt seinen Blick mit leichter Belustigung zwischen uns hin- und hergehen, bevor er uns mit einer priesterlichen Handbewegung und einem Segensspruch verabschiedet.

Was war denn das? Viola kichert leise, als wir weitergehen.

Eine Masche von ihm, sage ich, macht sich lustig über die Kirche, fühlt sich aber eigentlich angezogen von allem Okkulten und dem ganzen plüschigen Katholizismus.

Inzwischen sind wir im Ausstellungsraum angelangt.

Willst du eine Führung oder dich lieber alleine umschauen?

Machst du die Führung?

Ja.

Dann bitte eine Führung.

Das Zusammentreffen mit Wolfgang hat Viola belebt. Sie scheint bester Stimmung, bereit, mit allem zu flirten, was ihr begegnet: mit mir, den anderen Besuchern, dem Meeresgetier in den Terrarien, auf das sie mit einer Mischung aus Ekel und Mit-

leid hinabblickt, mit Ilka schließlich, an deren Tresen wir vorbei-
müssen, um ins Café zu kommen, und der Viola ein Kompliment
macht für ihre Samtbluse im Ochsenblutrot schwedischer Holzhäuser. Diesmal verzichtet sie darauf, sich als meine Mutter vor-
zustellen, ich bin Viola, sagt sie, und, mir einen Blick zuwerfend,
fügt sie hinzu: eine Bekannte.

Du hast es nicht gern, wenn ich als deine Mutter auftrete, sagt
sie, nachdem sie ihre Bestellung aufgegeben und einen ersten
Schluck Wein genommen hat.

Du bist es halt einfach nicht.

Das, meine Liebe, ist nun allerdings falsch. Wenn sich die Be-
hörde nicht getäuscht und uns irrtümlich zusammengeführt hat –
was ja durchaus vorkommen kann, aber dafür siehst du deinem
Vater zu ähnlich –, bin ich deine Mutter. Keine gute vielleicht
und keine, der du töchterliche Gefühle entgegenbringst. Aber
biologisch gesehen: deine Mutter.

Der Kellner bringt das Essen und Viola lehnt sich in ihrem
Stuhl zurück.

Biologisch ja, sage ich, als der Kellner wieder fort ist. Aber es
fühlt sich für mich wie Verrat an, wenn ich dich als meine Mutter bezeichne. Weil dieser Begriff an jemand anders gebunden
ist. Und weil es ein exklusiver Begriff ist. Keiner, der auf mehr als
eine Person passt.

Ach je, sagt Viola. Sie hat, während ich sprach, von ihrem
Essen gekostet, nun lässt sie die Gabel sinken und sieht mich
ungläubig an. Das ist so eng gedacht. So – sie sucht nach einem
passenden Wort – so unnötig kompetitiv. Es ist doch so… Sie
nimmt noch einen Bissen von ihrem Essen und beugt sich kau-
end über den Tisch, mit einer Hand eine Pause andeutend, die
ich abwarten, nicht mit eigenem Sprechen füllen soll. Du und ich

und deine Eltern, wir sind doch miteinander verbunden, unsere Schicksale haben uns in einen Zusammenhang gesetzt, unser Karma hat uns miteinander in Berührung gebracht – und dies auf die schönste Weise, oder? Haben mir deine Eltern nicht geholfen, indem sie dich annahmen, und habe ich ihnen nicht das wunderbarste Geschenk bereitet, das einer dem anderen bereiten kann: ein Kind? Wir müssen nicht miteinander konkurrieren, wir sind eine Einheit.

Es geht nicht um Konkurrenz, sage ich. Ich will bloß nicht jedem gleich erklären müssen, wie unser Verhältnis ist. Ich blicke auf meinen Teller, der Appetit ist mir vergangen. Was will sie eigentlich? Zuneigung? Bewunderung? Vielleicht sogar so etwas wie Liebe? Ich schüttele unwillkürlich den Kopf, und Viola fragt, alles klar?

Ja. Ich nicke, ich lächle, dann sage ich: Ist dir eigentlich aufgefallen, dass das gesamte Museum einem Schiff nachempfunden ist? In groben Zügen zumindest. Hier befinden wir uns also in der Messe am Oberdeck. Unsere Büros sind die Kojen, das Labor ist der Bunker, die Terrasse die Brücke und so weiter. Musst mal drauf achten: steht auf den kleinen Schildern, die vor den Zimmern angebracht sind. Und wenn man vom Strand kommt, kann man auch erkennen, dass das ganze Gebäude einem Schiff ähnelt.

Ich könnte noch lange so weiterreden, über das Museum und das Institut, über unsere Forschungen und die Plattwürmer mit ihrer ständigen Kopulationsbereitschaft, vierzehn Mal in einer Stunde, stell dir das vor, vielleicht würden wir beide darüber lachen. Über Wolfgang, Malte und Ilka, über die Stadt, in der ich jetzt seit acht Jahren lebe und die ich an einem der ersten Tage vom Dach eines roten Trolleybusses aus erkundet habe, über das Gefühl, das Meer so nah zu wissen, die grauen Tage, in denen das Wasser wie flüssiger Beton aussieht, die Sonnentage, das metallische Blitzen auf der Oberfläche wie kleine hingeworfene Speere.

Also, sagt Viola unbeeindruckt. Was möchtest du nun über deinen Vater wissen?

Ich nehme einen letzten Bissen von meinem Essen, das inzwischen kalt geworden ist, dann hebe ich das Glas, proste Viola kurz und unerwidert zu und trinke es leer.

Alles. Einfach alles, was du weißt.

Sie waren sich in einer Bar in München begegnet. *The Piperman*. Ein englischer Pub mit dunkel gebeizten Tischen, grün bezogenen Bänken und einer Jukebox, die nur etwa dreißig Lieder zur Auswahl hatte, von denen Viola jedes – aber wirklich *jedes* – auswendig kannte. Sie arbeitete drei Abende die Woche hier, während sie eigentlich anderes vorhatte. Größeres. Schauspielerin wollte sie werden.

Ich war begabt, ehrlich. Sie sieht mich so eindringlich an, als hätte ich gerade das Gegenteil behauptet. Ich hatte schon Erfahrung gesammelt, erzählt sie. Nicht viel, nichts Repräsentatives, aber immerhin. Auf der Schulbühne, im freien Theater. Brecht, Piscator, Kleist. *Nun denn, so grüß ich dich mit diesem Kuss, Unbändigster der Menschen, mein!* Sie hat plötzlich die Stimme angehoben und feierlich gesprochen, und ich schaue kurz auf meinen Teller hinab, bevor ich wieder aufblicke und ein paarmal zustimmend nicke.

Penthesilea, sagt Viola knapp. Kurz bevor sie und Achilles sich zerfleischen.

Er hatte an diesem Abend einen Auftritt in einem Club nahe

des Bahnhofs gehabt und war danach mit seiner Band, drei Jungs und ein Mädchen, mit denen er seit der Highschool zusammen spielte, weitergezogen: erst in einen Biergarten, wo sie jeder einen Maßkrug leerten, und als der schloss, in den Pub. Sie hatte ihn erst bemerkt, als er am Tresen stand und sie anschaute. Ein hübscher, langhaariger Junge, auf den sie mit ihren fünfundzwanzig Jahren ein wenig herabsah. Er war erst einundzwanzig, und er wirkte keinen Tag älter. Sie wusste nicht, wie lange er schon dastand und sie fixierte, und wann aus seiner Absicht, eine Bestellung aufzugeben, eine andere geworden war. Eine, die sie betraf. Aber nachdem er seinen Freunden das Bier gebracht hatte, kam er zurück an den Tresen, sah sie einfach an, trank sein Glas langsam leer und versuchte sich den Anschein zu geben, als wisse er genau, was er tue. Als seine Freunde aufbrachen, blieb er. Es gab einen Streit, eine kurze heftige Auseinandersetzung zwischen ihm und einem seiner Freunde, die die Sängerin der Band zu betreffen schien. Das Mädchen stand neben der Tür und beobachtete den Disput, dann verließ sie mit den anderen den Pub, ohne sich noch einmal umzuschauen.

Um kurz nach zwei verscheuchte Viola die letzten Gäste, dann begann sie die Stühle hochzustellen und den Zapfhahn zu reinigen. Wenn du schon da bist, kannst du mir auch helfen, sagte sie zu Benjamin, der immer noch am Tresen saß. Was soll ich machen? Sie hielt ihm einen Besen hin und eine Kehrschaufel, und er begann, den Boden zu fegen.

Fünfundzwanzig?, sage ich. In den Unterlagen steht neunundzwanzig.

Gott bewahre. Mach mich bloß nicht älter, als ich bin! Sechzig reicht mir schon. Sie hält einen Moment inne, doch als ich nichts darauf sage, spricht sie weiter. Er kam mit zu mir. Und blieb eine Woche. Am nächsten Morgen telefonierte er mit seinen Bandkollegen, und einer von ihnen brachte ihm bald darauf seinen Rucksack. Ich weiß nicht, was die Band in der Zeit machte. Ob sie einen Auftritt hatte ohne ihn, ob sie zurück nach Amerika flog oder weiter durch Europa reiste. Ihm war's egal und mir, ehrlich gesagt, auch.

Und das Mädchen, frage ich, die Sängerin der Band – war das seine Freundin?

Viola deutet ein Schulterzucken an, und in ihrem Gesicht spiegelt sich nichts als Gleichgültigkeit. Keine Ahnung. War auch nicht wichtig.

Sie scheint zu überlegen, dann atmet sie tief ein, als müsse sie sich mit Geduld wappnen, um mir das Folgende zu erläutern. Sein, mein, dein – das waren einfach nicht die Kategorien, in denen wir damals dachten. Ich – *wir* – haben ganz im Moment gelebt, ohne Bankkonto, dauerhafte Adresse, regelmäßige Jobs. Auch wenn man natürlich immer was getan hat. Alles schien möglich. Aber diese Angst, die ich jetzt überall sehe … davor, den Job zu verlieren, den Status oder was weiß ich – die kannten wir nicht. Die normalen Menschen vielleicht damals auch schon, aber nicht wir.

Wer war *wir*? Du und Benjamin? Oder du und deine Generation?

Viola schüttelt energisch den Kopf. Nicht die ganze Generation, Gott bewahre! Da gab's auch schon den einen oder anderen Spießer. Nein, wir … kleine Gruppierungen, überall auf der Welt, die sich mit anderen Dingen beschäftigten als dem, was die Gesellschaft als unbedingt erstrebenswert erachtete. Man begegnete einander, ob im Vorbeigehen auf der Straße oder wo auch immer, schaute sich in die Augen, blickte in die Seele des anderen – und verbrachte eine Lebenszeit mit ihm oder ihr, auch wenn sie in Normalzeit nur ein paar Tage dauern mochte.

Sie hat schwärmerisch gesprochen, jetzt macht sie eine kleine Pause, dann blickt sie auf, findet zurück in die Gegenwart, an diesen Tisch, schaut mich herausfordernd an. Sorry to say, aber es war eine wunderbare Zeit, in gewisser Weise ohne Verantwortung und Sorgen, wenn wir uns auch vielleicht um ehrlichere Antworten bemühten, als es heute der Fall ist. Eine Zeit der Liebe, so habe ich es immer empfunden.

Es ist offensichtlich, dass Viola meint, was sie sagt, und dass sie es nicht zum ersten Mal sagt. Ein auswendig gelerntes Manifest, ein Ein-Personen-Stück. *Dies war mein Leben.* In dem, natürlich, früher alles besser war (war es das nicht immer in diesen Stücken?), nur nicht die Hauptperson selbst, die ist heute nämlich noch besser als damals, ist gereift wie kostbarer Wein, selten geworden wie ein wertvolles Fossil. Dabei liegt doch genau hier der springende Punkt: Was sich wirklich verschlechtert hat, ist das eigene Leben.

Tja, sage ich.

Und was Benjamin angeht, sagt Viola, diese paar Tage mit dem schönen Amerikaner, der dein Vater werden sollte, waren ebenso eine Zeit der Liebe, und als er gehen musste – zurück nach New York, wie er sagte –, fiel es mir nicht im Traum ein, um eine Adresse oder Telefonnummer zu bitten. Und das beileibe nicht nur, weil ich zu diesem Zeitpunkt bereits eine Beziehung hatte. Sie zieht ein spöttisches Gesicht. Mit einem überaus langweiligen Physikstudenten, dem ich kurz nach Benjamins Abreise endgültig den Laufpass gab. Nein. Das war nicht der Grund. Sie schüttelt bekräftigend den Kopf, dann sagt sie: We lived a whole life of love – so kitschig oder unglaubwürdig sich das für dich vielleicht auch anhören mag. Doch Wahrheit ist subjektiv, und ich habe es immer so empfunden, bis heute.

Also weißt du nichts Näheres über ihn.

Ich merke selbst, wie kühl das klingt, wie wenig es mir gelingt, auf Violas hohen Ton einzusteigen. A whole life of love.

Viola lächelt nachdenklich und sieht sich nach dem Kellner um. Ich würde töten für einen Kaffee, murmelt sie. Sie winkt dem Kellner, der sofort kommt und die Bestellung aufnimmt.

Also, sagt sie, nachdem sie ihren Kaffee Schluck für Schluck, mit kleinen übertriebenen Lauten des Wohlbehagens und ohne die Tasse einmal abzusetzen geleert hat. Du wirst es nicht glauben, aber ich habe doch einige Infos. Zum Beispiel eine Adresse. Sie lacht, als sie mein überraschtes Gesicht sieht. Nun guck nicht so, meine Schuld ist das nicht.

Es war Benjamin gewesen, der sich wieder bei ihr meldete. Drei Wochen, nachdem er abgereist war, kam ein Brief von ihm, und erst da, sagt Viola, habe sie auch seinen Nachnamen erfahren. Rochlitz. Sie spricht es »Roklits« aus. Er musste sich ihren Nachnamen am Klingelschild angesehen, ihre Adresse notiert haben. Anscheinend hatte er die Sache doch etwas ernster genommen, hatte vielleicht sogar gedacht, dass sie sich fortsetzen ließe. Dass mehr aus dieser einen Woche der Liebe werden könnte.

Viola nimmt ein Buch aus ihrem Stoffbeutel. Darin, zwischen der letzten Seite und dem Buchrücken, der Brief. Ein länglicher, schmaler Umschlag, auf den mit schwarzem Kugelschreiber ihr Name und ihre Adresse geschrieben sind, die Schrift ausladend, barock wie alte Schönschrift, und doch klar als die eines Jungen oder Mannes erkennbar. Viola muss den Umschlag mit den Fingern aufgerissen haben, er ist ausgefranst und die in die linke obere Ecke gequetschte Adresse ein wenig eingerissen. *From Benjamin Rochlitz* steht da, darunter *45 Myrtle Avenue* und der Name einer Stadt, von der ich noch nie gehört habe: *Manhasset, NY.*

Was steht drin? Ich halte den Brief in der Hand, unsicher, was

Viola von mir erwartet. Soll ich ihn gleich hier lesen? Soll ich nur die Adresse auf dem Umschlag lesen und den Brief selbst zurückgeben? Was werde ich mit intimen Details anfangen, falls Benjamin die erwähnt? Will ich die wissen?

Och, sagt Viola gedehnt, so dies und das. Etwas über sein Leben, seine Familie. Erinnerungen an die Woche, die wir gemeinsam verbracht haben. Überlegungen, was noch möglich wäre. Du solltest es lesen. Ich schenke dir den Brief.

Für einen Moment bin ich verwirrt von Violas Großzügigkeit. Dann kommt mir der Gedanke, dass es vielleicht gar kein Opfer für sie ist, den Brief wegzugeben. Ganz einfach, weil er ihr nichts bedeutet – so wenig wie Benjamin ihr etwas bedeutet hatte. Oder das, was aus ihrer Begegnung mit ihm gefolgt ist. Andererseits hat sie diesen Brief mehr als dreißig Jahre lang aufgehoben. Hat ihn, wohin sie auch ging, mitgenommen, zwischen den letzten Seiten eines Buches oder in den Tiefen ihrer Reisetasche.

Vielen Dank, sage ich, und Viola sagt beiläufig: kein Problem. Und jetzt würde ich gerne etwas von der Stadt sehen, wenn das ginge.

Ich bezahle, und gemeinsam verlassen wir das Museum, das jetzt, am frühen Nachmittag, gut besucht ist. Mehrere Gruppen haben sich im Eingangsbereich versammelt, zwischen ihnen zwei Studentinnen der Meeresbiologischen Fakultät, die hier mehrmals wöchentlich Führungen geben. Vor der Tür schlägt uns der Wind entgegen, und ich stelle den Kragen meines Mantels auf, während Viola in ihrem fuchsiafarbenen Seidenmantel dem Wind trotzt wie eine zu früh erblühte Azalee.

Meine liebe Viola,

das hast du nicht erwartet. Dass ich mich melde. Oder doch? Hast du vielleicht – im hintersten Winkel deines hübschen Kopfes – gewusst, dass ich dir schreiben würde? Und war es etwas, das dich ängstigte/nervte/freute? Kreuz an. Ich könnte viele Worte machen, mach ich auch noch, aber das Wichtigste zuerst: Ich denke oft an dich, ich vermisse dich. Jetzt ist es raus, jetzt kann das andere kommen.

Das andere bin ich: Benjamin Thomas Rochlitz, Abkomme jüdischer Einwanderer, die es, im Gegensatz zu ihren Großeltern, Tanten, Onkel, Cousins, Cousinen, Freunden und Nachbarn, noch rechtzeitig hergeschafft haben und sich seitdem mit Schuldgefühlen herumschlagen – warum dürfen wir leben und sie nicht? –, was eine ganze Reihe unschöner Phobien nach sich zieht und dringend einer Analyse bedarf, aber so weit sind sie noch nicht und, lass uns ehrlich sein, werden es wohl auch nie sein. Ihre Namen stehen auf der endlos langen Gedenktafel im Museum auf Ellis Island, damals trug meine Mutter noch ihren Mädchennamen, Berezky, weit entfernt vom Namen meines Vaters, rein räumlich gesehen: B und R, beide aber, wie du vielleicht schon erraten hast, polnischer Abstammung, aus Krakau, um genau zu sein. Wo ich noch nie war, wo ich hätte hingehen sollen/wollen/müssen, hätte ich nicht ein Mädchen in München kennengelernt, wo ich darum hängen blieb, ich korrigiere mich: *liegen* blieb, für eine ganze Woche, nein sechseinhalb Tage. Auch daran denke ich oft, an deine Küsse, deine Umarmungen, die Nähe zu dir, die nicht nur eine körperliche war. Wie schön du bist! Wie klug und warmherzig und gastfreundlich! Ich vermisse dich – habe ich das schon gesagt?

Ich hoffe, du lachst, aber nicht zu sehr. Ich hoffe, du lachst so, wie du gelacht hast, als ich dir unsere gemeinsame Zukunft entwarf, nach der zweiten, vor der dritten Nacht, lachst ungläubig, verächtlich, aber mit einer Spur von Neugier: du und ich in New York, wo du am Broadway spielst, während ich ein Rockstar bin, natürlich oft auf Tournee, aber scheiß auf die Groupies!, ich habe ja dich!

Im Moment, welch Kontrast, sitze ich in meinem Kinderzimmer, yeahhh… Meine Mutter wird gleich rufen, weil es mein Lieblingsessen gibt, Latkes mit Apfelmus, nach dem dritten wird sie mich nötigen, noch drei zu essen – so sind jüdische Mütter, glaub mir –, und wenn sie wüsste, dass ich einer Schickse schreibe, einer deutschen noch dazu, und wenn sie auch nur ahnte, was ich mit dieser Schickse alles gemacht habe, würde sie auf der Stelle und ohne weitere Umstände ohnmächtig werden und erst wieder zu Bewusstsein kommen, wenn ich ihr verspräche, dich zu vergessen und noch drei weitere Latkes zu essen. Aber beides wäre mir unmöglich.

Darum: schreib mir, bitte, oder besser: komm her! Befreie mich aus der Enge von Manhasset: zwei Restaurants, eine Bäckerei, ein Seven-Eleven und – der Höhepunkt – ein Pub namens *Blue Dog*; befreie mich aus den Klauen meiner liebenden Mutter, aus den Schmerzen meines gebrochenen Herzens. Lach ruhig, aber komm!

In Liebe,

dein

Benjamin

Und darauf hat sie wirklich nichts geantwortet?, fragt Henryk ungläubig.

Ich habe ihn angerufen und ihm den Brief vorgelesen.

Er klingt sympathisch, sagt er.

Die Mädchen sind bereits im Bett, aber Henryk spricht leise, weil er nicht sicher sein kann, ob sie wirklich schon schlafen oder nach ihm rufen, wenn sie bemerken, dass er am Telefon ist. Mit wem sprichst du?, würden sie rufen und miteinander beraten, wer es sein könnte, der da angerufen hat, Rena würde sich über den Rand des oberen Bettes lehnen, um Paula im unteren zu sehen und sie, falls nötig, zu wecken.

Willst du ihn suchen?

Oh Gott, sage ich, das würde schwer werden. In Wahrheit habe ich auch schon darüber nachgedacht. Habe sogar seinen Namen im Internet eingegeben und zwei Benjamin Thomas Rochlitz gefunden, einer ist Tauchlehrer in Key West, der andere Versicherungsmakler in Chicago, beide grauhaarig; der erste drahtig und braun gebrannt, wie es sich für einen Tauchlehrer gehört, der andere dagegen ein wenig dicklich mit weichen Gesichtszügen, die ihn wie einen folgsamen, Süßigkeiten liebenden Jungen aussehen lassen. Ähnlich sehe ich weder dem einen noch dem anderen.

Und wie war dein Tag mit Viola?

Anstrengend. Erst als ich es ausspreche, merke ich, wie sehr es stimmt. Ich bin müde und auf ungute Weise aufgekratzt. Die Vorstellung, morgen wieder mit Viola zusammen zu sein, erst zum Frühstück und danach, um sie zum Flughafen zu bringen, beginnt auf einmal, mich zu ängstigen: Noch einmal würde ich ihr zuhören müssen, noch einmal würde ich erfahren, wie sie ist und was sie denkt, und sehr klar empfinde ich, dass ich darüber bereits genug weiß, dass es reicht. Viel lieber würde ich dich sehen, sage ich.

Komm morgen Abend zu uns, wir bekochen dich und du musst nichts tun.

Auch nichts erzählen?

Sein Lachen klingt wie das leise Schnauben eines freundlichen Ponys. Du darfst so still und bewegungslos verharren wie ein Stachelrochen.

Sechs Wochen zuvor, am neunundzwanzigsten Februar, war er mir begegnet. Der See im Park war plötzlich zugefroren, fast über Nacht und mit so einer dicken Eisschicht, dass Schlittschuhfahren erlaubt war. Das verlernt man nicht, hatte ich zu meiner Schwester Maike gesagt, unsere Schlittschuhe in einer Ecke ihres Kellerabteils, aneinandergelehnt, als seien sie müde vom Warten.

Passen die noch?

Klar, sagte ich, an den Füßen wird man ja nicht dicker. Ein bisschen eng waren sie dann aber doch. Und du, kommst du mit?

Maike wollte schon den Kopf schütteln, doch dann nickte sie, warum eigentlich nicht?, und wir hängten uns beide unsere Schlittschuhe über die Schulter, wie wir es als Teenager getan hatten, um in die Eislaufhalle direkt neben dem Friedhof zu gehen.

Das Kratzen im Eis, die vielen Beulen und Hubbel, der Schnee, der wie Puderzucker auf dem Eis lag und den Schwung hemmte, von Dahingleiten keine Spur, nur dann und wann eine kurze Bahn bis zur nächsten Unebenheit. Anfangs hielten wir uns an der Hand, aber dann sagte Maike, so geht's noch schlechter, und machte sich los. Ich sah ihr, auf den Kufen wackelnd wie auf Stelzen, hinterher; schon immer war sie die bessere Eisläuferin gewesen, nur ein Jahr älter, aber versierter in fast allem. Sie hob die Hand und winkte mir, ich winkte zurück und richtete mich auf, um den See zu überblicken aus meiner neuen Höhe: die

Eltern, die Schlitten hinter sich herzogen, bepackt mit Kindern und Anoraks, weil die Sonne herausgekommen war, die Jungs mit ihren Eishockeyschlittschuhen, die scharf vor den Mädchen abbremsten, aufwirbelnder Eisstaub, die Gruppen von Mädchen, die sich kichernd zueinander hinbeugten wie Cheerleader vor ihrem Auftritt, ein alter Mann, der kerzengerade dahinglitt, die Hände in den Taschen seines braunen Trenchcoats.

Von rechts schob sich ein kleines Mädchen in mein Blickfeld, besser gesagt: wurde geschoben von einem größeren Mädchen und einem Mann mit dunkelblonden Haaren und einer Brille, der keine Schlittschuhe anhatte, sondern feste halbhohe Schnürstiefel, in die er die Jeans hineingestopft hatte. Sie hielten das Mädchen an Schulter und Rücken, ich konnte hören, wie sie streng sagte, nicht loslassen, hört ihr, und wie der Mann antwortete, ja, klar. Sie hielt die Beine ganz still, sodass sie tatsächlich wie ein Möbelstück auf Rollen über das Eis geschoben wurde. Jetzt!, sagte das Mädchen, und die anderen ließen sie los, nicht ohne ihr einen kleinen Schubs zu geben, sodass sie noch zwei, drei Meter weiterglitt, direkt auf mich zu.

Hallo, sagte sie, als sie kurz vor mir zum Stehen kam, das Gesicht blass, aber mit roten Wangen und dunklen Augen wie feuchte Kiesel, ihr Haar wellig wie das ihres Vaters, sie schob es mit einer rosa behandschuhten Hand aus dem Gesicht und wiederholte geduldig, hallo, und ich sagte: Selber hallo.

Kannst du nicht fahren?, fragte das Mädchen.

Geht so. Nicht richtig.

Ich aber, behauptete sie mit der unerschütterlichen Hybris der Fünfjährigen.

Tatsächlich war sie erst vier, wie sie mir später im Café verriet, gerade geworden, am zweiten Januar, erklärte sie mit wichtiger

Miene, um direkt danach ihre sämtlichen Namen aufzulisten: Paula Tatjana Thieme, Tatjana wie meine Mutter, und du, fragte sie, wie heißt du?

Susa, sagte ich, Susanna Alina Berner.

Paula sah mich verwundert an. Wie die Stadt?

Ganz genau. Aber ich bin überrascht, dass du die kennst.

Ich kenn so ziemlich alles, sagte Paula mit einem Schulterzucken, und Rena, von der Warte ihrer acht Jahre herab, sagte mit liebevoller Verachtung: Das glaubst auch nur du.

Wir waren uns im Café wieder begegnet, Henryk hatte mich erkannt, noch bevor ich ihn sah. Wollt ihr euch zu uns setzen?, hatte er gefragt und auf den runden Tisch am Fenster gezeigt, an dem Paula und Rena bereits saßen und auf den Marmorkuchen warteten, den er auf seinem Tablett liegen hatte, dazu warmen Kakao, einen Kaffee. Ich sah Maike fragend an. Sie nickte und ging hinter ihm her zum Tisch, ich bezahlte unseren Kuchen und Kaffee und folgte ihnen. Henryk, stellte er sich vor, und wir nannten unsere Namen. Paula kennst du ja schon, sagte er, und das ist Rena. Rena lächelte hinter dem Umhang ihrer glatten Haare hervor mit vollem Mund. Paula hatte die bestrumpften Füße untergeschlagen, sie leckte sich den Kakao von den Lippen, können wir malen? Henryk holte aus seiner Ledertasche einen Papierblock hervor und ein Federmäppchen, auf dem zwei Einhörner galoppierten.

Die gibt's nicht wirklich, sagte Paula, als sie meinen Blick bemerkte, aber schön sind sie trotzdem.

Woher weißt du, dass es sie nicht gibt?

Paula zuckte mit den Schultern, von Rena, sagte sie, vielleicht auch von Mama.

Sie hielt im Malen inne, drehte das Blatt ein wenig und warf einen prüfenden Blick auf das, was sie bisher gemalt hatte, ein

Haus, aus dessen Schornstein Herzen schwebten statt Rauch, eine riesige Blume daneben, eine Figur mit ausgebreiteten Armen und etwas Ähnlichem wie einer Mistgabel in der Hand. Ich hielt ihr einen blauen Stift hin, der vom Tisch gefallen war, aber sie schüttelte den Kopf. Nur Rot.

Auf Renas Blatt entstand ein brauner Pferdekopf mit gelber Mähne.

Meine Mutter ist da, Paula zeigte mit den Augen und einem Nicken des Kopfes zur Decke des Raumes, im Himmel. Sie nuschelte die letzten Worte, irgendetwas, so schien sie zu ahnen, stimmte an dieser Aussage nicht, aber sie konnte nicht sagen, was es war: vielleicht, dass sie ihre Mutter nie dort oben sehen konnte, vielleicht hatte sie auch bemerkt, wie Rena ihren Vater mit hochgezogenen Brauen ansah, sein winziges Kopfschütteln, eine Andeutung nur; gleich darauf ihr herausfordernder Blick zu mir, ihr trauriges Lächeln schließlich und meines. Fertig, sagte Paula und schob mir ihr Blatt hin. Ich hielt es hoch, besah das Haus, den Herzrauch, das Männchen mit der Heugabel, bist du das? Nein, sagte sie, das ist mein Vater, sieht man doch.

Henryk wandte sich Maike zu, im Eislaufen warst du heute klar die Beste, aber Maike sagte: Ich glaube, Rena war besser. Rena zog eine kleine Grimasse und errötete, du hast recht, sagte ich, und auch Henryk stimmte schließlich zu. Wir schauten aus dem Fenster, unterhielten uns über die Stadt, in der wir alle erst seit ein paar Jahren lebten, über unsere Berufe, du wirst bestimmt ständig um Rat gefragt, sagte Henryk zu Maike, und sie meinte, den Allgemeinmedizinern gehe es noch schlechter, bei Psychiatern seien die Leute eher zurückhaltend. Einmal ging ich zur Toilette und hatte das Gefühl, dass Henryk mir nachschaute, aber als ich mich umdrehte, sah ich, dass ich mich getäuscht hatte.

Als wir aufbrachen, war es bereits dämmrig geworden.

Hier im Norden ist es so früh schon Abend, sagte ich.

Henryk nickte beiläufig, während er Paula den Reißverschluss zuzog. Vor dem Café verabschiedeten wir uns, und erst, als wir schon fast außer Sichtweite waren, kam Paula noch einmal angerannt, einen kleinen Zettel in der Hand, darauf eine Adresse und Telefonnummer. Sie gab ihn mir, ruf an, bitte, und ich sagte, mach ich, und sah Maike fragend an.

Nun musst du es auch wirklich tun, sagte sie, als Paula wieder losgerannt war. Ich hielt den Zettel ins Licht der Laterne, sodass wir beide die Adresse lesen konnten, eine Straße, von der wir noch nie gehört hatten, die aber, wie ich zwei Wochen später bei meinem ersten Besuch sah, nicht weit vom Maritimen Museum entfernt lag, eine Sackgasse, sodass Rena und Paula draußen spielen und mit ihren Rädern und Rollern fahren konnten.

Was glaubst du, fragte ich Maike, als wir uns an der S-Bahn verabschiedeten, war der Zettel für dich oder mich bestimmt?

Maike sah mich belustigt an und stieg in die Bahn, sie hob die Hand halb, ein kurzes Winken, dann, als die Bahn losfuhr, zeigte sie mit dem Zeigefinger auf mich. Für dich, sagte sie lautlos, die Worte überdeutlich mit den Lippen formend, für dich.

Henryk würde lachen, aber das Gefühl, das mich von Anfang an begleitete, ist auch heute noch manchmal da. Das Gefühl, dass nicht er es war, der mich wählte, sondern Paula, dass, wenn es nach ihm gegangen wäre, Paula den Zettel besser Maike gegeben hätte. Und dann weiß ich nicht, ob sie ihn mir gab, weil ich und nicht Maike die Hand ausstreckte, oder weil sie es so wollte, *mich* wollte: als ihre zweite Mutter, auf die sie nicht ohne Grund nur Stunden zuvor zugefahren war, die Beine steif und die Füße akkurat nebeneinander, wie ein kleines Möbel.

Abhalten ließ ich mich davon aber nicht. Denn auch wenn mir das damals nicht klar war: Ich hatte mich bereits entschieden, hatte Henryk gewählt und dazu seine Kinder, an die ich fast genauso viel dachte wie an ihn in den zwei Wochen nach unserer Begegnung, und als er dann das Telefon abnahm und ich seine Stimme hörte, die mir vertrauter erschien, als sie sein konnte, wusste ich, dass es richtig gewesen war anzurufen. Er brauchte einen Moment, um sich zu erinnern, das Eislaufen, sagte ich, das Café danach, und er entschuldigte sich, natürlich, er rief es fast, jetzt weiß ich es wieder! Wir verabredeten uns für den nächsten Tag, ein frühes Abendessen mit den Kindern, nichts Spezielles, warnte er, irgendwas mit Nudeln, und ich sagte, gerne, und dass ich Nudeln liebte.

Es gab Spaghetti, dazu eine Bolognesesoße, die er fertig gekauft hatte, ich sah die zwei Gläser hinter der Mikrowelle stehen, als ich das Geschirr abtrocknete. Ich hatte Peter mitgebracht, so blieb den Mädchen keine Zeit für Schüchternheit, Peter, der sich sofort auf den Rücken legte und seinen Bauch darbot, der leise jaulte, wenn ihn zu lange niemand beachtete.

Ist das ein Schnauzer?, fragte Paula, die sich sofort neben ihn gekniet hatte.

Nein, sagte Rena. Ein Foxterrier ist das. Sie sah zu mir hoch, stimmt's?, und ich nickte, willst du ihn nicht auch streicheln? Doch, sagte Rena und setzte sich neben Paula. Sie ließ den Hund an ihrer Hand schnuppern, bevor sie seinen Bauch mit vorsichtig kreisenden Bewegungen streichelte.

Sie liebt Hunde, sagte Henryk leise zu mir, Collies, Beagles, Doggen, Spaniels, wegen ihr kenne ich inzwischen sämtliche

Rassen. Und wegen ihr – ein Lächeln in Paulas Richtung – alle fünfhundert Dinosaurierarten.

Quatsch, rief Paula von unten herauf, höchstens dreißig.

Aber die wirklich, sagte er.

Um halb acht waren die Mädchen umgezogen, steckten in ihren Frotteepyjamas, die Zähne geputzt, jetzt muss ich noch etwas vorlesen, sagte Henryk, und ich fragte, darf ich auch zuhören? Er lachte, nur zu. Seine Erzählstimme wie die von den Kinderplatten, ich saß neben ihnen auf dem Sofa, Paulas Füße an meinem Bein, dann und wann ein sanfter Druck wie ein Katzentritt; auf Henryks Arm, seinem Rücken ging es dann ins Bett, aber zuvor eine Umarmung von Paula, ein knappes Nicken von Rena, kurz darauf kam Henryk wieder, in der Hand ein Paar Socken, das er in den Wäschekorb warf.

Später saßen wir auf dem Sofa und streichelten den Hund, der sich zwischen uns gelegt hatte, und manchmal streichelten wir nicht ihn, sondern unsere Hände, er meine, ich seine. Um Himmels willen, Würmer, sagte er. Plattwürmer, konkretisierte ich, ihr Paarungsverhalten. Sie sind durchsichtig, weißt du. Von daher ideale Untersuchungsobjekte.

Er schüttelte den Kopf, was es nicht alles gibt. Dann erzählte er von seiner Habilitation, der Minnesänger als beispielhaft Liebender: nach außen die zur Schau getragene höfische Freude, während er innerlich voller Leid ist. Und die Frage, ob das alles nur Liedkunst war. Oder nicht vielmehr *Lebens*kunst. Was ich, sagte er, übrigens tatsächlich glaube.

Von seiner Frau erzählte er an diesem Abend, von ihrer Krankheit, ihrem Sterben, das sich lange angekündigt hatte und dann doch unerwartet schnell ging, von Paulas Angst, in ihr Zimmer im Hospiz zu gehen, aber ich habe sie gedrängt, und als sie erst einmal bei ihr war, war auch die Angst verflogen, Tatjana hätte es mir nicht verziehen, wenn sie sich nicht hätte verabschieden können. Die Gruppe von Trauernden bei der Beerdigung, nur zwei Tanten, ein Onkel und zwei Cousins waren von der Familie seiner Frau überhaupt noch am Leben, die Eltern schon lange gestorben, der Bruder, zwei Jahre jünger, aber seit seiner Jugend auf Abwegen, vermisst, einfach nicht zu finden, als habe er nie existiert. Aber Freunde waren gekommen, Freunde, von denen Henryk zum Teil noch nie etwas gehört hatte und die ihm, neben dem Grab stehend, die Hand schüttelten, einer war in Tränen ausgebrochen, und Henryk hatte tatsächlich so etwas wie Eifersucht gespürt.

Wir haben uns acht Jahre gekannt, aber natürlich nicht alles voneinander gewusst. Er sah mich nicht an. Ich spreche nicht oft darüber, sagte er, verdränge es, wann immer es geht.

Wie lang ist es her?

Ein Jahr und acht Monate.

Von Viola erzählte ich an diesem Abend, von dem Treffen, das bevorstand, in vier Wochen schon. Bist du aufgeregt?, fragte Henryk, und ich sagte, ja, schon, vielleicht ist es auch nur Neugierde.

Wie klang sie denn am Telefon?

Nett. Aber das heißt ja nichts.

Und was sagen deine Eltern dazu?

Ich habe es ihnen noch nicht gesagt.

Wir saßen so und sprachen, und als es halb eins war und er gähnte – aber ich bin nicht müde, will es zumindest nicht sein –, stand ich auf, der Hund sprang vom Sofa und lief mir hinterher zur Tür, die Henryk nur ein kleines Stück öffnete. Wann sehen wir uns wieder? Bald. Wir umarmten uns, und Peter stellte sich auf die Hinterpfoten, er ist eifersüchtig, sagte ich. Henryk nickte. Dazu hat er auch allen Grund.

In den nächsten vier Wochen trafen wir uns fünf Mal. Wir gingen reiten im Wildpark – das heißt, die Mädchen ritten, und wir hielten die Ponys an den Zügeln, und ich für meinen Teil versuchte, mir meine Angst vor allen Tieren, die größer sind als Schafe, nicht anmerken zu lassen –, wir kochten zusammen und besuchten eine Ausstellung, in dem aus Hunderttausenden von Legosteinen die Menschheitsgeschichte nachgebaut war, die winzigen Steinzeitmenschen mit ihren wilden schwarzen Haaren, die ägyptischen Pyramiden aus gelben Steinchen, das Kolosseum, die Ritterburgen, die gleiche Stadt im siebzehnten, achtzehnten, neunzehnten und zwanzigsten Jahrhundert. An einem Abend gingen wir essen, nur Henryk und ich, während seine aus dem Osten angereiste Mutter auf die Kinder aufpasste, danach, vor meiner Haustür, der erste Kuss, die ersten Küsse, mehr nicht. Waren wir zusammen?

Einmal liefen wir zu Fuß von ihm zu mir, Rena und Paula waren in Schule und Kindergarten, und wir hatten beide einen ganzen Vormittag frei, wir schritten die Entfernung ab, wo waren wir stehen geblieben, fragte er, sechshundertwieviel? Und dann hörten wir auf zu zählen, sahen einfach, dass es noch fünfzehn Minuten brauchte, also ungefähr zwei Kilometer, sagte er, kommt das so hin? Die Idee zusammenzuziehen war da noch lange nicht geboren, zwei Kilometer schienen uns nicht viel. Wir liefen zu mir, und als wir dort ankamen, ließen wir nur kurz unsere Hände los (Tür aufschließen, Tasche fallen lassen), dann führte ich ihn ins Schlafzimmer, das unordentlich war und taghell, wir zogen die Vorhänge zu, entkleideten uns schweigend, legten uns unter die Decke, die wir bald wieder wegschoben, um einander zu sehen. Ich weiß nicht, ob er das genauso herbeigesehnt hatte wie ich, aber ich glaube schon.

Noch einmal der gleiche Weg nach Dänemark, die gleichen Wiesen, die sich im hoffnungsfrohen Hellgrün ausstrecken, nur begrenzt von den braunen Feldern, auf denen die Traktoren lange Rillen gezogen haben. Die gleichen Dörfer und Windradkolonien, die gleiche blasse Sonne, die sich diesmal gegen den Mond behaupten muss; dezent, aber hartnäckig wie ein alter Verwandter verteidigt er seinen Platz am Himmel.

Viola, auf dem Beifahrersitz, hat den Kopf gegen die Kopfstütze gelehnt und die Augen geschlossen. Wenn sie spricht, klingt sie müde. Beim Frühstück in der Stadtbäckerei war davon noch nichts zu spüren gewesen. Tee, hatte sie zur Kellnerin gesagt, oder nein, doch lieber Kaffee, wo kommt der her, Brasilien, Afrika, Südamerika? Die Kellnerin hatte mit den Schultern gezuckt, Kapseln halt, von Nestlé, also Schweiz. Viola hatte gelacht, als hätte sie einen Scherz gemacht. Und die Marmelade? Haben Sie auch Orangenmarmelade? Das Mädchen schüttelte den Kopf. Erdbeer, glaube ich, Erdbeer und Himbeer und Aprikose. Nicht selbst gemacht, natürlich nicht, stellte Viola fest. Dann Aprikose, außerdem Käse, keine Wurst. Ich bin keine Vegetarierin, erklärte sie, aber wenn du einmal gesehen hast, wie die Tiere in Indien geschlachtet werden – nicht die Kühe natürlich, aber die werden unter der Hand nach Bangladesch verschachert und dann eben dort auf quälendste Weise umgebracht –, vergeht dir die Lust auf allzu viel Fleisch, auch auf Leder. Und der Saft? Sie sah das Mädchen, das immer noch wartete, fragend an. Orangen, Kirsche, Trauben, nicht frisch gepresst. Ein Glas Orangensaft dann bitte, sagte Viola ergeben und klappte abschließend die Karte zu. Für mich das Gleiche, rief ich der Kellnerin hinterher, und sie nickte, ohne sich umzusehen.

Bei dir wird man immer zum Zuschauer, sagte ich.

Viola sah mich überrascht an, dann lächelte sie. Wahrscheinlich weil ich Schauspielerin bin, sagte sie. Obwohl ich jetzt nicht schauspiele, versteh mich nicht falsch. Ich möchte mich so zeigen, wie ich bin.

Und, schaffst du das?

Musst nicht eher du das beurteilen?

Ich kenne dich ja nicht, sagte ich. Zumindest nicht sehr gut.

Ein Anflug von Beleidigung in Violas Gesicht, doch dann fuhr sie sich mit einer Hand über Kinn und Hals, als wollte sie sich selbst trösten oder die betretene Miene wegwischen, und tatsächlich lächelte sie danach wieder.

Ein wenig kennst du mich jetzt aber schon. Ihre Stimme hatte auf einmal etwas Schmeichelndes an sich, auch Berechnendes, doch wie sich wehren? Ich sagte: Ja sicher, ein wenig schon.

Erzähl mir von deiner Mutter und von deinem Vater. Waren sie gute Eltern?

Sie sind gute Eltern, sagte ich und legte die Betonung auf das Wort *sind*, denn das Elternsein hört ja nicht plötzlich auf. Das Tochtersein im Übrigen auch nicht. Immer wenn ich nach Hause komme, meine Eltern in der neunhundert Kilometer entfernten Kleinstadt besuche, schrumpfe ich auf Kindsgröße zurück, im Guten wie im Schlechten. Das Gute: mein Vater, der mich umarmt und dann ein Stückchen von sich hält, um mir ins Gesicht zu sehen, der alle Liebe in diesen Blick legt; meine Mutter, die mich mit dem Kosenamen nennt, den nur noch sie verwendet. Das Schlechte: seine Verstimmung am Morgen, wenn ich die Nacht zuvor lange aus war; der spätestens nach drei Tagen in der Luft liegende Streit mit meiner Mutter.

Sie sind großartig, sie sind loyal, sie machen mich manchmal verrückt, sagte ich, aber das gehört dazu, sie lieben mich, das ist vielleicht das Wichtigste, ich hatte nie den Eindruck, dass ich nicht ihr leibliches Kind sei.

Ich dachte an meine Mutter, wie sie im Garten in einem der Beete kniete, sich die braunen Haare aus der Stirn schob, wie sie die Gartenhandschuhe auszog und mit bloßen Händen weiterarbeitete. Ich sah sie vor mir, wie sie sich einmal am Abend zum Ausgehen bereit machte, das aus Tausenden von Pailletten bestehende Oberteil, ihre schmalen Hüften im engen schwarzen Rock, und neben ihr mein Vater im Smoking, groß und schlank, sie mussten auf dem Weg in die Oper gewesen sein, und Maike und ich sahen fern, bis wir so müde waren, dass wir uns nur noch ins Bett schleppen konnten. Als sie nach Hause kamen, war ich noch wach, aber ich stellte mich schlafend, die Hand meiner Mutter auf meinem Hinterkopf, später mein Vater, der die Decke zurechtzog; ich war elf Jahre alt, ich weiß noch, wie klein ich mich fühlte und wie sehr ich das genoss.

Das Frühstück war gekommen, und Viola hatte einen ersten Schluck von ihrem Kaffee genommen, jetzt öffnete sie mit konzentrierter Miene das kleine Marmeladendöschen, und auch ich trank etwas von meinem Kaffee.

Wann hast du davon erfahren? Ich meine: Wann haben sie dir gesagt, dass du nicht ihr leibliches Kind bist?

Ich war neun, sagte ich, oder nein: zehn.

So spät? Sie schaute von ihrem Teller auf, und erst jetzt sah ich, dass der Stein, der an ihrer Stirn geklebt hatte, verschwunden war.

Und wie hast du es aufgenommen?

Ich legte das Brötchen aus der Hand, von dem ich erst einen Bissen genommen hatte. Ich konnte nicht essen und gleichzeitig reden, meine Kehle war wie zugeschnürt, ich fühlte mich wie in einer Prüfung.

Gut, sagte ich. Also zuerst war es ein Schock, natürlich, aber gleich darauf war es eher aufregend als schockierend. Ich fühlte mich wie etwas Besonderes, eine Romanheldin. Ich wünschte nur, ich hätte darüber reden dürfen.

Hast du nicht?

Nein. Sie hatten Angst, dass wir stigmatisiert würden. Wir lebten in einem Dorf, musst du wissen. Bayrisches Hinterland, nicht gerade progressiv. Aber ich war nie gut im Geheimhalten von Dingen.

Wir?, fragte Viola. Hast du denn Geschwister?

Eine Schwester, Maike. Sie ist ein Jahr älter.

Unglaublich, dass ich noch nicht von ihr erzählt hatte. Aber ich hatte ja auch Henryk nicht erwähnt und auch Paula und Rena nicht. Es war, als wollte ich Bereiche vor Viola schützen, als würde alles, was mit ihr in Berührung kam, auf seltsame Weise entwertet, einfach, indem sie darüber hinwegging wie über etwas Unwichtiges. Nur was sie selbst betraf, hatte Bedeutung. Und nur, wenn es ihr schmeichelte.

Ist sie auch adoptiert?, fragte Viola.

Ja.

Kennt sie ihre leiblichen Eltern?

Viola hatte inzwischen ihre Brötchen aufgegessen, und ich hielt ihr meinen Brotkorb hin, doch sie schüttelte den Kopf.

Sie hat sie einmal getroffen, sagte ich. Sie sind immer noch verheiratet, haben außer ihr zwei Kinder, die bei ihnen lebten, mehr oder minder. Sie fand die Begegnung nicht so erfreulich.

Versteht ihr euch gut?, fragte Viola. Sie winkte der Kellnerin und bestellte noch einen Kaffee. Ich habe nicht gut geschlafen, sagte sie zu mir. Das Bett war so durchgelegen, dass ich immer zur Mitte hingerollt bin, und ab sieben Uhr morgens begannen die Bauarbeiten vor meinem Fenster.

Das tut mir leid. Ich fühlte mich schuldig, ich war es ja gewesen, die ihr das Zimmer besorgt hatte.

Viola sagte: Ich hatte einen älteren Bruder, Gerhard, aber ich mochte ihn nicht. Er ist bereits vor siebzehn Jahren gestorben, bei einem Unfall in den Bergen. Ich lebte damals in Amerika, ich war nicht einmal bei seiner Beerdigung.

Wie schade, sagte ich, aber Viola widersprach: Nein.

Nein, wiederholte sie, nichts bereuen, das habe ich mir einmal vorgenommen: nie etwas zu bereuen. Das bringt nichts außer Depressionen.

Aber ging das denn, konnte man das denn durchhalten, oder brach nicht irgendwann alles zusammen, stürzte auf einen nieder und führte dann erst recht zur Depression, zur Verunsicherung zumindest? Zu Viola sagte ich: Geht das denn?

Aber ja. Sie sah mich mit hochgezogenen Brauen an. Denken und Sein, das Erstere formt das Letztere, vice versa natürlich auch, aber ich traue meinem Denken viel Kraft zu.

Wenn du dir da nur nichts vormachst, dachte ich. Und sagte: nichts. Aß stattdessen die Brötchen, plötzlich hungrig, und hörte für den Rest des Frühstücks Viola zu, die von ihrem Leben erzählte, von ihrer Vergangenheit und ihren Plänen, heute also zurück nach Indien, dann Südamerika, wo sie, sie hatte davon geträumt, einer wichtigen Person begegnen würde, einem Mann, hoffe sie, the best is yet to come, daran glaube sie, und ja, vielleicht sei das überhaupt ihr Lebensmotto; drei Übersetzungen, mit denen sie über die nächsten Monate kommen werde, ein Theaterprojekt in Mumbai, dann mal schauen, vielleicht sei der Südamerikaner ja so großzügig, dass sie sich darüber keine Sorgen mehr machen müsse.

Vor dem Flughafengebäude sagt sie: Du musst nicht mit reinkommen.

Bist du sicher?

Ja. Sie nimmt ihre Reisetasche, den Seidenbeutel. Ich steige aus dem Auto, wir umarmen uns.

Es war schön, sagt sie.

Ja, war es. Guten Flug.

Sie geht los, dreht sich noch einmal um.

Wir haben unsere E-Mail-Adressen!

Ja. Lass uns einander schreiben!

Aber sie hat sich schon abgewendet und verschwindet gleich darauf in der Drehtür.

Als ich am Abend klingle, öffnet Paula die Tür. Sie trägt eine Art Kittelkleid, braune Eule auf himmelblauem Grund, ihre zwei Zöpfe haben sich halb gelöst, das Gesicht ist verschwitzt.

Gut, dass du kommst, sagt sie, du musst mir helfen.

Um was es geht: auf den Händen stehen, Beine frei in der Luft. An der Wand kann ich's schon, ruft sie von unten herauf mit einer gepresst klingenden Stimme, jetzt! Sie nimmt die Beine von der Wand, und ich greife danach und lasse sie los, als sie mich dazu auffordert. Keine drei Sekunden später ist sie wieder auf den Füßen.

Noch mal, verlangt sie. Sie stellt sich mit dem Kopf auf das Samtkissen, ich sehe ihr ins rote Gesicht, die beiden Zöpfe rechts und links ihres Kopfes, das Kleid ist ihr bis zum Kinn gefallen, darüber ihre dünnen Beine in der dunklen Strumpfhose.

Wo ist eigentlich dein Vater?

In der Badewanne.

Und Rena?

Bei einer Freundin. Lass mal meine Beine los. So, sagt sie, als sie wieder auf ihren Füßen steht, jetzt zeige ich dir meine Kiste

47

mit Hörspielen und du – sie sieht mich mit einem gespannten Lächeln an – darfst eins aussuchen.

Es läuft die Anfangsmelodie von *Pinocchio*, und wir haben gerade begonnen, die Barbiepuppen umzuziehen, als ich Henryk plötzlich in der Zimmertür stehen sehe.

Ich hab dich gar nicht gehört.

Das wollte ich auch gerade sagen.

Paula macht schsch, und ich folge Henryk in die Küche.

Und wie war dein Tag?

Was weißt du über narzisstische Persönlichkeiten?, frage ich zurück.

Oh Gott, so schlimm war es?

Er lacht leise, während er den Lachs aus der Plastikverpackung holt.

Nein, sage ich. Doch. Die Sache ist die: Wenn ich davon berichte, klingt es nicht schlimm. Eher etwas schrullig. Man muss es einfach selbst erleben, wie sie von sich berichtet, von ihrem Leben in Indien, den wunderbaren Farben dort, den wunderbaren Menschen, so arm sie auch sein mögen, aber welche Würde! Und sie – natürlich – auch so wunderbar, wie ihr das immer wieder gesagt und gezeigt wird, gerade auch von Männern, immer noch, aber sie sehe ja auch viel jünger aus, keiner würde ihr die Sechzig abnehmen. Wie sie als Kind, kaum zehnjährig, den Tod des Großvaters vorhergesehen habe, wie ihr ein Engel erschienen sei nach der ersten Abtreibung, der zweiten: Es ist alles gut, hat er gesagt. Statt ihr mal die Sache mit der Verhütung zu erklären! Wie sie ihre ersten Rollen gespielt hat, mit wie viel Talent. Wie sie die Liebe gelebt hat – genau so kitschig sagt sie es: *die Liebe gelebt* –, wie sie das Leben einschätzt, wie klug und weise sie ist – *das* sagt sie natürlich nicht so, aber sie lässt es andere sagen, die sie ja nur, selbst ein bisschen ungläubig, zitiert – und du, sagt sie dann zu mir, hast so etwas Abgeklärtes an dir, und es ist deutlich, dass sie eigentlich hatte sagen wollen: etwas Zynisches. Und stell dir vor, genauso fühle ich mich auch, ich bin so zynisch, wenn ich von ihr erzähle, ich finde sie so anstrengend und selbstverliebt, und mich finde ich so engstirnig und unehrlich, denn schließlich hätte ich ja auch etwas sagen können, aber nein: Schön war's, sage ich, treudoof und blöde, schön war's, und lass mich umarmen, und das Einzige, wofür ich nach diesem Tag dankbar bin, ist, dass ihr Freiheitsdrang größer war als ihre Kinderliebe, dass ich also bei meinem Vater und meiner Mutter, die ich zwar manchmal auf den Mond schießen könnte, aufwachsen durfte und nicht bei ihr. Ich wäre – und das meine ich jetzt nicht im übertragenen Sinne – ich wäre wirklich und wahrhaftig ein Fall für die Klapse geworden, glaub's mir.

Henryk hat inzwischen die Lachsfilets in Alufolie verpackt und in den Ofen gelegt. Jetzt kommt er zu mir. Es ist gut, seine Arme zu spüren, sein leises, kitzelndes Schnauben an meinem Ohr.

Das hast du schön gesagt, flüstert er, und dann müssen wir beide lachen, wir sehen uns an und lachen, und irgendwann küssen wir uns.

Und was bitte, sagt Paula, die plötzlich und ohne Ankündigung neben uns steht, gibt es zu essen?

Rena kommt eine halbe Stunde zu spät. Als Henryk ihren Schlüssel in der Tür hört, macht er ein ernstes Gesicht. Hallo Rena, ruft er, wasch dir die Hände und komm an den Tisch.

Wir hören im Badezimmer das Wasser laufen, dann kommt sie ins Esszimmer.

Es tut mir leid, sagt sie zerknirscht, bevor Henryk etwas sagen kann, ich hab vergessen, auf die Uhr zu sehen.

Henryk stellt den Teller mit dem inzwischen lauwarmen Lachs

vor sie, dazu einen Löffel Reis. Das ist keine besonders gute Ausrede, sagt er. Wenn du alt genug bist, alleine zu einer Freundin zu gehen, musst du auch in der Lage sein, die Zeit im Blick zu behalten.

Seine Stimme ist ruhig, aber nicht freundlich.

Rena nickt ergeben. Kommt nicht mehr vor, verspricht sie, den Mund voll Reis.

Okay, sagt er abschließend. Dann erzähl mal, wie es war.

Gut, sagt Rena.

Wir sehen sie abwartend an, aber sie scheint genug erzählt zu haben.

Habt ihr gespielt?, frage ich.

Sie nickt.

Mit Puppen?

Ein ungläubiger Blick zu mir. Die sind doch für Babys!

Ist das so?, frage ich. Ich glaube, ich habe noch mit zwölf mit Puppen gespielt.

Rena verdreht die Augen, dann murmelt sie etwas.

Was war das?, fragt Henryk.

Nichts. Rena schüttelt den Kopf.

Doch, beharrt Henryk.

Rena sieht ihn herausfordernd an. *Schön blöd.* Ich habe *schön blöd* gesagt.

Und was soll das?

Ist doch wahr. Kein Mensch spielt noch mit Puppen, wenn er zwölf ist.

Ich schon, sagt Paula. Ich glaube, ich spiele sogar noch mit Puppen, wenn ich vierzehn bin.

Ja, du. In Renas Stimme ist auf einmal eine spöttische Zärtlichkeit, die mich beinahe traurig stimmt. Du bist ja auch unser Baby.

Ich tu nicht nur so, sagt Henryk später zu mir, als die Kinder im Bett sind. Ich bin wirklich sauer, wenn sie zu spät kommt. Sie muss lernen, sich an Verabredungen zu halten.

Wir sitzen auf dem Sofa, Peter auf seinem Platz zwischen uns, der Fernseher, den ich eingeschaltet habe, als Henryk die Kinder ins Bett brachte, läuft lautlos weiter. Gerade hat eine Spielshow begonnen, in der zwei Mannschaften gegeneinander antreten: eine Gruppe von Frauen auf der einen, eine von Männern auf der anderen Seite des Moderators. Die Männer tragen alle eine rote Baseballkappe, auf der der Schriftzug *Manny-Brothers* zu lesen ist, und ich frage mich, ob die vier tatsächlich Brüder sind, es gibt da eine Familienähnlichkeit, aber sie kann am Ende auch nur eine der Gewohnheiten sein: das gleiche schwere Essen, die gleichen Berufe, das gleiche Hobby – ein Kegelverein vielleicht, die Schultern stämmig, kurzer Hals.

Henryk krault Peters Ohr, und der stößt einen kleinen Seufzer aus.

Manchmal habe ich den Eindruck, sagt Henryk, ich muss jetzt all das in mir vereinen, was sonst auf zwei Eltern verteilt ist. Die Nachsicht, die Strenge, die Bereitschaft, Freiheiten zu lassen und die, Grenzen zu setzen. Es gibt niemanden, der mich mal ablöst. Und niemanden, zu dem sie gehen können, wenn wir uns gestritten haben, also zumindest keinen zweiten Erwachsenen. Vielleicht vertragen wir uns auch darum immer sehr schnell wieder – wir müssen ja doch im nächsten Moment wieder miteinander auskommen.

War Rena schon immer so liebevoll mit Paula?

Ist sie das?

Fällt dir das denn nicht auf?

Doch, sagt er, schon, manchmal. Aber sie können sich auch ganz schön streiten. Er schweigt einen Moment. Weißt du, für

Paula ist es schlimm, dass sie ihre Mutter verloren hat. Aber sie versteht es noch nicht so ganz. Oder anders gesagt: Sie hat schon so vieles vergessen, erinnert sich nur an Bruchstücke. Rena hingegen… Sie spricht nicht viel darüber, aber ich glaube, sie leidet am meisten von uns dreien. Manchmal sagt sie etwas, erzählt von etwas, an das sie sich erinnert, und dann merke ich, dass ich das schon fast vergessen hatte, dass sie sich nicht nur an ein Ereignis, sondern auch an eine Stimmung erinnert. Und an Details – an Tatjanas Art, beim Kochen mit den Kindern zu reden, ihnen kleine Stücke von allem in den Mund zu stecken wie bettelnden Hunden. An ihre Art, sich mit einem Buch zurückzuziehen, wenn sie wusste, dass ich nun nach den Kindern schauen würde. Ihre seltsame Art zu sitzen und zu lesen, die Knie aufgestützt und fast bis an die Brust gezogen. Ihre Weckrituale: das Kitzeln, das Anknabbern. All so was. Renas Mitleid mit Paula ist auch eines mit sich selbst.

Ist sie deshalb so misstrauisch mir gegenüber?, frage ich.

Wahrscheinlich. Misstrauisch dir gegenüber, aber vor allem wohl sich selbst gegenüber. Dass sie illoyal werden könnte. Eine andere als Mutter akzeptieren könnte.

Wir kennen uns erst so kurz, sage ich.

Am Morgen erwache ich vor dem Klingeln des Weckers. Es ist ruhig in der Wohnung, Peter am Fußende des Bettes, Dämmerlicht, Henryk richtet sich halb auf und tastet nach seiner Brille. Wir haben am Abend zuvor nicht darüber gesprochen, dass ich bleiben würde, aber als es Zeit gewesen wäre, nach Hause zu gehen, hat er mir ein T-Shirt von sich gegeben – du hast doch kein Nachthemd hier –, und ich habe es übergezogen. Bleib noch liegen, sagt er.

Ich kann ihn in der Küche rumoren hören, im Kinderzimmer, offenbar wachen die Kinder nur zögerlich auf, ich höre sein Rufen, zieh dich an, Paula, genug gespielt, sein leises Drängen im Flur, die Tür geht auf und wieder zu, und ich gehe in die Küche, sehe auf dem Tisch das Frühstücksgeschirr stehen, eine Mütze auf dem Boden im Flur, die Schlafanzüge der Mädchen vor den Betten. Ich räume das Geschirr ab, dusche und ziehe mich an. Als Henryk eine halbe Stunde später nach Hause kommt, habe ich Kaffee gekocht. Wir trinken ihn, während wir aus dem Fenster schauen, drei Stockwerke tiefer gehen Menschen in den Hof, holen ihre Fahrräder, packen Kinder mit bunten Helmen in die Fahrradsitze, eine alte Frau mit einer schreiend gelben Strickjacke wirft eine Tüte Müll weg und sieht sicher zwei Minuten lang in die geöffnete Tonne, erst, als zwei Jugendliche in den Hof kommen, schlägt sie den Deckel wie ertappt zu.

Ich muss los, sage ich, und Henryk bringt Peter und mich zur Tür.

Sehen wir uns heute Abend?

Dass es zu schnell um zu viel geht, denke ich. Dass ich manchmal nicht weiß, ob ich das hier wirklich will: ihn, die Kinder, das ganze Paket. Lass uns telefonieren, sage ich.

Einverstanden.

An die Wand neben dem Fahrstuhl hat jemand mit Edding zwei Strichmännchen gemalt, hintereinander kniend, daneben ein übergroßer Penis, kein Text, wozu auch, ich denke an Rena und Paula, die jedes Mal, wenn sie auf den Fahrstuhl warten, diese Zeichnung anschauen, der Aufzug kommt, die Türen gleiten auf, ich drehe mich nach Henryk um, aber er hat die Wohnungstür bereits geschlossen. Ich gehe zurück, klingle noch einmal.

Ist es okay, wenn ich heute Abend zu euch komme?

Er zieht verwundert die Augenbrauen hoch und schweigt

einen langen Moment. Ja, sagt er schließlich und nimmt meine Hand, um mich an sich zu ziehen. So stehen wir eine Zeitlang, sein Herz an meiner Brust schlägt – ich muss los, ich auch –, dann gehen wir zurück ins Schlafzimmer, das Bett ist noch nicht gemacht, und die Sonne zeichnet einen Kreis auf das weiße Laken, einen Kreis, so rund und hell, dass er sogar dann noch zu sehen ist, wenn man die Augen schließt.

LIEBEN

Paula liegt auf dem Bett, die Hand neben ihrem Kopf hält den facettierten Glasstein umklammert, der dünne Faden hat sich zweifach um ihre Finger gewickelt. Ich ziehe ihr die Decke über die Schultern, morgen früh wird sie traurig sein, dass das weiße Kleid zerknittert ist, aber sie jetzt zu wecken geht auch nicht.

Und du, bist du auch müde?, frage ich Rena.

Sie nickt, lässt sich auf den Arm nehmen.

Ich bring dich ins Bett, einverstanden?

Erst Zähne putzen, murmelt sie pflichtbewusst. Kommt Papa noch mal zu mir?

Ja, er bringt nur Oma und Opa zum Hotel.

Es war schön, sagt Rena, wirklich. Sie nickt an meiner Schulter. Am schönsten war das Tanzen. Sie lacht leise.

Ich sehe Henryk vor mir, in seinem Smoking, mit der Fliege, die ihm etwas Altmodisches, allzu Beflissenes verlieh. Als hätte er sich verkleidet. Und ich mich vielleicht auch. Nicht gerade ein Reifrock, nicht gerade bodenlang. Aber Chiffon in Grün und Grau, fast schlammfarben, ein Kleid wie ein Tümpel. Wir hatten die Wochen zuvor tanzen geübt, erst im Kurs – die Ringershirts des Tanzlehrers, seine Haut unter den Fingern, wenn man mit ihm vortanzen musste –, später zu Hause, wenn die Kinder schliefen, zur CD, die Henryk eines Tages mitgebracht hatte, *World of Standardtanz*. Wo hast du die denn her? Vom Ramschtisch, woher sonst. Egal, egal. Jetzt kommt der Cha-Cha-Cha!, nicht so steif, aber *so* mit den Hüften wackeln auch nicht! Hör auf zu lachen! Du lachst ja selbst. (Wenn wir das überstehen, kann uns nichts mehr erschüttern.) Da war die Gästeliste schon geschrieben, die Einladungen verschickt. Vierundachtzig Personen, ich wusste gar nicht, dass wir so viele Freunde haben. Henryk sagte: Ein Drittel sind ja Verwandte.

Draußen die Dunkelheit des Gartens, dahinter die erleuchteten Fenster der Stadtsparkasse, weiße Lamellenvorhänge, hinter denen ich einen Mann sehen kann, jede Nacht kommt jemand zum Putzen, außer sonntags. Ich ziehe mich aus und schiebe den Gedanken beiseite, dass ich sichtbar wie ein Fisch im Aquarium bin. Vor dem Fenster ist ein Balkon, den wir nie benutzen, da nie, nicht einmal im Hochsommer, ein Sonnenstrahl auf ihn fällt. Unter dem Balkon liegt ein Garten – ein *Handtuch* von einem Garten, wie Henryk sagt –, in dem wir zwei Hütten aufgestellt haben, kleine schwedische Holzhäuser, das eine rot, das andere senfgelb, mit weißen Giebeln und je einer schmalen Veranda. Auf Paulas Veranda steht ein grober Holzklotz, Henryk hat ihn ihr hingestellt. Sie liebt es, darauf zu sitzen und den warmen Kakao zu trinken, den ich ihr zuvor in eine Thermoskanne gefüllt habe. Sie schaut dann nachdenklich auf den sonnenlosen Garten vor ihrer Hütte wie auf das zu bearbeitende Ackerland einer Farm.

Vor einem Jahr sind wir hierhergezogen, vor dreizehn Monaten, um genau zu sein, nachdem wir eine Weile versucht hatten, gemeinsam in Henryks Wohnung zu leben, aber ich hatte ständig das Gefühl, Platzhalterin zu sein, nein: nicht Platzhalterin, denn zurückkommen würde Tatjana nicht, Stellvertreterin, das traf es wohl eher. Aber auch das wollte ich nicht sein. Ich möchte nicht, dass ihr eure Mutter vergesst, sagte ich zu den Mädchen, als feststand, dass wir zusammenziehen würden. Ich weiß, dass ich ihre Stelle nicht einnehmen kann – aber ich will euch gerne so etwas Ähnliches wie eine Mutter sein. Für euch da sein, euch helfen, mit euch spielen, reden, ihr wisst schon. Die Mädchen warfen sich einen Blick zu, von dem sie vielleicht annahmen, dass ich ihn nicht sehen, ihn zumindest nicht verstehen würde. Rena nickte und sah jetzt nur noch auf den Boden. Paula fragte, aber wie sollen wir dich nennen? Warum nicht Susa, wie bisher auch?, antwortete ich. Was ich damals nicht verstand: dass sie genau das nicht wollte. Dass sie Mama sagen wollte, wie sie es inzwischen tut, weil sie damit weniger verbindet als ihre Schwester. Rena blieb bei Susa. Oder Susi, wenn sie etwas haben will und die Chancen dafür schlecht stehen.

Rena ist elf Jahre alt, ihre Pubertät hat begonnen – hat, wie Henryk und ich manchmal scherzen, bereits seit längerer Zeit begonnen, womit wir auf ihre Launen anspielen, auf ihre Schwermut, die man hinter der Fassade aus Pferdeschwanz, Zahnspange, aus bunten Tüchern und Ketten nicht vermuten würde. Möglich, dass es gar keine Schwermut ist, vielmehr eine Ernsthaftigkeit, die nur deshalb auffällt, weil sie ihrem Alter nicht angemessen scheint. Vielleicht ist Rena einfach innerlich älter als äußerlich, vielleicht ist es das. Seit ich sie kenne, hat sie Geheimnisse, und auch wenn Henryk mir immer wieder versichert, dass sie es bereits als Kleinkind liebte, Dinge geheimzuhalten – einfach, weil diese Dinge dadurch interessanter werden, nicht wegen dir, Susa –, so fällt es mir doch manchmal schwer, nicht verletzt zu sein, wenn Rena auf meine Fragen mit einem freundlichen, aber entschiedenen: Ich will nicht darüber reden, antwortet, und nur, wenn ich es schaffe, nicht weiter nachzufragen, besteht die Möglichkeit, dass sie mir später mehr erzählt.

Manchmal träume ich, dass Rena mir weggenommen wird, von einer Person, die nie recht sichtbar ist. Gerade weil sie alles schluckt, ist da die Angst, dass sich etwas in ihr festsetzen und für dauerhaftes Unglück sorgen könnte.

Paula ist das genaue Gegenteil. ALLES MUSS RAUS! Sofort und kurz und reinigend wie ein Gewitter. Danach ihr sonntäglichstes Strahlen, ist was gewesen?, sie vergisst es fast sofort. Kuschelt sich wieder an, jetzt erst recht, die Versöhnung nach dem Streit ist fast das Schönste, was es gibt, sagte sie einmal.

Wenn Rena trotzt, ist sie frech und kühl und abweisend. Zwischen ihr und mir fühlt sich dann alles falsch an.

Gib ihr mehr Zeit, sagt Henryk.

Manchmal gehen wir zu dritt in die Stadt. Gehen in alle Läden hinein, drehen und wenden die Schmuckstücke, Haarklammern und Gürtel. Jede von euch hat zehn Euro, sage ich, macht damit, was ihr wollt. Paula steht vor Ohrringen wie Kandelabern, glänzend und funkelnd. Sie hält sie an die Ohren, öffnet die Klipse. Ich halte ihr die Haare hoch. Bleiben siebzig Cent für ein Eis. Ich hebe mein Geld auf, sagt Rena nach dem vierten Laden. Kauft dann doch noch ein Notizbuch, steckt den Rest in ihre Tasche und später in ihre Spardose. Im Café essen wir Kuchen und trinken heiße Schokolade. Kleine weiße Schnurrbärte auf den Oberlippen der Mädchen, ich warte, bis sie irgendwann von selbst verschwinden.

Nach dem Frühstück setzt Henryk sich an seinen Schreibtisch, einen Stapel Seminararbeiten vor sich. Er hat zu viele Studenten, weil er ein guter Lehrer ist – er hat das, was mir beim Unterrichten fehlt: die Freude an der Bewunderung der anderen. Ich erinnere mich an ein Seminar, in dem die Studenten, angestachelt von einem der älteren Teilnehmer (einem Mann um die fünfzig, der aus reinem Interesse Meeresbiologie studierte, nachdem er zwanzig Jahre lang als Prokurist gearbeitet hatte), eine solche Begeisterung für den Kurs und mich an den Tag legten, dass es mir zu viel wurde. Ich mochte nicht, wie sehr ich mich darum bemühte, der Bewunderung gerecht zu werden. Henryk ist da anders: So, wie er als Student einzelne Dozenten verehrte, wird nun er von den Studenten verehrt. Er findet das normal, genießt es vielleicht auch. Einmal in jedem Semester lädt er seine Studenten zu uns ein. Den ganzen Tag köchelt dann eine Tomatensoße auf dem Herd, von der Henryk glaubt, dass das stundenlange Kochen ihr Geheimnis sei. Er erwähnt es wie nebenbei, und die Studenten essen die Spaghetti mit Andacht.

Gegen Mittag kommen unsere Eltern. Rena und Paula öffnen die Tür, der Flur ist sofort zu klein für zwei ungeduldige Kinder und drei alte Menschen. Sie stellen die Taschen auf den Boden, Henryk nimmt ihnen die Mäntel ab, kommt schon!, ruft Paula, weil sie ihnen unbedingt etwas zeigen muss. Lasst sie erstmal ankommen, sage ich, aber die Großeltern wiegeln ab, genießen die Ungeduld der Enkeltöchter, wir kommen, wir kommen ja schon.

Seit Henryks Vater seine Frau verlassen hat – seit mehr als fünfundzwanzig Jahren also –, ist seine Mutter stets alleine zu allen Familienfeiern erschienen, während ihr Mann bereits zwei Jahre nach der Scheidung mit seiner neuen Frau kam, die – obwohl er mit ihr inzwischen länger verheiratet ist, als er es mit Henryks Mutter Karin je war – immer die *neue* Frau bleibt, eine Bezeichnung, die sie womöglich kennt und schätzt wie einen Jungbrunnen für ihre Ehe. Für Karin aber bleibt sie eine Kränkung, und wenn sich ein Zusammentreffen wie am Tag zuvor nicht vermeiden lässt, muss danach die Abbitte erfolgen: Nicht der Vater und die neue Frau sind also heute zum Mittagessen eingeladen, sondern die Verlassene. Denn das bleibt sie und wird sie bleiben; man heiratet nur einmal, also zumindest dachte ich das, sagt sie (zur zweiten Frau ihres Sohnes), aber das ist doch etwas anderes, Susa. Ansonsten die Zurückhaltung in Person. Vorausgesetzt, sie hat genug Anerkennung. Die Mädchen sind gut darin, sie ihr zu geben, besonders Paula, du bist die liebste Großmutter der Welt, sagt sie und meint es auch so, unbezahlbar.

Es war eine schöne Hochzeit, sagt mein Vater beim Aperitif. Die Großmütter sitzen noch auf dem Boden des Kinderzimmers und begutachten das Puppenhaus mit den neuen Holzmöbeln, er selbst hält ein Glas Wein in der Hand und hat sich auf den Ledersessel nötigen lassen, Henryk sieht immer wieder zum Backofen hin, als könnte die Ente sich innerhalb kürzester Zeit im Zuge eines Autodafés selbst vernichten, die Kartoffeln kochen auf dem Herd, der Geruch nach Zwiebeln liegt in der Luft.

Ja, finde ich auch.

Gutes Essen, nette Leute, resümiert mein Vater. Sogar die Rede der Standesbeamtin war zu ertragen. Er lehnt sich zurück und legt wie zur Probe ein Bein auf den Schemel. Kann ich irgendwas helfen?

Den Wein einschenken nachher. Jetzt erstmal nichts.

Der ist gut, sagt mein Vater und nimmt noch einen Schluck. Wie geht's an der Uni, Henryk?

Geht so. Henryk sieht meinen Vater kurz an, dann wendet er sich wieder der Ente zu. Ich hangle mich von einem befristeten Vertrag zum nächsten und warte auf einen Ruf wohin auch immer. Wenn denn jemals einer kommt.

Stehen die Chancen so schlecht?

Henryk zuckt mit den Schultern. Einfach nicht so gut. Er kramt in der Schublade nach Küchenhandschuhen und öffnet den Ofen. Der braune Entenrücken, das Scheppern, mit dem die Bratform auf der Glasplatte des Herds zu stehen kommt, Henryks beschlagene Gläser. Wenn man einen Moment schweigt, kann man das Knistern des köchelnden Suds hören.

Henryk stellt die Ente auf den Tisch und ruft die Kinder. Die Großmütter kommen hinter ihnen ins Esszimmer, noch steif vom langen Sitzen auf dem Boden. Mein Vater schenkt Wein ein und entkorkt eine zweite Flasche. Die Mädchen setzen sich zwischen die Großeltern, Rena neben meine, Paula neben Henryks Mutter. Die Ente wird gelobt (vielmehr: Henryk), die Kinder heben sich die knusprige Haut bis zum Schluss auf und trinken als Erstes den Maracuja-Saft, den Karin ihnen immer mitbringt, nein, ein Glas reicht, sage ich streng, als Karin nachschenken will, und Rena wirft mir einen dankbaren Blick zu.

Und du, Susa, würdest also überallhin mitgehen, wenn Henryk einen Ruf bekäme?, knüpft mein Vater das Gespräch wieder an.

Ich glaube schon. Na ja, vielleicht nicht gerade in ein Krisengebiet.

Und die Wurmforschung? Würdest du die aufgeben?

Ach, die Würmer. (Manchmal ist es traurig, in etwas, das niemand mag, so viel Zeit zu stecken.) Die nehm ich mit.

Klein genug sind sie ja, sagt mein Vater. Er nickt ein paarmal nachdenklich. Und was wäre, wenn du selbst einen Ruf bekämst?

Das wird nicht passieren, sage ich. Ich mach ja nicht mal eine Habil.

Stimmt. Warum eigentlich nicht?

Ich zucke mit den Schultern. Mir reichen die Forschungsprojekte, sage ich. Ich weiß, dass er diese Art der Antwort nicht mag. Er selbst war immer ehrgeizig. Erst vor zwei Jahren hat er seine Firma verpachtet, hat sich aber einen Sitz im Aufsichtsrat ausbedungen für fünf Jahre. Vermisst er die Arbeit? Meine Mutter meint: ja. Während sie keinen Tag vergehen lässt, ohne dankbar zu sein, dass sie den großen alten Kasten – Design, Konzeption und Herstellung von Stühlen aller Art – endlich los ist. Die Erleichterung, nicht mehr zuständig sein zu müssen. Keine Diskussionen mit den Angestellten mehr, keine Rechnungskontrolle, keinen Ärger mit Beanstandungen oder mit unzufriedenen Kunden wegen zu langer Lieferfristen, als ob wir etwas dafür können, wenn die Stoffe zu spät aus China geliefert werden oder die Schrauben aus Tschechien, Scheißglobalisierung! Jetzt lesen sie viel, wenn sie nicht reisen. Daneben macht mein Vater seinen Flugschein, er ist der älteste der fünf Schüler in seiner Gruppe, aber nicht der schlechteste, auch wenn er für die schriftliche Prüfung zwei Anläufe brauchte, was soll's, aber das Gefühl, Susa, da oben zu sein, ich hätte es schon früher anfangen sollen, aber deine Mutter wollte es nie, jetzt, mit 71 kommt's wohl nicht mehr so drauf an, er lächelt mit hochgezogenen Brauen, und meine Mutter sagt, ja, jetzt hast du lang genug gelebt.

Stürz trotzdem nicht ab, sagt Henryk.

Ich versuch's.

Mein Vater mag Henryk, und er liebt Rena und Paula, es kommt vor, dass er Ähnlichkeiten zwischen ihnen und mir entdeckt, wie die Leute Ähnlichkeiten zwischen ihm und mir entdeckt haben. Worüber wir damals lachten. Aber es stimmt: Wir sind uns wirklich ähnlich, der gleiche Menschentyp, das schmale längliche Gesicht, dem man die Müdigkeit schnell ansieht, die langen Glieder, die hellen Haare zur blassen Haut, die Anfälligkeit für Sonnenbrand und Magenverstimmungen aller Art, der gleiche niedrige Blutdruck, nur sind seine vereinzelten Ohnmachten dramatischer als mein regelmäßiges morgendliches Zusammensinken, das mich nur wenige Minuten außer Gefecht setzt und in meiner Jugendzeit so gewöhnlich war, dass der Rest der Familie über mich hinwegstieg und weiter frühstückte, nicht, ohne mich von Zeit zu Zeit mit aufmunternden Blicken zu bedenken.

Warum ist Maike heute eigentlich nicht hier?, fragt meine Mutter. Hat sie etwas vor?

Glaub schon, sage ich, ohne aufzuschauen.

Ich bin zum Stillschweigen verpflichtet, es gebe da jemanden, hatte Maike gesagt, den sie möge. Aber erzähl Mama bloß nichts davon, sonst löchert sie mich wieder und verdirbt alles. Bring ihn doch mit zur Hochzeit. Ist das ein Witz? Damit er direkt vor Ort eine Absichtserklärung unterschreiben kann?

Wir hatten gelacht, aber Maike hat recht: Seit einigen Jahren wird jeder Mann, den sie meiner Mutter präsentiert, wie die letzte Rettung behandelt.

Was Ernstes?, fragt meine Mutter.

Keine Ahnung, sage ich. Und setze hinzu: Man kann auch ohne Mann glücklich sein.

Kein gutes Zeichen, wenn du das an deiner Hochzeit sagst.

Die war ja bereits gestern, wirft Henryk ein.

Dann sorgt Paula für einen Themenwechsel, indem sie beim Versuch, noch mehr Soße auf ihren Teller zu löffeln, das Weinglas von Karin umstößt. Rena ruft, pass doch auf, du Tollpatsch, ich frage mich, ob sie gerade klingt wie ich, Henryk holt ein Küchentuch und wischt den Wein vom Holztisch, bevor er auf den Boden tropfen kann. Mein Vater steht auf, um Karin neuen Wein einzuschenken, Karin tupft sich unauffällig einige Spritzer vom Schoß, und Paula isst den in Soße ertränkten Kartoffelbrei, bevor er kalt wird.

Kurz bevor wir ein Abendessen improvisieren müssen, brechen Karin und meine Eltern plötzlich auf. Der Abschied der Kinder – dreifach wiederholte Umarmungen und minutenlanges Winken vom Fenster aus –, dann spielen sie mit den neuen Spielsachen, und Henryk und ich machen mit Peter eine Abendrunde. Gib mir deine Hand, Eheweib. Sie gehört dir bereits. Wir sind albern und wie neu verliebt, jetzt sind wir also Mann und Frau, mal sehen, was das ändert, unsere Namen sind gleich geblieben, trotzdem ein neues Gefühl der Zusammengehörigkeit, bei mir zumindest: ein Bekenntnis, eine Zustimmung zueinander. Trifft's das in etwa? Ja, sagt Henryk, ich denke schon. Natürlich wäre es auch ohne gegangen. Die Feier, das Tanzen, das Essen, die Freunde, die applaudierten nach dem Kuss, das JA und JA, die salbungsvolle Rede der Standesbeamtin, die etwa halb so alt war wie wir – Soweit die Erde Himmel sein kann, soweit ist sie es in einer glücklichen Ehe –, (was fast zu viel war, mir kamen tatsächlich die Tränen) waren keine Garantien, aber wer fragt denn danach. Ich liebe dich, sage ich, sage es gerade, als Henryk Peters Haufen mit einer der braunen Tüten aufhebt, die sich überall in unseren Taschen finden, und Henryk sagt mit melodramatischem Timbre: Die Hand voll Scheiße, das Herz voll Glück.

Viola hatte ich nichts von der Hochzeit erzählt. Es war kein bewusstes Verschweigen, es hatte sich einfach nicht ergeben. Die E-Mails, die ich alle paar Wochen von ihr erhielt, waren in erster Linie Reiseberichte. Ausführlich beschrieb sie darin das Holi-Fest, an dem die ganze Stadt in Farbe *ertrinkt*, auch sie selbst (pinker und grüner und gelber Puder im Haar und auf dem weißen billigen Hemd, das sie sich extra für diesen Tag gekauft hatte). Sie beschrieb, wie sie Indien verlassen hatte und nach Peru gereist war, um der Hitze zu entkommen, von den Alpakas auf den Hochebenen, von der Fahrt nach Chile – zehn Stunden im Bus, aber neben mir ein reizender alter Herr, glücklicherweise kein Huhn auf dem Schoß –, von da aus zu den Osterinseln, wo sie vor den vierhundert steinernen Moai stand – Häuptlinge oder Kriegshelden, frag mich nicht, all das immer noch ein Rätsel, nach siebenhundert Jahren. Sie habe, schrieb sie, in einem leer stehenden Haus wohnen können, zweihundertfünfzig Kilometer südwestlich von Santiago, vermittelt von einer Zufallsbekanntschaft, einem Geschäftsmann, den sie auf der Fähre zu den Osterinseln kennengelernt habe, alleinstehend, aber Vater einer sechzehnjährigen, offensichtlich magersüchtigen Tochter, die an seinem Arm gehangen habe, als befürchtete sie, von einem Windstoß über Bord geweht zu werden (schon darum: *definitely not the man I waited for*), sie bezahle siebzig Dollar die Woche, was ein Witz sei für drei Schlafzimmer, Küche, Bad, außerdem ein Wohnzimmer und eine Veranda, von der der Blick auf zuckerweiße Berge in der Ferne gehe, davor braunes ödes Land, über das dann und wann ein Fuchs laufe oder ein Haufen Erdmännchen, die sich auf die Hinterbeine stellten und die Nasen hochreckten wie kleine, sehr neugierige Kinder.

Die Reiseberichte waren in die Mails kopiert worden, darüber stand, in anderer Schriftart: Meine liebe Susanna, oder: Liebe Susa, einmal auch: Meine liebe Tochter. Ich achtete darauf, nie Deine Susa zu schreiben, auch nicht: Alles Liebe, einfach: Viele Grüße; alles in allem ein etwas buchhalterischer Umgang mit emotionalen Zugeständnissen, aber ich hatte den Eindruck, ich müsste auf der Hut sein.

Im Mai, schrieb sie in der letzten Mail, sei sie in München, um ihre zwei Söhne zu besuchen, ob das nicht der richtige Zeitpunkt sei, dass auch ich Cosmo und Samuel einmal träfe? Ja, schrieb ich, finde ich auch. Fünf Wochen noch bis dahin. Ich wollte meine Brüder im Internet suchen, aber dann fiel mir auf, dass ich ihre Nachnamen nicht kannte, gab ich den von Viola zu ihren Vornamen ein, tauchten ein paar Fotos auf, aber keines, das mir passend schien, und so entschloss ich mich zu warten, mir kein Bild von ihnen zu machen, sie würden groß und schön und trotzdem kleiner als ich sein, ich wäre auf einmal die große Schwester von zweien, die ich nie zuvor gesehen hatte.

Wie aufregend, sagt Maike, als ich ihr davon erzähle.

Findest du es nicht – ich suche nach dem passenden Wort. Sie lehnt sich zurück, die Arme auf dem hellen Holz des Stuhls, der wie alles in diesem Café aussieht, als sei er einer Berghütte entliehen worden. Sie sieht mich abwartend an.

Ich meine, bist du nicht eifersüchtig?, frage ich schließlich.

Unsinn, sagt sie sofort, man kann doch viele Geschwister haben. Ein Freund von mir hat sogar sechs. Drei Schwestern, zwei Brüder und einen Hermaphroditen.

Einen Hermaphroditen?

Na ja, sie zieht an ihrer Zigarette und hält den Rauch einen Moment lang zurück wie ein Geheimnis. Einen Intersexuellen, vielleicht ist das der korrektere Ausdruck.

Lässt man das eigentlich so?, frage ich. Also, trifft man keine Entscheidung für ein Geschlecht?

Maike sieht mich nachdenklich an, dann richtet sie ihren Blick etwas weiter nach oben.

Ich glaube, das hängt von dir selbst ab: Willst du die Eindeutigkeit, die aber vielleicht nie ganz stimmt, oder die Mehrdeutigkeit, die dich in einer Unsicherheit belässt.

Und auch den Alltag schwierig macht, glaubst du nicht? Ich meine: Wie lässt man sich denn nennen, wenn nicht Frau oder Herr Soundso.

Ich weiß es auch nicht, sagt Maike. Vielleicht mal so, mal so?

Sie drückt ihre Zigarette aus und reibt sich die Nase. Hast du eigentlich Mama und Papa endlich davon erzählt?

Von Viola? Noch nicht.

Und warum nicht? Dein erstes Treffen mit ihr ist fast drei Jahre her!

Keine Ahnung. Sag du's mir. Du bist doch die Psychologin.

Du weißt schon, dass du keine Angst haben musst, oder?

Ja, sage ich, klar.

Warum auch.

Ich beschließe, die Reise nach München mit einem Besuch bei meinen Eltern zu verbinden. Kommen die Mädchen mit?, fragt meine Mutter.

Nein, nur ich.

Auch gut, sagt meine Mutter.

Acht Stunden Zugfahrt, ohne Memory, Uno oder Schach. Am Münchner Hauptbahnhof in die S-Bahn, die Stadt schon bald hinter uns, der See zur Linken, davor die Liegewiese und die zu Kugeln frisierten Bäume, das Wetter, das zwischen Regen und Sonnenschein wechselt. Regnet's jetzt oder nicht?, fragt eine Frau in grünem Parka ihren halbwüchsigen Sohn, kommt drauf an, sagt der bloß und legt die Hand auf die von außen besprenkelte Scheibe, blickt mit geblendeten Augen in die Sonne. Ich folge seinem Blick. Müsste jetzt nicht ein Regenbogen… Und wenn schon.

Ich habe übrigens Viola getroffen, ist schon einige Zeit her, sage ich (sage es so nebenher), als wir im Wohnzimmer sitzen, die Kaffeetassen in der Hand, meine Mutter auf dem samtbezogenen Sessel, der so steht, dass sie die Vögel auf der Terrasse beobachten kann und das Eichhörnchenpaar, das seit letztem Jahr in der Fichte lebt und sich morgens und abends die Haselnüsse vom

Beet holt, die sie ihnen dort ausstreut; mein Vater ihr gegenüber, die aufgefaltete Zeitung auf dem Schoß.

Welche Viola?

Die leibliche Mutter, sage ich.

Ein Schweigen setzt ein, so laut, dass es in meinen Ohren summt.

Mein Vater stellt seine Tasse auf den kleinen Tisch neben seinem Stuhl. Und, sagt er schließlich. Wie war das?

Interessant. Sie ist nett, wisst ihr. Auch ganz klug. Nur etwas anstrengend.

Inwiefern? Es ist wieder mein Vater, der fragt. Meine Mutter sieht aus dem Fenster. Eine Schar Amseln hat sich unter dem Buchsbaum neben der Terrasse eingefunden und pickt die dort ausgestreuten Haferflocken auf. Die Spatzen hüpfen vor und zurück wie leichtfüßige Boxer, die ihre Gegner umkreisen und auf den richtigen Moment für den Schlag warten. Die Amseln lassen sie nah herankommen und verscheuchen sie dann mit vorgereckten Köpfen. Meine Mutter ist damit beschäftigt, die Vögel zu beobachten. Wäre sie eine Katze, würden aber ihre Ohren in unsere Richtung zucken.

Sie hat sehr mit sich zu tun, sage ich. Ich glaube, für Kinder hätte sie nichts übrig gehabt. Keine Aufmerksamkeit, vielleicht auch keine Kraft.

Meine Mutter fragt: Warst du enttäuscht? Sie schaut mich kurz an, dann blickt sie wieder auf die Vögel. Kneift leicht die Augen zusammen, um sie noch genauer sehen zu können. So interessant, die Welt da draußen vor dem Fenster.

Nein, sage ich, ich hatte ja nichts erhofft. Ich räuspere mich. Fühle Verlegenheit, Rührung, auch Wut. Ich habe Eltern, ich will keine anderen. Das solltet ihr eigentlich wissen.

Meine Mutter legt die Hand vor den Mund, als müsste sie sich daran hindern, etwas zu sagen.

Und warum hast du sie dann getroffen?, fragt mein Vater.

Na, aus Neugierde natürlich! Hättest du das denn nicht getan? Er überlegt einen Moment. Doch, vermutlich schon.

Sie glaubt, dass euch und mich und sie ein gemeinsames Karma verbindet.

Mein Vater sieht meine Mutter erschrocken an, meine Mutter sagt, herrje, und ich muss ein bisschen lachen.

Treffen will ich sie aber lieber nicht, sagt mein Vater, und meine Mutter, die endlich nicht mehr die Vögel beobachtet, meint: Ich wäre schon mal neugierig. Sieht sie dir ähnlich?

Nein. Vielleicht, dass sie ähnlich isst. Ansonsten sah ich keine Übereinstimmungen. Aber sie hat noch drei weitere Kinder. Und zwei davon werde ich morgen treffen.

Tut dir das denn gut?, fragt mein Vater besorgt.

Da ist nichts, Papa, was mir schaden könnte. Ich werde sie treffen und vielleicht mögen, vielleicht auch nicht. Und dann ist das erledigt und nicht länger von Interesse.

Meine Mutter erhebt sich. Ich geh mal die Wäsche aufhängen. Nein, nein, wehrt sie eilig ab, als auch wir aufstehen, bleibt ihr ruhig hier.

Ist alles okay mit ihr?, frage ich meinen Vater, als sie die Kellertreppe hinuntergegangen ist.

Ja, sagt er, klar. Lass sie das erstmal alles verdauen.

Er nimmt die Zeitung in die Hand, legt sie wieder ab, sieht mich mit hochgezogenen Brauen an, lies ruhig, er nickt und fängt an zu lesen. Dann lässt er die Zeitung wieder sinken. Er lächelt mir zu, ich sage, es ist nichts dabei, weißt du, es ist, als hätte sich ein Kreis geschlossen, ich habe gewusst, dass es so sein würde, er sagt, ich weiß, die Standuhr schlägt vier Mal so pompös, als gelte es, etwas zu verkünden, und mein Vater räuspert sich und nimmt die Zeitung wieder auf.

Am nächsten Vormittag fahre ich zurück nach München, im Gepäck eine Keksdose für Rena und Paula und eine dunkelblaue Kochschürze für Henryk, auf die meine Mutter mit weißem Garn seine Initialen gestickt hat. Um fünf Uhr sind wir in einem Café am Rindermarkt verabredet. Ich habe noch zwei Stunden Zeit. Ich laufe die Isar entlang und werfe von ferne einen Blick auf die Musikschule am anderen Ufer, in der ich vor langer Zeit Klavierunterricht genommen habe, nach sechs Jahren gab ich auf, da hatte ich meine Klavierlehrerin bereits in den Alkoholismus getrieben – spiel weiter, ich bin sofort zurück, und wenn sie zurückkam, roch sie jedes Mal nach Schnaps. Meine endlosen Fingerübungen. Und Czerny-Etüden. Ballade pour Adeline, Albumblatt, Sarabande, Menuett und so weiter. Wer will es ihr verdenken. Noch eineinhalb Stunden. Ich werde pünktlich sein, aber nicht zu früh. Ich weiß nicht, wie meine Brüder aussehen oder wie sie sind, aber ich bin sicher, dass ich weiß, was mich erwartet: nichts, was mich erschüttern kann.

Da sitze ich also, die Arme aufgestützt, schwarz lackiertes Holz, darauf eine pinkfarbene Tulpe in strahlend weißer Porzellanvase, ein Metallständer, in dem die handgeschriebene Tageskarte steckt, daneben Pfeffer- und Salzstreuer, auch weißes Porzellan. Wie sie wohl ankommen werden, zu dritt, zu zweit oder jeder für sich wie Spielfiguren, die gegeneinander antreten? Werde ich sie erkennen? Es ist (*natürlich* denke ich das) wie bei einem Blind Date. Außer mir ist nur eine andere Frau hier, aber die scheidet vom Alter her aus, weiße Haare wie eine Baiserhaube; sie müssten mich erkennen.

Meine Brüder kommen gemeinsam ins Café: Cosmo vorne-

weg, dahinter – einen guten Kopf kleiner – Samuel, eine schlur-
fende Erscheinung, der Schirm seiner Baseballkappe beschattet
seine Augen. Cosmo streckt eine Hand aus, er lächelt, das helle
Haar fällt ihm bis auf die Schultern und ins Gesicht, er schiebt
es zurück. Ich muss aufschauen, ein baumlanger kleiner Bruder
ist das. Er setzt sich mir gegenüber. Neben ihm sitzt Samuel,
und irgendwann kommt Viola, rotseiden und knisternd, alle küs-
send und umarmend. Nachdem sie bestellt hat, bestreitet sie
die Unterhaltung, unterbrochen nur von Samuels ablehnenden
Kommentaren, ein nicht zu behebender Überdruss auf beiden
Seiten, ein Streit entsteht und verebbt, und mir gegenüber sitzt
Cosmo, und weil wir Bruder und Schwester sind, ist es erlaubt zu
schauen und einfach nicht mehr wegzusehen.

So ein Kindergesicht. Und gleichzeitig ein Mann, unleugbar.

Wie ist euer Essen?, fragt Viola.

Gut, sagen wir gleichzeitig, Hackbraten, Kartoffeln, dazu
Randensalat, der rote Saft färbt unsere Münder.

Er sitzt mir gegenüber, und ich vermisse ihn schon.

Samuel sagt: Natürlich ist das Straßenmalen auch ein Protest.
Eine Solidarisierung, nicht nur mit den kolonialistisch Ausgebeuteten der Vergangenheit, sondern auch mit den imperialistisch
Ausgebeuteten der Gegenwart, den rechtlosen Palästinensern
ebenso wie den illegalen afrikanischen Einwanderern.

Trotzdem wäre eine Kunsthochschule auch nicht das Verkehr-
teste, sagt Viola. Sie hat die Hände auf dem Tisch gekreuzt, es ist
offensichtlich, dass sie dieses Gespräch bald beenden, die mütterlichen Ratschläge für heute abhaken will.

Hast du überhaupt zugehört? Sein Tonfall: als spräche er mit
einem zurückgebliebenen Kind. Die Kappe neben ihm auf dem
Tisch. Er wischt sich den Mund mit dem Handrücken ab.

Hast du verstanden, was ich gesagt habe? Scheiß auf deine

Kunsthochschule. Die haben eh keine Ahnung. Kunst für die Elite. Du hast echt nichts kapiert.

Man kann auch da etwas dazulernen, sagt Viola. Niemand ist schon fertig mit Ende zwanzig.

Vermarktung, Verarschung, Verstellung, das lernst du da dazu. Auf der Straße sehe ich, was ich malen will. Ist dir mal aufgefallen, wie viele Penner es hier in München gibt? Du müsstest doch eigentlich wissen, was ich meine. Du hast doch selbst nie Kohle. Zumindest nie, wenn ich dich mal frage.

Hab ich auch nicht. Und wenn, dann stecke ich dir immer was zu.

Samuel lacht und setzt die Kappe wieder auf. Aus der Tasche seiner Jeansjacke holt er einen Kugelschreiber heraus und beginnt, auf die Rückseite der Menükarte zu malen. Arme, Beine, Brüste, Köpfe: winzige nackte Menschen, die sich allmählich zu einem Gesicht formen.

Hilarious, sagt Viola.

Schön, sage ich.

Samuel sagt: Lasst mal stecken.

Cosmo und ich teilen die Rechnung. Vor dem Café verabschieden wir uns von Viola und Samuel.

Sie pflegt sich so durch, sagt Cosmo. Hängt ein bayrisches *weißt?* ans Satzende wie einen Anker. Er zuckt mit den Schultern. Drei Halbgeschwister habe er außer uns, sein Vater, früher drogenabhängig, inzwischen ganz solide, habe wieder geheiratet und noch drei Kinder bekommen, die jüngsten, ein Zwillingspärchen, seien fünf Jahre alt. Er sehe sie regelmäßig. Meine Großeltern waren meine Eltern, sagt er. Aber die Großmutter sei gestorben, als er zwölf war, der Großvater vier Jahre später. Bis zum Abitur dann im Internat, ein Mann vom Jugendamt sein Vormund, nicht übel eigentlich, alles in allem habe er Glück gehabt.

Samuel ist okay, weißt? Er muss sich nur immer ein bisschen aufspielen, wenn Viola dabei ist. Ich sehe ihn öfter.

Hast du nicht langsam genug von all den Geschwistern?

Er lacht. Mehr werden's, glaube ich, jetzt nicht mehr. Hast du Alica schon getroffen?

Ich schüttele den Kopf.

Sie kann am besten mit Viola. Gut, dass sie sie hat.

Und du?

Was ich?

Kannst du gut mit ihr?

Nicht so, wie sie gerne will, fürchte ich. Aber ich diskutiere nicht mit ihr darüber. Es ist okay, wenn sie sich meldet, und auch, wenn sie es nicht tut. Wo übernachtest du?

In einem Hotel in der Nähe vom Bahnhof.

Wenn du magst, bring ich dich hin.

Sein Auto steht eine Straße weiter, ein kleiner roter Sportwagen, Chaos im Inneren, ein Stapel Blätter auf dem Beifahrersitz, eine leere Coladose, Papiere von Schokoriegeln. Warte einen Moment, sagt er und beugt sich in den Wagen hinein, verstaut Abfall im Handschuhfach, klopft das Sitzpolster ab. Jetzt geht's. Lass uns ein bisschen rumfahren.

Nächtliches München. Über die Maximiliansbrücke zum Wiener Platz, zurück über die Ludwigsbrücke, durch die Rumfordstraße, hier sind wir (Natalie und ich) entlanggelaufen, wenn wir aus der Disco kamen, nachts, oder eher morgens schon, um noch vor dem Sonnenaufgang im Café Hitzberger zu frühstücken, Saft und Kaffee und noch warme Semmeln auf dem hellbraunen Resopaltisch, und am Nachbartisch Arbeiter in orangefarbener Kluft, die interessiert hinüberschauten oder missbilligend, die Müdigkeit wie weggeblasen nach dem ersten Kaffee, wir brauchten tatsächlich keinen Schlaf!, aber dann in der S-Bahn stellte sie sich doch noch ein, nur konnten wir nicht nach Hause gehen, bevor es nicht mindestens zehn Uhr war, das würde doch kein Mensch glauben, dass man frühmorgens die Freundin verlässt, bei der man übernachtet hat. Manchmal war noch ein Junge dabei (oder zwei), aber selten, meistens war es das Schönste, einfach irgendwann, kurz bevor im Club das Neonlicht angeschaltet wurde, gehen zu können, nur ein letzter Blick zurück und nichts weiter wollen.

Vom höchsten zum niedrigsten Punkt Münchens will ich mit Cosmo fahren, aber er ist schon Richtung Museumsinsel abgebogen. Überhaupt ist es zu dunkel, um viel zu sehen. Sein Profil gegen das Laternenlicht, rot beschienen von der Ampel, er wendet mir sein Gesicht zu und lächelt. Dass ich ihm nichts Böses zutraue, ist natürlich Unsinn. Die grünen Ziffern der Uhr zeigen 21:31 an, es ist ja noch so früh!, ich bin wirklich verwundert, und Cosmo schlägt vor, zur Isar runterzufahren, die Isarauen bei Nacht (im Deklamationston), und ich nicke und sage, unbedingt.

Cosmo parkt am Isarkanal, und wir gehen zum Fluss. Beim Schinderstadl sind die Bänke an die Tische gerückt, zwei leere Maßkrüge und ein Brotkorb auf einem der Tische. Drei Jugendliche sitzen zusammengekauert davor und drehen sich Zigaretten. Wir klettern die Böschung herab, der Fluss flach und dunkel, ich habe ihn breiter in Erinnerung, das Wasser höher. Im Sommer waren wir manchmal zum Schwimmen an die Isar gegangen und zum Grillen, die Picknickdecken auf den Steinen, Maike und ich Karten spielend und meine Mutter die Tupperdosen mit Nudelsalat und Tomaten öffnend, mein Vater am Grill, aber widerwillig, in der Seele kein Camper und Griller. Cosmo lacht. Mein Opa liebte das Grillen. Und seinen Schrebergarten, was glaubst denn du! Aber er hatte seinen besten Freund mitnehmen dürfen und nachher im Biergarten vom Radler probieren oder, noch besser, vom Russ, nachdem er und sein Freund ihr

Eis aufgegessen hatten, er Brauner Bär, der Freund die Rakete, das hatte schon Tradition. Dass wir uns nie begegnet sind! Vielleicht sind wir's ja, sagt er, und du hast mich ignoriert, weil ich so ein Kleiner war.

Warst du?

Bis ich vierzehn war, schon. Danach nicht mehr.

Der kühle Wind erinnert an den April, der gerade zu Ende gegangen ist. Meine Jacke ist zu dünn, ich beiße die Zähne aufeinander, bis meine Kieferknochen schmerzen. Wir gehen etwa hundert Meter den Fluss hinab in Richtung Tierpark. Sobald wir die Laternen hinter uns lassen, erhellt nur der Mond das Ufer, pockennarbig, rund und grünlich steht er am Himmel und versteckt eifersüchtig seine Sterne hinter den Wolken.

Und dein Vater?, fragt Cosmo.

Mein Vater?

Ja, also, dein richtiger.

Du meinst mein leiblicher.

Was ein Unterschied ist, den er eigentlich kennen müsste. Er grinst. Du weißt, was ich meine.

Bist du sicher?

Er verzichtet auf eine Antwort. Schaut mich stattdessen fragend an, und ich sage, ja, der, keine Ahnung, ein jüdischer Amerikaner polnischer Abstammung, ein Musiker – zumindest war er das mal –, aber wenn er und ich uns ähneln, dann kein besonders talentierter. Ich bin also, zumindest zur Hälfte, eine polnisch-amerikanische Mischung mit jüdischen Wurzeln und musikalischen Ambitionen.

Und, fragt Cosmo. Verunsichert dich das?

Nein, sage ich, tut's nicht. Gott sei Dank war ich ja nie Rassistin. Sonst müsste ich jetzt mein ganzes Weltbild zurechtrücken. Nach dem Motto: So schlimm sind die Juden übrigens doch nicht… Ach ja, und die Polen natürlich auch nicht. Nur die Schwarzen, die aber wirklich.

Guck mal, da! Cosmo zeigt auf eine Entenfamilie, zwei große, vier kleine Stockenten, die, wie von einer Nachtwanderung heimkehrend, auf die Farne am Ufer zusteuern, die Mutter vorneweg, der Erpel hinterdrein, die Nachhut bildend für die Küken, die die Neugierde sonst vielleicht auf andere, gefährliche Bahnen lenken würde. Wir warten, bis die Enten unter den langen Halmen verschwunden sind.

Willst du ihn denn mal treffen?, fragt Cosmo im Weitergehen.

Dazu müsste ich ihn erstmal suchen.

Die Jugendlichen sitzen immer noch am Tisch, sie nicken uns zu wie alten Bekannten.

Ich habe, sage ich, als wir wieder im Auto sitzen, seinen Namen mal im Internet eingegeben. Ich bin schon irgendwie neugierig. Aber offensichtlich nicht genug, um intensiver zu suchen. Letzten Endes war es mit Viola ja das Gleiche. Und da hätte ich nur das Jugendamt anrufen müssen. Was ich mir immer mal wieder vornahm und dann immer wieder vergaß.

Ist wahrscheinlich ein gutes Zeichen, sagt Cosmo.

Wahrscheinlich. Andererseits hätte ich dich sonst vielleicht schon früher kennengelernt.

Stimmt. Cosmo zuckt mit den Schultern, dann sieht er von der Straße zu mir. Stimmt, sagt er noch mal und verzieht das Gesicht.

Na ja, sage ich, wer weiß, irgendwann suche ich bestimmt mal nach ihm.

Nimm mich mit, nimm mich mit, singt Cosmo.

Nimm mich mit, Tommyboy, singe ich, und Cosmo sagt: Okay, Sänger war er wohl echt nicht.

Auf dem Parkplatz des Hotels stehen noch vier andere Autos. Ich bring dich rein, sagt Cosmo. Die Rezeption ist verlassen, wir rufen den Angestellten mit einer silbernen Klingel herbei. Das braune Haar gewaltsam links gescheitelt, der dunkle Anzug zum weißen Hemd, am Revers eine kleine Solidaritätsschleife. Er händigt mir den Schlüssel aus, ein Einzelzimmer (Betonung auf Einzel), mein Bruder wird hier nicht schlafen (als hätte ich das mein Leben lang gesagt: mein *Bruder*), der Aufzug ist linker Hand, Frühstück von sieben bis zehn, ich wünsche eine gute Nacht (sehr förmlich). Im verspiegelten Aufzug schauen wir einander an, um nicht ins vom Neonlicht blasse eigene Gesicht zu sehen. Hier entlang. Zimmer 115. Nicht schlimmer als andere Hotelzimmer auch.

Ich mag das Sterile der Hotelketten, sage ich. Und dass in der Regel alles funktioniert. Fön, Fernseher, Dusche.

Du bist ja überraschend anspruchslos.

Die Minibar gibt zwei Fläschchen Prosecco und Erdnüsse her. Dazu ein Wasserglas, wir stoßen nicht miteinander an, aber reichen das Glas hin und her.

Was würdest du jetzt am liebsten tun?

Ganz ehrlich?

Er nickt. Das Haar fällt in sein Gesicht, und ich schiebe es mit einer Hand zurück. Seine Stirn fühlt sich warm und glatt an. Er hat etwas Mädchenhaftes an sich. Warum nur kann ich ihn mir so gut als Kind vorstellen? Und woher kommt dieses Ziehen in meiner Brust? Denn so fühlt es sich an, eine innere Enge, eine Sehnsucht nach ihm, obwohl er doch da sitzt, so nah, dass unsere Beine sich berühren.

Ich würde mich gern hinlegen und Fernsehen schauen.

Statt einer Antwort steht er auf und holt die Fernbedienung.

Wir lehnen uns gegen das Lederpolster am Kopfende des Bettes. Schicksalsjahre einer Kaiserin, das nenn ich mal Glück! Sein Arm um meine Schulter, mein Kopf an seiner Brust. Die unerträglich wunderbare Süße. Allein die Farben. Und diese Haare, geflochten und gedreht, bis zur Taille müssen die doch gehen. Als Kind rannte ich an dieser Stelle aus dem Wohnzimmer, um mir das Polyesterdirndl meiner Schwester anzuhalten. Drehte mich vor dem Spiegel und übte mit dem kalten Glas Küssen. Ich habe das nie gesehen, sagt er. Unglaublich! Dann pass auf das Ende auf. Da musste ich immer weinen. Wie das Kind da auf sie zugerannt kommt, unter dem Applaus der eben noch so bitteren Venezianer. Jetzt wieder.

Er küsst mein Haar und meine Wangen. Aber es sind ja Freudentränen, sage ich.

Ich gehe, wenn du eingeschlafen bist.

Das ist gut, dann tut es nicht so weh.

Als ich um kurz vor sechs erwache, ist er gegangen. Ich lasse Wasser in die Badewanne laufen. Der Dampf beschlägt den Spiegel. Ich lege mich in die Badewanne, tauche unter und wieder auf, unter und wieder auf, ich bin ein Delphin, zu Hause in beiden Elementen oder keinem, ich brauche dies und ich brauche das.

Lieber Cosmo,
eben habe ich in einem Buch gelesen. Von einer atmosphärischen Funkstörung war da die Rede, und während ich das las, stellte ich fest, dass ich gar nicht weiß, was das sein soll. Eine Funkstörung, ja, klar, das weiß ich. Aber eine atmosphärische?
Es gibt so vieles, was ich nicht verstehe. Das merke ich

besonders, seit ich zwei Kinder habe. Seit drei Jahren also. Ich dürfte vielleicht nicht sagen, dass ich sie »habe«. Kinder gehören uns ja nie, und diese beiden – Paula und Rena – gehören mir noch weniger, da ich sie weder selbst gemacht noch selbst aufgezogen habe während ihrer ersten Lebensjahre. Aber wir haben einander gefunden, sie mich und ich sie, und darum gehören wir jetzt (zu)einander. Mir fällt auf, dass ich kaum etwas von ihnen erzählt habe, als wir uns sahen. Auch von Henryk – ihrem Vater und meinem Mann – nur wenig. Aber auch von deiner Freundin Ariane hattest du nur erwähnt, dass es sie gibt.

War das nicht ein seltsames Treffen? Manchmal denke ich, dass du mich so verwirrt hast, weil es so etwas wie dich vorher noch nicht gab in meinem Leben. Eine Mutter habe ich – da konnte Viola mich nicht erschüttern. Eine Schwester habe ich auch – da hat die Kenntnis von Alicas Existenz keine besondere Wirkung auf mich. Aber einen Bruder hatte ich bisher noch nicht. Nun habe ich zwei, und vielleicht liegt der Grund, dass du – und nicht Samuel – mich so tief berührt hast, darin, dass du der Erste warst, der zur Tür hereinkam. Wer weiß: vielleicht hätte ich, wäre Samuel vorausgegangen, sonst dieses starke Gefühl für ihn und nicht für dich. Wie das Gänseküken, das als Bezugsperson den Menschen oder das Tier erwählt, das es zuerst sieht. Aber schon während ich das schreibe, fühlt es sich ketzerisch an. Als wollte ich dich verleumden.

Du musst keine Angst haben. Ich werde dich nicht mit meinem »starken Gefühl« belästigen. Das klingt ja furchtbar und vielleicht sollte ich das streichen. Aber ich finde keine anderen Worte dafür. Ich fühlte mich dir sofort nahe, schwesterlich, aber gleichzeitig ist es natürlich so, dass wir beide keine Kinder mehr sind. Sondern ein Mann und eine Frau, die einander eigentlich fremd sind.

Ich habe Henryk von dir erzählt. Er war sehr verständnisvoll. Er will dich gerne einmal kennenlernen. Ich sagte: Keine Ahnung, ob das was wird. Ich kenne dich ja gar nicht, auch wenn es mir dauernd anders scheinen will.

Eine atmosphärische Funkstörung, würde ich jetzt also Paula und Rena erklären, ist eine Veränderung, die so groß ist, dass sie unsere gesamte Umwelt so verändert, dass das elektromagnetische Spektrum – und damit auch die Radiowellen – beeinflusst wird. Keine Ahnung, warum ich das hier anführe. Tiefenpsychologisch müsste man es wohl so deuten, dass ich dich als Ursache einer atmosphärischen Störung betrachte. Im Buch ist es ein Giftgasunfall, der das bewirkt. Insofern bin ich also gut dran. Bei mir ist nur ein Bruder der Auslöser für die atmosphärische Veränderung. Vielleicht sollte ich diesen Brief nicht losschicken. Aber wenn du das liest, habe ich mich wohl über meine Zweifel hinweggesetzt.

Susa

Ich schicke den Brief per Post, sechs Tage, nachdem ich aus München zurückgekehrt bin, einen, nachdem Viola mir Cosmos Adresse gemailt hat. Ich schreibe den Brief am Computer, ich drucke ihn aus, ich unterschreibe ihn von Hand, ich nehme einen Umschlag und stecke den gefalteten Brief hinein, ich mache all das. Dann gehe ich mit Rena und Paula zur Post, wo sich jede ein Buch aussuchen darf, *Kennst du deine Heimat Deutschland?* und *Die schönsten Tierfabeln*, anschließend ins Café, Quarkbällchen essen, wir lesen in den neuen Büchern, da hat das Warten noch nicht begonnen. Auch am nächsten Tag noch nicht. Erst in der Nacht fängt es an. Ich hätte den Brief nicht schicken sollen. Ich hätte den Brief nicht schicken sollen. Was?, fragt Henryk, der doch noch nicht schläft. Nichts, sage ich, ich habe nur laut gedacht. Welchen Brief? An Cosmo. Und was steht drin? Was schon, sage ich unwillig. Etwas über eine atmosphärische Störung (wie blöd das klingt!). Alles klar? Ja, doch, ja. Henryk? Hmm? Im Dunkeln suche ich sein Gesicht, die bärtigen Wangen, die gewölbte Stirn, mein schöner Neandertaler. Du musst dir keine Sorgen machen, weißt du? Solange du dir keine machst.

Das nicht, denke ich. Aber das Ziehen hört einfach nicht auf.

Im Büro, zwei Tage später, kommt die Mail. Malte hat mir gerade den Link zu Bildern von einem Walskelett geschickt, das vor der mexikanischen Küste von einem Taucher gefunden und zunächst für ein Dinosaurierskelett gehalten worden ist, deutlich größer als das Skelett, das wir in unserem Museum ausstellen, und mit den typischen Löchern des Knochenfresserwurms (*Osedax*) überhäuft, für deine Erstsemester, die beeindruckt das doch, *the power of worm*, aber wenigstens hat er keinen Biologenwitz mitgeschickt, die hebt er sich für die Mittagspause auf: Wie fängt ein Biologe einen Hasen? Sitzen ein Biologe, ein Mathematiker und ein Philosoph im Bus und so weiter.

Cosmos Mail hat den Betreff *Hallo*.

Hallo Susa, vielen Dank für deinen Brief. Lustig, was du über die atmosphärische Störung schreibst. Hier ist im Moment viel los, wir haben den Auftrag für die Werbeplakate einer großen Brauerei an Land gezogen. Die jetzigen sehen aus, als hätte sie der Verkaufschef selbst gestaltet. Also ziemlich mies … Am Nebentisch sitzt Samuel und spielt seit einer Stunde ein Computerspiel, bei dem es drauf ankommt, möglichst viele Zombies zu erledigen. Ich soll dich grüßen. Ich glaube, ich muss ihn gleich mal aus dem Büro schmeißen.

Bist du denn gut nach Hause gekommen? Ich fand's echt nett, dich zu treffen, Schwesterchen. Mist, ich bin nicht gut im Briefschreiben, war ich noch nie. Wenn du das nächste Mal nach München kommst, zeige ich dir meine Lieblingsplätze in der Stadt und du mir deine, okay? Jetzt muss ich Schluss machen und Samuel wirklich hinausbefördern. Und dann muss ich mir was zu den Produkten des Bayrischen Bierbrauers überlegen, die ich noch nie mochte, nicht mal im Vollrausch.

Bis bald, Cosmo

Dazwischen an drei strategisch klugen Stellen lachende Gesichter.

Nicht jeder ist ein Briefeschreiber.

Heißen muss das gar nichts.

Und Samuel die ganze Zeit daneben, Zombies abknallend, von mir auch schöne Grüße – wenn das überhaupt stimmt.

Wenigstens die Smileys hätte er weglassen dürfen.

Auf dem Heimweg in der S-Bahn muss sich ein Kind übergeben. Es hängt über der Schulter des Vaters und beugt sich gerade weit genug nach vorne, um ihm nicht Rücken und Beine zu bespucken, die Umstehenden springen zur Seite, ein Jugendlicher flucht laut und stampft mit dem Fuß auf, um abzuschütteln, was auf seinem Schuh gelandet ist, der Geruch nach Erbrochenem verbreitet sich rasch, und ich steige eine Station früher aus, noch eineinhalb Kilometer bis nach Hause, gerade die richtige Distanz für einen Spaziergang. Auf dem Festplatz dreht sich das Riesenrad in gemessener Geschwindigkeit, die roten und grünen Gondeln mit den goldenen Verzierungen, Musik klingt herüber, das breite Stampfen eines Basses, das Heulen einer Sirene, zum Glück muss ich nicht dort sein, die Sonne geht im Westen unter, das tut sie immer, egal, was ist. Wenn ich nach Hause komme, werden Henryk und die Kinder schon da sein, es ist Dienstagabend, unser Familien- und Spieleabend, ein Tipp der beiden Mormonen, die mich einmal auf der Straße angehalten hatten, der amerikanische Akzent, die rosigen Bubengesichter, wie geschrubbt: ein gemeinsamer Abend in der Woche, egal, was sonst noch ansteht, das sei gut für den Familienfrieden und auch für die Ehe. Was mir sofort eingeleuchtet hat, auch wenn Paulas Laune, wenn sie verliert, den Frieden manchmal auf eine harte Probe stellt.

Auf dem Tisch stehen die Teller, Paula und Rena sitzen bereits, ich muss mich nur noch dazusetzen. Warte, sagt Rena, ich bring dir noch einen Löffel, sie läuft aus dem Zimmer und kommt gleich darauf mit einem Löffel zurück. Sie grinst verlegen, als ich sie in den Arm nehme, gibt dann aber doch nach, die Haare riechen nach ihr, besonders im Nacken, ich auch, sagt Paula plötzlich und kommt hinzu, sodass ich für eine Minute beide Arme voll habe, dazu Peters Schnauze auf meinem Fuß. Dann kommt Henryk mit den Nudeln, Paula stößt sich das Bein am Tisch und schreit laut auf, Rena ruft warnend, die Soße daneben, nicht darauf!, und Henryk sieht mich über das Chaos hinweg an, verzieht den Mund zu einem halben Lächeln, als traue er dem Frieden nicht. Da bist du ja, sagt er. Und ich sage: Ja, da bin ich.

In Svendborg sind die Häuser am Hafen gelb, und weil es sonnig ist (kalt zwar, aber sonnig), leuchten sie wie Raps. Wir sitzen vor dem kleinen Café, das in einem Container untergebracht ist, sechs Bistrotische mit Stühlen vom Sperrmüll, die Theke am hinteren Ende des Containers aus Spanplatten gezimmert, und jede einzelne Platte in einer anderen Farbe angemalt.

Was wollen wir jetzt tun?, fragt Henryk nach dem Kaffee. Wir haben keine Pläne gemacht, außer den, hierherzukommen. Am Nachmittag des Vortags waren wir losgefahren, drei Stunden waren akzeptabel, sogar für Paula, die erst in der letzten Stunde anfing zu fragen, wann wir da seien, als ob das Wissen darum die Fahrt auf magische Weise verkürzen könnte. Das Hotel war ein schmuckloser Betonkasten mit einem Schwimmbad im Keller und einer Sauna, in der Henryk und ich nebeneinander auf der oberen Holzbank saßen und uns im Flüsterton unterhielten, bis die Hitze uns den Atem nahm. Das kalte Eintauchen, der Schreck und die Erleichterung, komm mal her, sagte Henryk und schwamm selbst auf mich zu, sein nasses Gesicht, seine nassen Lippen. Wo sind eigentlich die Kinder? Hier sind wir!, glatt und zittrig wie Aale tauchten sie plötzlich neben uns auf, und Henryk tat ihnen den Gefallen, sie hochzuheben und zwei Meter weiter ins Wasser zu schmeißen, ein Ungeheuer, dem sie auf die Schultern kletterten und am Hals hingen. Sie hatten das Zimmer neben unserem, wenn etwas ist, klopft ihr gegen die Wand, aber sie klopften nicht und kamen erst am Morgen herüber, um noch eine Weile mit in unserem Bett zu liegen und von hier aus den Kinderkanal zu schauen, wo bereits ein Trickfilm nach dem anderen lief. Welche Kinder schauen bitte um diese Zeit Fernsehen?, fragte Henryk ungläubig, und Paula sagte: wir.

Mein Handy klingelt, und während ich es aus meiner Tasche krame und rangehe, winkt Henryk der Kellnerin. Als er gezahlt hat, sieht er mich fragend an. Ich mache ihm ein Handzeichen, geht schon vor, sage ich lautlos, und Henryk schlendert mit den beiden Mädchen in Richtung des Piers.

Als ich zu ihnen komme, stehen sie vor einer kleinen Segel-yacht, mit einer Kajüte aus glänzend rötlichem Holz, *Virginia*, steht auf der Seite, in goldener Schreibschrift.

Boote sind immer weiblich, erklärt Henryk gerade, sogar wenn sie einen männlichen Namen haben. *Die* Gorch Fock, *die* Peter Pan, *die* Prinz Albert.

Warum ist das so?, fragt Rena, ohne den Blick von der Yacht zu nehmen. Eine kleine hellblaue Flagge flattert am Mast, kaum größer als ein Taschentuch.

Um den Gott des Meeres zu besänftigen. Vielleicht. Henryk sieht mich fragend an.

Um wenigstens etwas Weibliches um sich zu haben?, schlage ich vor.

Oder das, sagt Henryk. Früher hatte jedes Schiff eine Galions-figur, und die war auch immer weiblich. Und dann erinnert die Form der Schiffsrümpfe wohl eher an Frauen als an Männer, wobei diese Deutung vielleicht etwas weit geht. Man spricht ja auch von Jungfernfahrt, wenn das Schiff das erste Mal aufs Meer kommt… Und getauft wird auch, sowohl das Schiff als auch die Matrosen, das hat ja auch etwas Weibliches an sich, zumindest etwas Familiäres …

Aber Rena und Paula haben schon das Interesse verloren. Man kann es daran erkennen, dass sie ihre Blicke schweifen lassen. Und an der konzentrierten Miene, in die sie wie in einen Mantel schlüpfen, sobald sie merken, dass ihr Vater sie ansieht. Paula nickt beflissen und Rena gibt ein höfliches Hmm von sich. Henryk grinst. Gehen wir weiter. Alles klar bei dir?, fragt er. Ich schüttle ganz leicht den Kopf. Später.

Das Brecht-Haus ist schmal und langgestreckt, ein Fachwerk-bau mit Reetdach, der Sund ganz nah. Rena schaut durch eines der Fenster, ein Holztisch und ein paar Stühle, das ist alles. Wir gehen ans Wasser und sehen zwei Krähen zu, die mit ruckenden Bewegungen nach einem Stück Brot schnappen, vor und zurück trippeln, nach einander hacken, und während sie streiten, kommt eine dritte Krähe und schnappt sich das Brot, fliegt damit los und lässt es im Meer versinken.

Alles klar?, fragt Henryk noch einmal. Du siehst aus, als wär dir ein Gespenst erschienen.

Ja, sage ich, nein. Mein Vater ist krank. Speiseröhrenkrebs.

Oh nein. Henryk legt beide Arme um mich. Paula schiebt ihre Hand in meine.

Im *Forsorgsmuseet* die Webrahmen und Waschzuber und Hängematten. Die Fotos der Waisenkinder, beim alljährlichen Ausflug an den Strand und zum Schloss. Später spazieren wir durch die Stadt, sehen in die Schaufenster, essen Eis, wir laufen hierhin und dorthin, ziellos wie streunende Hunde. Aber vielleicht stimmt das ja gar nicht: Vielleicht haben die einen Plan, und wir kennen ihn nur nicht.

Am Dienstag, zwei Tage früher als geplant, wird er operiert. Kurz der Gedanke: So dringend also, aber das ist natürlich Unsinn, es passt einfach besser in den Plan, irgend jemand ist ausgefallen, irgendwo hat sich eine Lücke aufgetan. Hat sicher nichts zu bedeuten.

Viereinhalb Stunden, sagt meine Mutter.

Was?

Viereinhalb Stunden. So lange dauerte die Operation.

Sie hat die ganze Zeit im Wartezimmer gesessen, zu nervös, um zu lesen. Hat zwei Jungen – offensichtlich Brüder – zugeschaut, wie sie sämtliche Brettspiele im Wartezimmer ausprobierten, ganz systematisch gingen die dabei vor, sagt meine Mutter.

Ich kann erst am Freitag fahren, muss am Donnerstag noch mein Seminar halten.

Mein Vater liegt in seinem Bett, weißes Nachthemd auf weißem Laken unter weißer Decke, auch aus ihm ist alle Farbe gewichen, die Augen kaum noch grün, die Haut blass, die Haare jetzt tatsächlich weiß, weiße Bartstoppeln auf Wangen und Kinn. Seit wann ist er so schmal? Schultern wie die knochigen Flügel eines großen Vogels, auf denen er mich unmöglich einmal hat tragen können, meine Augen auf Höhe der Fußgängerampel, über den Köpfen der Wartenden. Auf dem Nachttisch zwei Zeitschriften, daneben sein Aufnahmegerät, in das er früher die Geschäftsbriefe diktierte, die seine Sekretärin, eine immer schon ältliche Blondine, deren Finger über den Schreibmaschinentasten kreisten wie hungrige Möwen, in akribischer Langsamkeit abtippte. Einmal hatte er mir das Gerät nach Paris geschickt, als ich dort ein Auslandssemester hatte. Besprochen während einer Geschäftsreise, im Hintergrund das Rauschen der Autos auf der Autobahn. Ich hatte das Diktiergerät in meine Jackentasche gesteckt und war in den Jardin du Luxembourg gegangen, wo ich mich auf eine Bank setzte und beschrieb, woran ich arbeitete und was ich sah (die Blumenrabatten, ein Tourist in blauem Hemd, sich selbst vor der Fontäne fotografierend, Saint Geneviève, die Handgelenke geduldig gekreuzt, eine wie zum Klettern gemachte Akazie/Linde/Ulme, ich habe nicht die geringste Ahnung von Bäumen, euer Versäumnis), liebe Grüße also aus der pulsierenden Großstadt. Das machen wir wieder. Auf jeden Fall.

Aber es war bei dem einen Mal geblieben.

Hallo, Papa,

Sanne.

Wir flüstern, als müssten wir etwas verheimlichen. Die weißen Gardinen durchsichtig wie Schleier. Von hier aus sieht der Himmel nach Sommer aus. Zwei Infusionsgeräte, der eine Schlauch geht zur Brust, der andere zur Hand. Ich frag nicht, wie's dir geht, sage ich, und er nickt: Besser nicht. Hinsetzen, Hand streicheln. Ich kann nichts tun, oder? Er schüttelt den Kopf. Darf ich bleiben? Ja. In meiner Tasche die Zeitung, die er jeden Tag liest, einen Artikel vielleicht oder zwei?, ich lese, dann kommt ein Pfleger herein, Ingo, laut Namensschild, noch fünf Minuten, okay? Ich nicke. Wie geht's Rena und Paula? Gut. Sie schicken dir Küsse. Der Anflug eines Lächelns. Wenn's dir besser geht, kommen wir alle zu Besuch. Mein Vater schließt die Augen. Sind die Schmerzen auszuhalten? Nein.

Ingo, auf dem Flur: Wir geben ihm schon eine ziemlich hohe Dosis.

Die Ärztin: Ich kümmer mich drum. Die Operation verlief gut, aber es ist halt ein wirklich großer Eingriff.

Wie lange muss er auf der Wachstation bleiben?

Noch vier, fünf Tage sicherlich.

Er kann nicht schlafen, weil hier immer Lärm ist. Und Licht auf dem Flur.

Ich kümmer mich drum.

Am Sonntag eine leichte Besserung. Vielleicht tut er auch nur so, weil wir diesmal zu dritt kommen. Er hat wieder etwas Farbe, sagt meine Mutter, er hat besser sprechen können, sagt Maike, die Schmerzen haben nachgelassen, sage ich. Wir sitzen im Auto auf dem Weg nach Hause und machen uns gegenseitig Mut.

In zwei Wochen kommt er raus.

Die Ärztin meint, die Operation sei gut verlaufen.

Aber zwanzig Zentimeter, gibt Maike zu bedenken. Einfach rausgeschnitten. Und den Magen hochgezogen... Er ist jetzt schon so dünn. Wie viel Gewicht hat er verloren, was glaubst du?

Meine Mutter wischt sich über die Nase und öffnet das Handschuhfach, um nach Taschentüchern zu suchen. Ich suche Maikes Blick im Rückspiegel. Sie sieht mich an, reißt die Augen auf, ich schüttele den Kopf.

Zehn Kilo bestimmt, sagt meine Mutter. Sie schnäuzt sich die Nase. Wenn er bloß nicht immer schon so dünn gewesen wäre.

Legendär die volle Brotdose, die er abends aus der Firma mit nach Hause brachte. Hatte das Essen einfach vergessen (den Kaffee aber nicht). Wenn wir ihn in der Firma besuchten, saßen wir auf seinem Bürosessel und aßen die Butterbrote. Tippten auf der Schreibmaschine der Sekretärin, malten auf den Kopierblättern. Mit dem grasgrünen Bleistiftspitzer, den man am Tisch festschrauben konnte, spitzten wir alle Bleistifte und stellten sie, Spitze nach oben, in die Stifthalter, den Topfpflanzen gaben wir Wasser, schoben die Erdkrumen in unsere geöffneten Handflächen, die wir in den Hof leerten, mit Blick auf die Ponys auf dem Nachbargrundstück, die wir später mit Apfelschnitzen füttern gingen. In der kleinen Kantine spülten wir die Kaffeetassen, setzten neuen Kaffee auf und liefen durch die Büros, Kaffee, wer will Kaffee? Wie nützlich ihr euch macht, ohne euch versinkt hier alles im Chaos!, sagte die Sekretärin. Irgendwann gab es ein Telexgerät, das schmale Band, das sich aus der Maschine schob wie eine gierige Zunge, die Löcher darin. Wir standen gebannt davor. Und wie soll man das lesen können?, fragte ich Maike. Sie nahm den Streifen in die Hand und fuhr mit den Fingerspitzen darüber. Blindenschrift. Sie begann zu übersetzen: Sehr geehrter Herr, wir warten immer noch auf die letzte Stuhllieferung. Was ist bloß los bei Ihnen? Wir sitzen seit Wochen auf dem Boden und unsere Hintern werden kalt.

Unser Vater in der Firma: nervöser als zu Hause, plötzlich aufbrausend, dann wieder freundlich. Aber nicht unglücklich, wenn wir zu den Ponys gingen. Die fraßen die Äpfel und schnaubten in unsere Handflächen, dann trabten sie ein paar Schritte weg vom Zaun, und wir setzten uns ins Gras.

Der ist wie das HB-Männchen, sagte Maike und sprang aus dem Schneidersitz auf, um ein paar Meter zu rennen. Wer wird denn gleich in die Luft gehen?, rief ich ihr hinterher, und sie kam zurück und setzte sich, plötzlich entspannt, wieder auf den Boden, einen Grashalm zwischen den Lippen. Ist halt stressig hier. Schon klar. Aber einmal fuhr er Maike so an, dass sie bis zum Abend kein Wort mehr mit ihm sprach. Schaute in die andere Richtung, wenn er etwas fragte. Oder durch ihn hindurch, mit einem Lächeln auf den Lippen, als wäre sie in Gedanken. Am Abend kam er in unser Zimmer und setzte sich zu Maike aufs Bett. Sie schaute nicht auf von ihrem Buch. Er legte ihr eine Hand auf den Kopf. Maike? Sie blätterte um. Tut mir leid. Sie las noch den Satz zu Ende, dann sagte sie: Ist okay.

In den Ferien halfen wir in der Fabrik. Warenlieferungen auspacken, Stoffe sortieren, Holzbeine und -lehnen polieren, Stuhl Mezzo, Stuhl Travel, Sessel Sophie, Lieferscheine tippen, zwischen den Maschinen kehren, die Arbeiterinnen traten tänzerisch zur Seite. Schau oog, dem Chef sin Maderl! Ia werdet eiam Voda aa ima ähnlicha! Na, Maike ja wohl da Muada! Wir nickten und grinsten. Magst a Bonbon? Is des erlaubt während da Aarbet? De verratn uns doch net! Die Hälfte des verdienten Geldes gaben wir am Ende der Ferien für Klamotten aus, die andere zahlten wir auf unsere Sparbücher ein, standen mit den roten Büchlein in der Hand an und verglichen unsere Guthaben, schoben das Geld und die Büchlein unter dem Glas hindurch. Wir haben schon genug Sparschweine, lehnte Maike freundlich ab, aber Kugelschreiber nehmen wir gerne.

Fährst du auch morgen wieder zurück?, frage ich Maike beim Abendessen.

Sie nickt. Aber ich komm übernächstes Wochenende wieder.

Ich auch, verspreche ich.

Meine Mutter winkt ab: Macht ihr mal, ich komm schon klar.

Im Zug sagt Maike: Ich habe so ein Bild vor Augen: Ich bin der Baum, und Papa ist meine Wurzel. Ihn zu verlieren hieße, meine Wurzel zu verlieren. Das macht mir Angst.

Und Mama, frage ich, was ist die?

Sie zuckt mit den Schultern. Der Stamm? Vielleicht bin ich ja nur das Astwerk.

Ich nehme ihre Hand in meine. Mir geht ein Satz durch den Kopf, sage ich, seit Tagen schon.

Wie lautet der?

Es ist kein schöner Satz, weißt du, und ich will ihn auch gar nicht denken. Aber er kommt immer wieder.

Verrat ihn mir.

Die Zeit des Abschieds hat begonnen. Das denke ich. Dabei ist er ein Kämpfer, und der Kampf hat gerade erst angefangen, er schafft das, er ist noch lange nicht bereit zu gehen, und ich sollte nicht gleich resignieren. Aber der Gedanke ist einfach da, wie eine Melodie im Hintergrund. Die Zeit des Abschieds hat begonnen.

VERLIEREN

Expedition

Mit der Forschungsgruppe Parasitologie der Humboldt-Universität ins Watt. Das Wetter spielt mit (kein Regen). Gummistiefel, Fischerhosen, Netze, fehlen nur noch die Südwester. Was suchen wir eigentlich?, fragt einer meiner Studenten. Dreistachlige Stichlinge. Und warum noch mal? Immunologische und immungenetische Anpassungen. Guten Morgen auch. Kann man ja mal vergessen.

Professor Udo Fricke, der mit jedem Mail nicht nur Titel, Adresse und Telefonnummer, sondern auch einen Link zu seinem Curriculum Vitae mitschickt, braucht kein Megaphon, um gehört zu werden. Die Studenten ziehen gehorsam ihre Netze durchs Wattwasser. Vor uns eine Gruppe von Sandregenpfeifern, zwei Pfuhlschnepfen, die nach Würmern picken. Und, fragt Fricke, wie lebt es sich im beschaulichen Norden, werte Kollegin? Gut, gut. Beschaulich. In Berlin nicht ganz so beschaulich. Aber dafür spannend. Ein fragendes Ach genügt, und er erzählt. Im Netz währenddessen eine Sandgrundel, zwei Meeräschen, ein Einsiedlerkrebs, kurz vor Abbruch der Aktion endlich noch vier Stichlinge. Macht zusammen acht, rechnet Fricke und schmeißt die Fische zu den anderen in den Eimer. Erst nach dem Mittagessen tötet er sie. Im Labor dann der Schnitt an der Unterseite des Bauches, in vier von acht Stichlingen Parasiten. Keine schlechte Ausbeute, lobt Fricke. Alles in Ordnung, Frau Kollegin? Geht gleich wieder. Mir ist nur etwas übel. Ja ja, Sexus fragilis. Er feixt in die Runde, ein paar Studenten feixen zurück. In hoc signo vinces, entgegne ich. Etwas anderes fällt mir nicht ein. Fricke schaut durchs Mikroskop und winkt mich heran. Da haben wir ihn, sagt er. *Schistocephalus solidus*, wenn mich nicht alles täuscht. Das Wimmeln unter der Lupe, ein ganz eigener Kosmos. Die Studenten schauen der Reihe nach durch eines der zwei Mikroskope. Auf ihren Notizblöcken erscheinen Zeichnungen und Zahlen.

Am Abend, im Landschulheim, wird Skat gespielt. Nach zwei Gläsern Rotwein gehe ich auf volles Risiko.

Sie hätten jetzt nicht verlieren müssen, erklärt mir Fricke. Sie hätten nur nicht spielen dürfen.

Mir ist es sonst zu langweilig, entgegne ich, der Sieg ist mir egal.

Die Studenten, die nicht spielen wollen, sitzen in Grüppchen zusammen und unterhalten sich, die Füße auf den Heizkörpern.

Falsche Einstellung, sagt Fricke, ganz falsche Einstellung.

Schlaf bis um fünf, dann, vom Fenster aus, das Tagwerden beobachten: die rosa, gelbe, hellblaue Färbung des Himmels, das Watt jetzt unter Wasser. Im Flur der Geruch nach Pfefferminztee, und plötzlich bin ich wieder zehn Jahre alt und mit Maike in der Sommerfreizeit der evangelischen Kirche. Burg Felsenstein (hieß die wirklich so?), der Pfarrer schön wie Jesus, und Maike mit den älteren Mädchen verbündet, ich zu klein, um mithalten zu können und zu groß, um Mitleid zu erregen. Auf der Heimfahrt setzte sie sich auf den freien Platz neben mir. Alles gut, Butchie? Ach, auf einmal wieder Butchie. Aber ich lächelte und nickte, glücklich über ihre Rückkehr.

Überraschung

Mit dem Nachtzug nach München, das Rattern (erst störend, dann beruhigend), hin und wieder läuft jemand über den Flur. Unter mir liegt eine Frau, die zuvor noch lange mit ihrem Mann telefoniert hat. Ich habe Ohrstöpsel eingesetzt, meine liebsten Reisebegleiter. In der Koje gibt es ein kleines Licht, sodass man bei geschlossenen Vorhängen, um niemanden zu stören, lesen kann. In Kassel steigt eine weitere Frau zu, isst ein Brötchen (der Geruch nach Salami), bevor sie sich umzieht und es sich in ihrer Koje bequem macht. Um sechs Uhr ins Zugrestaurant zu Kaffee und Croissant, der Blick auf die vorbeirasende Landschaft, unpassende Reiselust. Um Viertel vor acht in der S-Bahn stadtauswärts. Meine Mutter noch im Morgenrock, mein Vater im Pyjama auf dem Sessel im Wohnzimmer, eine Hand auf der Brust gegen die Übelkeit, die Schmerzen. Geht gleich besser, sagt er, gib mir einen Moment. Erst als er angezogen aus dem Badezimmer kommt, sieht er mich verwundert an. Was machst du eigentlich hier? Ich wollte dich sehen. Mein Gesicht in seinen Händen, dann umarmt er mich. Das sollst du doch nicht, sagt er.

Am Morgen ist es immer am schlimmsten, erklärt meine Mutter später in der Küche. Als hätte sie es geahnt, hat sie einen Sauerbraten vorbereitet. Dazu Klöße und Rotkohl. Mein Vater am Esstisch: Jeder Bissen ein Kampf, er lächelt, nickt aufmunternd, nimm noch, du kannst es vertragen. Das sagt der Richtige, hätte ich früher geantwortet. Jetzt sage ich nur: Von wegen. Nachmittagsschlaf, dann ein Spaziergang, mein Vater mit einer Frau an jeder Seite, ihr müsst mich nicht stützen! Man wird sich doch noch halten dürfen! Am Abend *Wetten dass*, kein Wunder, dass er einschläft, Kopf auf der Brust, die Zeitung auf dem Schoß.

Morgen wird er das abstreiten, sagt meine Mutter. Die Chemo macht ihn hundemüde.

Meine liebe Susa –
vielleicht sollte ich das nicht schreiben, aber ich sehne mich in letzter Zeit manchmal danach, Wurzeln zu schlagen. Ich, die immer wegwollte, frei sein. Vogelfrei, denke ich jetzt. Denn das ist man eben auch. Um ehrlich zu sein: Dieses Gefühl hängt wohl damit zusammen, dass ich überfallen worden bin. Stell dir vor: In einer gar nicht so kleinen Seitengasse der Hauptstraße von Formosa, nicht weit von der Kathedrale, in der ich gerade die sterblichen Überreste des Stadtgründers Fontana besichtigt hatte. Übrigens muss man die nicht gesehen haben. Wie überhaupt die ganze Stadt nicht.
Ich bin nur wegen meiner Freundin Fanny Mikela hier.
Da laufe ich also eines späten Nachmittags die Straße entlang, und plötzlich bauen sich zwei riesenhafte Jungen vor mir auf, siebzehn, achtzehn Jahre alt, Mützen tief in die Stirn gezogen. Natürlich wollten sie mein Geld. Nahmen mein Portemonnaie, in dem etwa hundert Peso waren, nicht ohne mir noch ein bisschen mit einem Messer vor der Nase rumzufuchteln, und dann basta, basta, hasta luego. Fanny sagte, ich solle in Zukunft auf den belebten Straßen bleiben, als »ältere Frau« sei man das ideale Opfer. Sie weiß, wovon sie spricht; inzwischen sieht sie beinahe aus wie ihre eigene Mutter. Und jetzt? Reise ich bald ab. Weiter nach Bolivien, nach Sucre, um genau zu sein. Der schöne Mann, von dem ich weiß, dass es ihn gibt – ob er reich ist, weiß ich allerdings nicht, aber man darf ja hoffen –, ist mir noch nicht begegnet. But I'm sure he will. Maybe in sweet Sucre.
Hugs and kisses, Viola

Liebe Viola,

entschuldige die späte Antwort. Hier ist derzeit ein bisschen Land unter. Ich hoffe, du hast dich inzwischen von dem Überfall erholen können. Bolivien würde ich auch gerne einmal sehen. Und Argentinien. Und Chile. Na ja, eigentlich ganz Südamerika. Hat sich der Traummann inzwischen zu erkennen gegeben? Viele Grüße, Susa

Manchmal denke ich, ich gebe ihr gar keine Chance.

Was man vielleicht wissen müsste
Nachdem unser Artikel auch noch in der *Naturwissenschaftlichen Rundschau* erschien und über unsere Würmer im deutschen und österreichischen Fernsehen und in der *National Geographic* berichtet wurde, haben wir weitere Forschungsgelder erhalten. *Kann der Macrostomum lignano ein evolutionsbiologisches Modell für andere Arten werden?* (Malte ist davon überzeugt.) Zwei Doktoranden sind uns zugeteilt worden, dazu zwei Studentinnen, die kurz vor ihrem Abschluss stehen. Malte (Weiding) ist der Chef der Forschungsgruppe (*Weiding-Group*), ich (nur Meeres-, nicht Evolutionsbiologin) wäre seine Assistentin (*First Research Assistant*). Er setzt sich auf meinen Schreibtisch und sieht mich eindringlich an. Was willst du denn mit den blöden Stichlingen? Lass uns das hier doch zusammen machen.

Malte, wusstest du eigentlich schon als Kind, dass du mal Biologe werden willst?

Klar. Ich hab schon immer gern seziert und geforscht. Du etwa nicht?

Nein. Ich mochte einfach Bio in der Schule gern.

Na, das ist doch schon mal was.

Ja. Aber vielleicht nicht genug.

Unsinn, sagt Malte. Er steht auf. Lass uns was essen gehen.

Es könnte sein, sagt Henryk am Abend, dass ich diesen Ruf bekomme. Ich meine, diesmal könnte es wirklich klappen.

Unter meeresbiologischen Aspekten liegt die Stadt nicht wirklich optimal.

Ich weiß, ich weiß. Aber da findet sich doch eine Lösung.

Und wie soll die aussehen? Ich mit den Mädchen hier und du jedes Wochenende einmal auf Besuch?

Ich dachte, du kommst überallhin mit.

Und ich dachte, du kümmerst dich auch ein bisschen darum, was für mich gut ist. Für *uns!*

Und so weiter, und so fort. Rena, die ins Wohnzimmer kommt und von einem zum anderen schaut, Paula, die ruft: Man darf die Türen nicht zuschlagen!, später im Bett eine halbherzige Versöhnung, wir finden schon eine Lösung (ich), lass uns morgen weitersprechen (Henryk), beide sehr höflich am nächsten Morgen. Wahrscheinlich krieg ich die Stelle ja eh nicht, sagt Henryk, als wir nachmittags telefonieren, seine Stimme so hoffnungslos, dass ich sage: Wird schon. Zum Abendessen chinesisches Fastfood, dazu Fernsehen, so könnten wir es jeden Abend machen, findet Paula. Vom Hähnchen süß-sauer wird mir schlecht und Henryk hält mir die Haare aus dem Gesicht und reicht mir einen Waschlappen.

Bei dir nach wie vor alles okay?, frage ich.

Ja, mein Hähnchen war gut.

Im Spiegel unsere Gesichter, meins blass mit roten Flecken, Henryks … so, wie es eben ist: bärtig, blauäugig hinter den Brillengläsern, etwas zerknirscht (schon wieder oder immer noch, was aber nicht allzu viel bedeuten muss).

Danke.

Dafür nicht, sagt Henryk.

Verletzungen

Karin, die Verlassene, ist verlassen worden, zum zweiten Mal, diesmal von einem Mann, von dem wir gar nicht wussten, dass es ihn gibt. Stimmt das so in etwa?

Henryk sagt: Manchmal bist du wirklich fies. Er sieht mich genervt an. Erst Rena, die ihre Tür den ganzen Abend verschlossen hält, das gelb-schwarze *Kein Zutritt*-Schild als amtliche Mitteilung an uns, dann Paula, die einen ihrer Trotzanfälle bekommen hat, mittendrin das klingelnde Telefon, jetzt ich.

Aber von deinem maliziösen Ton abgesehen, sagt Henryk, ja, stimmt so in etwa.

Und wer war er? (Anderer Tonfall diesmal, wirklich interessiert.)

Ein Mann, den sie in der Volkshochschule kennengelernt hatte, im Hatha-Yoga, lach nicht (aber er muss selbst grinsen). Ein Witwer, sechsundsechzig Jahre alt, pensionierter Vermessungstechniker. Ich glaube, ich habe ihn sogar mal kennengelernt. Sie stellte ihn mir als einen Freund vor, aber ich konnte doch nicht ahnen …

Woher auch? Karin, die Heilige, das ewige Opfer.

Würdest du das bitte lassen, Susanna?

Ich lass es ja schon.

Ich habe sie eingeladen, für das kommende Wochenende.

Ach.

Die Kinder lenken sie bestimmt ein bisschen ab.

Aha.

Okay, du findest es also furchtbar.

Nicht, wenn du dich um alles kümmerst.

Mach ich. Ehrlich.

Gut, dann fang jetzt mal an. Die Waschmaschine ist voll. Der Trockner auch.

Überraschung II

Und Sie haben nichts gemerkt? Keine Übelkeit, keine Müdigkeit?

Die Ärztin lacht, aber auf nette Art.

Ein bisschen müde war ich schon, wenn ich es recht bedenke. Und ein paarmal war mir auch übel. Ich weiß natürlich, wie so etwas geht, aber es ging halt nie bei mir, auch nicht, als ich es wollte.

Zehn Jahre ist das her, ich achtundzwanzig und fest entschlossen. Mein Freund hingegen weniger. Ich will doch noch so viel machen, Reisen, Karriere … Als ob ein Kind das Ende von allem wäre und nicht ein Anfang. Trotzdem hatte Björn, wenn ich am Morgen sagte, heute Abend bräuchte ich dich, grinsend gesagt, ich stehe zur Verfügung. Nur gebracht hatte es nichts. Irgendwas in mir ist nicht gastlich genug – Red keinen Schmarrn, unterbrach er mich.

Nachdem wir uns getrennt hatten, dauerte es kein Jahr, und er verschickte E-Mails mit Bildern im Anhang: Zwillinge, Till und Theo, winzige Gesichter, die Augen geschlossen wie bei Welpen. Ich freue mich für dich, schrieb ich zurück, für euch. Seine Frau kannte ich von früher, wir hatten zwei Tutorien zusammen besucht, ihre hellroten Haare fielen über die Rückenlehne des Holzstuhls, sie war die Einzige, die sich mit Zellbiologie auskannte.

Die gefährliche Zeit ist eigentlich vorüber, sagt die Ärztin, fünfzehnte Woche oder sechzehnte. Kommt das so in etwa hin?

Ich dachte nach. Kann sein.

Gleichwohl wäre es gut, sich ein bisschen zu schonen. Auch weil Sie, sie lächelt entschuldigend, eher spätgebärend sind. Einfach öfter mal hinlegen, Beine hoch.

Sie druckt mir ein Ultraschallbild aus. Ein Kind wie eine dicke Bohne. Deutlich zu erkennen der übergroße Kopf, die Beine und angewinkelten Arme.

Wollen Sie wissen, was es ist?

Sieht man das denn schon?

Sie nickt.

Liegen lernen

Ich liege auf dem Sofa und beobachte Karin, die mit den Kindern am Tisch sitzt. Sie zeigt den Mädchen, wie man Aquarelle malt; wie nass das Papier sein muss, wie man die Farben ineinanderlaufen lässt, die Mädchen so folgsam, dass unklar ist, wer hier wem hilft. Natürlich wissen sie nichts von Karins Liebeskummer. Auch uns hat sie nur wenig erzählt. Dass es fast zwei Jahre ging. Dass er zu viel wollte, sie vielleicht zu wenig, wie sie zugab. Aber nochmals heiraten? Nochmals zusammenziehen? Wofür denn? Einen Haufen Kinder werden wir ja nicht mehr bekommen!

Aber du hast ihn nicht mal zu einer Familienfeier mitgebracht.

Als ob die so spannend wären!

Vielleicht hätte er sie spannend gefunden.

Wer weiß das schon. Der Kuchen schmeckt übrigens ausgezeichnet. Die Bäckerei bei mir um die Ecke hat auch immer solchen. Wisst ihr übrigens …

Vom Geruch des Nagellackentferners war mir schlecht geworden.

Ja, leg dich doch etwas hin, sagte Karin. Du hast bestimmt viel Arbeit.

Geht so.

Henryk ist vom Einkaufen zurück. Ich kann seinen Gesichtsausdruck sehen, als er mit den Einkaufstüten in die Wohnküche kommt. Sein Lächeln angesichts des Idylls, das sich ihm bietet: seine Mutter malend mit seinen Töchtern, der Hund unterm Tisch. Er stellt die Tüten auf die Arbeitsfläche und tritt an den Tisch heran. Lobt ausgiebig die Bilder. Susa schläft, sagt Karin. Ich schließe rasch die Augen. Ach ja, sagt Henryk. Dann schlafe ich tatsächlich ein. Als ich aufwache, riecht es nach Fleisch und gekochten Tomaten. Henryk steht vor dem Sofa.

Kommst du?, sagt er. Das Essen ist fertig.

Stricken

Was machst du denn da? Strickst du?

Ich versuch es zumindest.

Ich wusste gar nicht, dass du das kannst.

Kann ich ja auch eigentlich nicht. Maike hat's mir gestern gezeigt.

Und was soll das werden? Ein Schal?

Nicht ganz.

Handschuhe? Pulswärmer?

Eine Weste, ärmellos, alles andere wäre zu schwierig.

Aber so klein?

Schweigen.

Warum lachst du jetzt? Hey, sag schon, was heißt das?

Ratter, ratter, ratter.

Ratter, ratter, ratter?

Das ist der Groschen – bevor er fällt.

Schweigen.

Was? Wirklich? Ehrlich? Ist das wahr?

Sein Kopf in meinem Schoß, wie kann man diese hellgelben Wollreihen ablegen, ohne dass die Nadeln rausfallen, egal, egal. Er legt das Ohr an meinen Bauch, seit ein paar Tagen klopft das Kleine ganz sachte, vielleicht hat er ja Glück und kriegt ein Klopfen mit, es hat sich bewegt!, er lacht, siebzehnte Woche, warum hast du denn nichts gesagt?, ich fass es nicht, ab jetzt bin ich bei allen Untersuchungen dabei. Wir stoßen mit Fanta an, müssen immer wieder lachen, im Bett hält er meinen Bauch umfangen, lässt du den jetzt gar nicht mehr los? Nicht in dieser Nacht, verspricht er. Ich schenk dir ein Kind, flüstere ich, was für ein Satz, archaisch und wahr, aber er ist schon eingeschlafen, ich schenk dir einen Sohn, er hat ganz vergessen zu fragen.

Telefonat

Dafür sind Handys also gut, sagt mein Vater, damit es hier nicht so langweilig ist.

Dauert das denn lange?

Drei Stunden, ich kann dir sagen.

Und wie kommst du danach nach Hause?

Mit dem Auto, wie sonst.

Ich meine, wer fährt dich?

Ich mich selbst.

Und warum nicht Mama?

Weil ich es nicht will. Ich kann gut Auto fahren direkt danach. Schlecht wird mir erst später.

Aber anders wär's doch besser…

Jetzt lass uns mal das Thema wechseln, okay? Ich habe hier ein Buch von Marías, *Die sterblich Verliebten.*

Und wie findest du es?

Ganz gut bisher. Ich mag ja seinen Stil.

Und Politik. Und Arbeit. Und die Firma. Und Henryks Professur, die sich nicht einstellen will. Außerdem die Kinder, O-Töne, worauf er nicht selten lachen muss (ich stelle mir vor: der Einzige in der Reihe derer, die da ihre wöchentliche Ration erhalten). Manchmal die Krankheit, aber nur am Rande. Mama. Sie ist es, die ihm Sorgen macht. Auch wenn sie ihre Angst nicht eben sanft mit Aggression bemäntelt, aber das kennt man ja, sagt er, nur angenehmer wird's dadurch auch nicht, was tröpfelt das so verdammt langsam?

Wenn dir schlecht wird, wie fühlt sich das dann an?

Kotzübel halt. Aber schlimmer ist das Brennen.

Welches Brennen?

Im Mund und im Hals. Als ob da alles rohes Fleisch wäre.

Kann man das irgendwie lindern?

Nicht wirklich.

Mann o Mann. Ich wünschte, ich könnte was machen.

Ich weiß. Wird schon wieder.

Finanzen

Vom Krankenhaus auf direktem Weg in die Firma, es gibt da Probleme mit der Liquidität, ein Formfehler in der Steuerangabe, Vollversammlung statt Aktionärsversammlung oder umgekehrt, verbockt von einem Anwalt, der nicht mehr zu belangen, da zwischenzeitlich verstorben ist, und nun fordert das eine Finanzamt das Geld, das das andere bekommen hat und nicht zurückzahlen will, plus Säumnisgebühren, und das bei ohnehin schon angespannter Liquiditätslage, aber Genaueres erfahre ich erst Monate später, als ich die Sitzung in der Firma besuche.

Zunächst aber

Die Genesung. Bestrahlungen und Chemotherapie vorbei, auf dem Ultraschall sind keine weiteren Tumore zu sehen und was noch wichtiger ist, auch der Kernspin zeigt keine Auffälligkeiten mehr. Zum ersten Mal seit sieben Monaten ist er so was wie gesund. Jetzt muss sich nur noch der Appetit einstellen, um von den sechzig Kilo auf siebzig hochzukommen.

Ich tu an alles Sahne ran, verrät mir meine Mutter am Telefon. Was heißt, dass ich selbst nicht mehr mitessen kann.

Du klingst trotzdem glücklich.

Bin ich auch. Wenn er nur mehr essen würde.

Ich gebe mir ja Mühe, sagt mein Vater. Aber jeder Bissen ist die Hölle.

Dass mein Bauch

nicht alleine vom Essen so dick geworden ist, verraten wir ihnen beim nächsten Besuch, es ist inzwischen Hochsommer geworden, wir setzen uns in den Schatten der Glyzine, die die Pergola überwuchert, mein Vater in Strickjacke, da er jetzt immer friert, er hat es sich nicht nehmen lassen, einen Sekt zu öffnen, an dem er und ich nur nippen, wer hätte das gedacht, sagt er leise zu mir, noch vier Monate, sagst du? Ich nicke, und er nickt auch, das schaffen wir, wär doch gelacht, bis dahin bin ich wieder fit und auch nicht mehr so ein mageres Gestell, hast du gesehen, dass ich mir Hanteln gekauft habe? Tatsächlich habe ich die Hanteln in seinem Büro liegen sehen, glänzend rot, zwei Kilo schwer jede. Langsam kommt meine Kraft zurück, sagt er. Im Kühlschrank die Säfte, Vitamin C für die Immunabwehr, Eisen für die Blutgewinnung, Vitamin E und D und Omegasäuren und Magnesium. Paula und Rena rennen durch den Garten, ein Wettrennen ums

Haus, zieht euch Schuhe an, ruft meine Mutter, hier liegen überall Kieselsteine rum! Henryk hebt die Flasche gegen das Licht und schenkt ihr und sich nach.

Lass sie ruhig, sagt er, sie haben Füße wie Pferdehufe: abgehärtet vom Steinstrand.

E.T.

Jetzt bin ich also mit Cosmo und Samuel befreundet. Cosmos Freundin Ariane hat Bilder gepostet. Urlaub auf Hawaii. Cosmo an einer Felswand, Ariane, die ihn mit einem Seil sichert. Ariane auf einem schwarzen Sandhügel sitzend. Ein anderes Bild: ihr Gesicht nahe vor dem einer Riesenschildkröte, die aussieht wie E.T. Ariane gefällt mir. Trotzdem ein Gefühl von Eifersucht, sehr unangebracht. Was machst du gerade? Wer will das denn wissen? Ich schreibe eine Nachricht an Cosmo, er schreibt kurz darauf zurück, Lebenszeichen, mehr nicht.

Dass das alles von außen so nichtssagend und bedeutungsleer aussieht, muss ja nicht bedeuten, dass es sich von innen auch so dumpf und besinnungslos anfühlt.

Herbst

Mit Philipp und Anja beim Abendessen, noch einmal auf dem Balkon, ein letztes Mal für dieses Jahr, glaubt Henryk, unter uns in rascher Folge: Spaziergänger auf dem Weg zum Eisladen, die zwei Hunde der benachbarten Goldschmiedin, laut bellend, als hinter ihnen der Laden für heute geschlossen wird, vorbeifahrende Radfahrer und Autos, außerdem: ein hellblonder, etwa fünfjähriger Junge (Typ kleiner Lord), der sich mit einer Ukulele auf den Bürgersteig stellt, vor sich einen Becher, in den die Passanten Geld werfen. Nach einigen Minuten kommen seine Eltern aus der Bank, er klemmt sich die Ukulele unter den Arm und zählt die Münzen. Schnell verdientes Geld, sagt Philipp und lacht anerkennend. Zu den Jakobsmuscheln Weißwein, zum Lamm Rosé. Anja nimmt eine große Portion Polenta zum Salat. Seit wann bist du Vegetarierin? Gedanklich schon lange, faktisch aber erst seit drei Monaten. Das wäre eine Mitteilung wert gewesen… Alles gut. Hab mich doch gar nicht beschwert. Den Sonnenschirm kannst du schließen, dann sehen wir auch den Sonnenuntergang. Was für ein leuchtend roter Ball, schaut euch das an!

Berichte aus der Klinik, sie: Innere, er: Plastische (oder: Äußere, wie er scherzt). Ich finde es auf seltsame Weise beunruhigend, dass unsere Freunde Ärzte sind; im Zweifel liegt mein Leben in ihrer Hand. Anja nickt zu den guten Nachrichten, sie kennt meinen Vater seit dreißig Jahren. Ich wünsch ihm so sehr, dass er es schafft, Statistik ist Statistik, aber wieso soll er nicht zu den zwanzig Prozent gehören, die überleben? Unmöglich, ihr zu sagen, dass er nicht sterben darf, weil ich noch nicht so weit bin. So schönes Porzellan, sagt Anja, ist das neu? Sie hebt vorsichtig den halbvollen Teller an, um den Schriftzug zu sehen. Ganz schön arriviert, was? Sie grinst. Was macht der Kleine? Wächst und gedeiht und tritt wie wild. Darf ich mal fühlen?

Sie selbst will noch ein Jahr warten, dann zwei Kinder in rascher Folge hintereinander. Dann bin ich einundvierzig, wenn alles so klappt, wie ich es will. Wird's schon, sagt Philipp. Und wenn nicht, adoptieren wir ein Kind aus Afrika. (Wo sie jeden Sommer für sechs Wochen sind: Impfungen und Notoperationen im Sanitätszelt, von Mücken umschwirrt, ziemlich genau so, wie man es sich vorstellt, nur viel anstrengender, sagt Anja, schöner auch, sagt Philipp). Und bei euch neue Forschungsprojekte am Start? Ich zitiere: Immunologische und immungenetische

Anpassungen zwischen Wirt und Parasit. Außerdem weiterhin meine Würmer. Jetzt du, Henryk! Wir bereiten ein internationales Kolloquium zum sozialen Diskurs im Mittelalter vor. Klingt alles nicht so brennend wichtig wie die Arbeit unserer Freunde … Philipp und Anja protestieren, Henryk schenkt ihnen Wein und mir Wasser nach, ich hole den Nachtisch. Vegan ernährst du dich aber nicht, oder? Gott bewahre!

Um kurz nach eins hält das Taxi vorm Haus, wir winken dem Fahrer vom Balkon zu. Wir kommen, einen Moment noch! Anja, im Flur, umarmt mich lange.

Wie gut wir es haben, wie gut, findest du nicht, meine Süße? Doch, sage ich.

Henryk warnt, leise, die Kinder, und umarmt Philipp und Anja. Wir sehen ihnen hinterher, Anja, die sich bei Philipp einhängt, um nicht zu fallen, Philipp, der ihr die Autotür aufhält, ein letztes Winken, der Steinboden an den nackten Füßen ist jetzt kühl.

Verliebt

Rena kann nichts mehr essen.

Hat am Morgen Bauchweh und schließt sich im Bad ein. Paula rüttelt an der Tür: Mach auf, Mensch! Ich komm zu spät!

Knappe Antworten, schnell den Tränen nah, motzig, motzig, motzig. Türenschmeißen und Augenrollen (wir arbeiten daran).

Jeden Abend hören wir die Musik aus ihrem Zimmer.

Beziehungsstatus: It's complicated.

Gibt es da jemanden? Ich meine, willst du mir nicht vielleicht etwas erzählen?

Ach, Susa, lass mal.

Dann plötzlich und so verblüffend, wie wenn der Himmel aufreißt nach langem Regen: ein beseeltes Lächeln (sogar beim

Staubsaugen). Nachmittags trifft sie Freunde in der Stadt (oder ihn), ist hinreißend zu ihrem Vater und zu mir, Paula darf sich ihre liebste Bluse ausleihen.

Beziehungsstatus: in einer Beziehung mit Lasse Vandebek.

Der hübsche Braunhaarige oder der Nerd neben ihm? Aha, der Braunhaarige. Nur auf einem seiner Bilder lacht er, sonst eher depressive Posen, muss aber vielleicht nichts heißen. Mag die junge Diane Keaton und Rap am Mittwoch, war auf dem Konzert von Marsimoto. Ein Foto von ihm und Rena. Sie stehen lachend vor einem Schaufenster. Comment: Hätt nie gedacht, ein Junge könnt so sein wie du. Du bist lustig, nett und hörst mir immer zu.

Beziehungsstatus: in einer Beziehung mit Rena Thieme.

Müssen wir mit ihr reden?, frage ich Henryk.

Hör mal, sie ist zwölf.

Wahrscheinlich weiß sie eh schon alles, was sie wissen muss.

Der Erste seiner Art

Er ist wunderschön, einfach perfekt. Acht Tage über der Zeit sieht er gar nicht mehr unfertig aus. Ein Wust nasser blonder Haare auf dem Kopf, eine steile Falte zwischen seinen Brauen. Hey, nach all den Wehen dürfte ich so gucken, nicht du. Er weiß genau, was er will. Wenn er nicht trinkt, schläft er. Ich betrachte ihn die ganze Nacht. Am Morgen bin ich so müde, dass ich einen Tic bekomme: Immer wieder schließen sich meine Augen wie in einem Krampf.

Glaubst du, das geht wieder weg?

Henryk nimmt mir das Baby aus dem Arm.

Klar, du musst nur ein bisschen schlafen.

Mein Vater betrachtet Leve, er hält sich am Rand des Plexiglasbettchens fest. Er ist noch dünner geworden, seine Wangen eingefallen. Er setzt sich zu mir aufs Bett, nimmt meine Hand. Weißes Hemd, Krawatte, sein heller Anzug tadellos. Das habt ihr gut gemacht, sagt er. Dass seine Stimme so rau ist, war mir am Telefon gar nicht aufgefallen. Sie fliegen am gleichen Abend wieder zurück.

In der Firma geht's drunter und drüber, flüstert mir meine Mutter zu. Das nächste Mal bleiben wir länger.

Weihnachten

Feiert ihr mal allein, sagt meine Mutter.

Wir besuchen euch nächstes Jahr, sagt mein Vater.

Versprochen?

Versprochen.

Zweite Operation

Wenn der Krebs einmal gestreut hat, weißt du, was das heißt, flüstert Maike, die neben mir im Wartezimmer sitzt.

Hör auf, sage ich.

Weißt du noch, wie wir in Travemünde Urlaub machten? Wie er die geräucherten Sardinen hochhielt und aß?

Ich glaube, ich erinnere mich nur wegen des Fotos.

Unser Vater vor der Fischbude, blondes kurzes Haar, Koteletten, Hornbrille. Einen Teller mit Sardinen vor sich auf dem Tisch. Er hält einen Fisch zwischen Zeigefinger und Daumen, Kopf in den Nacken gelegt, er lacht. So macht man das! Wir beide, in rosafarbener und hellblauer Windjacke, sehen zu ihm auf, zwischen Bewunderung und Scham.

Oder der Skiurlaub in Davos. Erinnerst du dich daran?

In aller Frühe zum Berg, nicht gerade die Ersten, aber fast. Wir führen unseren Eltern vor, was wir tags zuvor im Skikurs gelernt haben, unglaublich, dass ihr beiden bis vor Kurzem nur Stemmbogen konntet! Um zehn beginnt der Kurs. Mittags in der Hütte Spaghetti bolognese, dazu Ovomaltine. Maike, die ihre Portion nie aufessen kann, und ich, die das für sie übernimmt. Auf dem Skilift, jede auf einer Seite, Maike winkt in die Kamera, mit der Hand, die die Stöcke hält. Wir sind beide in den Skilehrer verliebt (Toni, der Brettli sagt und Stöckli), ich bin eifersüchtig, wenn Toni Maike anlacht.

Was ist eigentlich aus deinem neuen Freund geworden?, frage ich.

Mein nicht mehr ganz so neuer Freund. Maike grinst.

Ach. Und wann kann ich ihn mal kennenlernen?

Du klingst schon wie Mama. Aber bitte: jederzeit.

Dann bald einmal. Bitte.

Ich sehe aus dem Fenster in einen sehr blassen Himmel, manchmal Regen, manchmal das Geräusch eines Hubschraubers, der auf das Krankenhaus zufliegt und irgendwo auf dem Dach landet, nicht sichtbar von hier aus. Erst wenn ich aufstehe, kann ich mehr sehen – und auch dann nur die zweistöckigen Reihenhäuser, die sich an den Zaun des Krankenhauses anschließen, in der Ferne den Wald, die Straße (mäßiger Verkehr). Leve liegt in seinem Wagen und schläft. Eine Krankenschwester steckt den Kopf ins Wartezimmer, nickt uns zu, aber wir sind nicht die, die sie sucht. Eine junge Türkin sitzt an der gegenüberliegenden Wand, die Haare unter einem bunt gemusterten Tuch verborgen, sie blättert in einer Zeitschrift und kaut beim Lesen auf ihrer Unterlippe.

Kannst du bitte weiter mit mir sprechen?, fragt Maike. Sobald es still ist, stelle ich mir vor, was sie gerade mit Papa machen, und ich fürchte, das halte ich nicht aus.

Durchgangssyndrom

Die hören mich hier ab, nichts bleibt geheim.

Papa?

Überall sind Wanzen angebracht.

Niemand hört dich ab, Papa.

Doch. Die eine Schwester, eine richtige Xanthippe. Die hat was gegen mich.

Soll ich mit ihr sprechen?

Nein. Bring du mir nur den Anzug vorbei. Den dunkelblauen. Passende Krawatte dazu, eine rote oder hellblaue. Und den braunen Gürtel, die braunen Schuhe.

Und dann?

Es geht um die Vorstandssitzung. Wir müssen uns treffen, in der Firma gibt es Probleme. Wir müssen die Sitzung hier abhalten, die lassen mich ja nicht raus. Müller, Scholz und Vetter müssen kommen, außerdem der Rechtsanwalt, Niebek, kennst du den?

Ja.

Sie müssen alle Unterlagen mitbringen, die Steuererklärungen der letzten vier Jahre, außerdem Budgets und Jahresbilanzen. Ich glaube, die tun mir hier was ins Wasser.

Bestimmt nicht, Papa.

Seit Tagen sage ich denen, dass ich in ein anderes Zimmer muss. Ich kann hier nicht schlafen. Das ist reine Folter.

Ich ruf gleich beim Chefarzt an.

Hat alles System.

Ich melde mich später nochmals, okay?

Er legt auf, ohne sich zu verabschieden. Ich rufe auf der Station an.

Ihr Vater ist nicht ganz klar, im Moment.

Es geht ihm miserabel!, sage ich. Er braucht Schlaf und Medikamente.

Er ist ja nicht mehr der Jüngste. Vielleicht ist das auch einfach Altersdemenz.

Das ist doch Unsinn! Bis vor Kurzem war er noch ganz in Ordnung.

So was geht manchmal schnell.

Ein Durchgangssyndrom, sagt Maike. Er braucht Ruhe. Ich werde dafür sorgen, dass sie ihn in ein anderes Zimmer verlegen. Und dass er Tabletten bekommt. Komm schon, Susa, wein nicht. Ist doch dein Geburtstag.

Dazwischen Glück

Vom Glück überschwemmt, könnte man auch sagen. Leves kleiner, strammer Körper, der Geruch hinter seinen Ohren, die Wärme, erste Andeutungen eines Lächelns, überhaupt: Diese zahnlose rosafarbene Mundhöhle, auch sie entzückend, und die Mädchen, die nicht müde werden, seine Finger und Zehen zu zählen und ihn gegen den Strich zu streicheln, das Haar fast weiß, unser Levchen, sagen sie voller Besitzerstolz. Wenn er murrt, rennen sie zu ihm hin, Levchen, wir kommen!, besonders Paula eine kleine, ernsthafte Mutter, die ihn manchmal so fest an sich drückt, dass aus Leves zaghaftem Murren ein Schreien wird. Ich könnte dich auffressen, sage ich und küsse seine Wange, und Paula sagt, aber nicht wirklich, und klettert auf meinen Schoß, was sie schon lange nicht mehr getan hat, und ich knabbere statt an Leve an ihr, bis sie vor Lachen Schluckauf bekommt.

Abgrund

Zehn Tage später ist mein Vater wieder klar.

Was hab ich gesagt? Vorstandssitzung? Er schüttelt den Kopf, versucht zu lächeln, aber es gelingt ihm nicht. (So nah also ist der Abgrund, so schmal der Grat der Normalität.)

Das kommt alles vom Schlafentzug, sage ich. Diese arroganten Ärzte, die hören einfach nicht zu.

Leve streckt die Arme nach meinem Vater aus, was denn, willst du ein bisschen zu mir? Der Schlauch interessiert dich, was? Mein Vater lacht und gibt Leve einen Kuss auf den Kopf. Sogar deinen Geburtstag habe ich vergessen.

Das ist nun wirklich egal, Papa.

Entschuldige.

War ja nicht mal ein runder.

Bleibst du ein paar Tage bei Mama?

Fast eine ganze Woche.

Das ist gut. Ich glaube, ich habe sie ganz schön erschreckt.

Wem das Herz voll ist

Nun hat sie schließlich doch von ihm erzählt. Lasse, vierzehn Jahre alt, achte Klasse, spielt Hockey und Handball und ist sogar ein leidlich guter Schüler, mit Ausnahme von Französisch, welches ihm partout nicht einleuchten will. Sternzeichen Skorpion, hatte ich das erwähnt? Und ich bin doch Krebs, das passt perfekt! (Jetzt bloß nicht Henryk anschauen und lachen.) Kennengelernt haben sie sich auf dem Schulhof. Sie hat ihn sofort gemocht, doch sie war sich sicher, dass er ihr Leonie vorzieht. Aber dann – sie lächelt in der Erinnerung – ist er eines Tages zu ihr gekommen und hat sie gefragt, ob sie mal mit ihm ins Schwimmbad komme, was sie so verwirrte, dass sie nur nickte und sofort wegging, auch weil es inzwischen zum Unterricht geschellt hatte. Sodass er in der nächsten Pause nochmals zu ihr kommen musste, um Tag und Uhrzeit zu verabreden. Und so haben sie sich also zwei Tage später im Hallenbad getroffen und auf dem Nachhauseweg – auf dem breiten Fahrradstreifen, der durch das Waldstück führt – haben sie sich an den Händen gehalten beim Radfahren.

Rena ist verliebt, Rena ist verliebt, singt Paula. Und ich hab's gewusst und nichts verraten!

Rena lächelt und wird rot, und ich nehme sie in den Arm und sage, wie schön, das freut mich für dich. Henryk sagt: Lernen wir ihn denn bald mal kennen, den Lasse?

Jetzt schläft er!
Ich hab die kleine Wanze etwa hundertmal gesungen, bei allem anderen wurde er wieder wach.

Du bist ein Held, das weißt du, oder?

Wir schleichen uns aus dem Zimmer. Großer Schritt über die verräterische Holzdiele, die Tür sanft, sanft ins Schloss. Wie spät ist es?, oje – schon?, ich sollte noch die Klausuren korrigieren. Vergiss es! Wir liegen vor dem Fernseher, jedes Bild eine neue, weltverändernde Information und kaum eine davon beruhigend, aber kein Babygeschrei immerhin, im Zimmer bleibt es ruhig, wir sollten nur rasch ins Bett gehen und die Zeit nutzen, denn in ein, zwei Stunden kann es mit der Ruhe schon wieder vorbei sein, lass uns schlafen gehen – einverstanden, es ist nur so schwierig, den ersten Schritt zu tun – komm schon – du musst mich hochziehen…

Wollen wir noch ein bisschen reden?, erzähl mir, was er Lustiges heute gemacht hat.

Hörst du noch zu oder bist du eingeschlafen?

So quasi.

Nicht auf dem Rücken, bitte, sonst schnarchst du so.

Er dreht sich zur Seite. Sich jetzt bloß nicht darauf versteifen, auch gleich schlafen zu müssen. Die Akzeptanz der Schlaflosigkeit als erster Schritt zu ihrer Überwindung. Dreimal stillen in der Nacht, manchmal viermal. Am besten ist der kurze Schlaf auf dem mittäglich besonnten Sofa: nach zwanzig Minuten erfrischt aufwachen und dann einen Kaffee, ein Mineralwasser, einen Riegel Schokolade und einen Blick in die Zeitung. Ich liebe dieses Sofa (erste Anzeichen von Objektophilie, aber immerhin nicht der Wunsch nach Sex mit dem Eiffelturm). Schön auch, sich mit Leve ins Bett zu legen, gemeinsam einzuschlafen und erst durch das Klingeln der Mädchen aufzuwachen, die wieder einmal ihren Schlüssel vergessen haben.

In ein Buch mit schimmerndem Einband notiere ich: Ich bin gerade unglaublich glücklich und unglaublich müde, außerdem traurig und voller Angst, aber dafür habe ich nur Zeit, wenn ich stille, und ich hoffe, Leve kriegt davon nichts mit.

Kennenlernen

Nach dem Essen sitzen wir im Wohnzimmer, Henryk und ich nebeneinander auf dem Sofa, Rena im Ledersessel, der es unmöglich macht, gerade zu sitzen, Lasse auf dem dazugehörigen Hocker. Paula liegt bäuchlings auf dem Boden, wo sie auf Henryks Mobiltelefon ein Spiel spielt, das von Zeit zu Zeit einen leisen Applaus von sich gibt.

Henryk hat Lasse in ein Gespräch über die Vor- und Nachteile von Computerspielen verwickelt, natürlich, höre ich ihn sagen, machen solche Spiele nicht zwangsläufig dumm, im Gegenteil, mit einigen lässt sich sogar ganz hervorragend strategisches Denken üben, es kommt eben immer auf das Maß an, nicht wahr?, also lass uns doch mal konkret werden: Wie viel Zeit verbringst *du* denn zum Beispiel jeden Tag mit Computerspielen? (Und was sich eben noch dozierend anhörte, bekommt nun einen inquisitorischen Zug.)

Eine Stunde, manchmal auch eineinhalb. Meine Eltern, erklärt Lasse, haben einfach die Regel, dass ich für jede Stunde, die ich am Computer verbringe, zwei draußen sein muss, egal bei welchem Wetter.

Um was zu machen?, fragt Henryk. Um zu spielen?

Indem er es wie in Anführungszeichen ausspricht, macht er deutlich, dass ihm selbst auffällt, dass das Wort spielen eigentlich nicht mehr das passende ist.

Basketball, sagt Lasse, Rad fahren, Skateboard. Im letzten Sommer haben Freunde und ich ein Wehr am Bach gebaut und die Frösche umgesiedelt, wir glaubten, dass so ein Wehr im Herbst eine Überschwemmung des Baches verhindern könnte.

Er lacht leise und mit freundlicher Herablassung für sein letztjähriges Ich, von dem er plötzlich, wie durch einen Zeittunnel geschickt, so weit entfernt ist, dass er es selbst kaum verstehen kann, eine Tatsache, die ihn, so denke ich mir, verwirrt, ebenso wie diese Stimme, die ihm mitten im Satz wegknickt, als habe sie nichts Wichtigeres zu tun, als aller Welt zu zeigen, dass da jemand seiner selbst zunehmend unsicher ist, oder das ewige Erröten (denk einfach, du *willst* jetzt erröten – so viel dazu). Und jetzt schon, und das ist vielleicht das Schlimmste, bei all dem Quälenden und Brennenden, die Ahnung, dass er nächstes Jahr wiederum über sich lachen wird, soll das jetzt immer so gehen, er sich selbst nur noch peinlich sein? Der einzige Trost (aber ein großer) ist Rena, bei der er sich anders fühlt, angekommen und angenommen, momentweise zumindest.

Gute Regel, sagt Henryk anerkennend und fügt – gerade als ein neuerlicher Applaus aufbrandet – hinzu: Jetzt reicht's übrigens mit dem Spiel, Paula. Womit die Verhandlungen über den Abbruch des Spiels eröffnet wären.

Wir gehen dann mal los, sagt Rena. Nachmittagsvorstellung im Kino, Popcorn, Händchen halten, manche Sachen ändern sich nie. Die Verabschiedung an der Tür, Renas verlegenes Drängen, letzte Höflichkeiten. War das jetzt zu förmlich?, fragt Henryk, kaum, dass er die Tür geschlossen hat.

Und, fragt Rena, als ich mich über sie beuge, um ihr einen Kuss zu geben, wie fandest du ihn?

Ich dachte schon, du würdest gar nie fragen, sage ich. Gut, richtig nett. Und hübsch.

Nicht wahr? Er hat tolle Augen, finde ich, und superschöne Haare. Und klug ist er außerdem, und witzig auch.

Na, da ist ja jemand richtig verliebt.

Ja, sagt Rena, das bin ich.

Und dabei klingt sie so offen und arglos, dass ich sie in den Arm nehmen und nur noch stückweise daraus entlassen möchte, hierhin mal ein Bein streunen lassen, darauf ein Auge werfen, davon einen Hauch erhaschen, dort mit der Hand hinfassen, aber sich nicht verbrennen, verraten, verlieren. Das ist schön, sage ich, sage es, als wäre es das wirklich, schön, nichts als schön, als gäbe es da nicht den Schmerz, der direkt hinter diesem Schönen lauert und der sie erwischen und ihr diese Arglosigkeit für immer austreiben wird, der aus der Liebe die Zuneigung, aus dem Absoluten das Irgendwie macht (irgendwie mag ich ihn, irgendwas hat er, irgendwann krieg ich ihn), der sie taktieren und planen und rechnen lässt, der sie Sätze sagen lassen wird wie, Liebe, was heißt das schon?, und: Ich glaube, ich bin noch nicht reif dafür.

Während sie sich jetzt, mit ihren fast dreizehn Jahren, machtvoll und wunderbar fühlt und bereit für alles, was sich an Widrigkeiten dieser Liebe in den Weg stellen wird.

Irgendwas fehlt immer

Maikes Freund heißt Eduard und wird Edi genannt. Bei uns hießen sie alle Eduard, er zuckt mit den Achseln, mein Vater, mein Großvater, natürlich auch dessen Vater; irgendwann, so ist zu hoffen, wird dieser Name auch wieder modern sein, bei all den Johanns und Antons und Ottos, die meine Freunde bekommen. Er trägt einen Dreitagebart und absichtsvoll verwuschelte Haare. Wenn er lacht (und er lacht viel), sieht man zwei schnurgerade Zahnreihen, nur vor dem rechten Eckzahn unten klafft eine kleine Lücke. Maike betrachtet ihn belustigt und stolz, ich fand's schön, wie er sich anstrengte, sagt sie später, als wir telefonieren.

Klingt ganz schön herablassend.

Ist aber nicht so gemeint.

Er ist Krankenpfleger im Asklepios Klinikum, operationstechnischer Assistent, um genau zu sein – ich bin der, der dich für die OP vorbereitet, der dir beruhigend zuredet und über den Arm streicht, wenn du Angst hast. Und nein, tatsächlich wollte er nie Arzt werden, wenn schon was anderes, dann irgendwas in einer NGO. Ich hab das Helfersyndrom, eindeutig.

Daher auch deine Gerontophilie, sagt Maike.

Hör schon auf, auf den paar Jahren rumzureiten.

Zwölf, um genau zu sein.

Na und?

Wir machen einen Strandspaziergang, den ersten des Jahres. Seine Hand in ihrer, ihre in seiner, sein Mund an ihrem Hals, er bringt sie zum Lachen, sie lacht, wie sie als Teenager gelacht hat, spöttisch und lockend, er reckt sich, um einen verirrten Ball zu fangen, sein T-Shirt rutscht aus der Hose, ein Streifen dunkelblonder Haare ist zu sehen. In der *Kajüte* essen wir Fischbrötchen, während wir auf Henryk und die Mädchen warten.

Ein Freund von mir hat zwei Jahre in einem Baumhaus gewohnt, erzählt Edi. Nur wenn die Temperaturen unter null sanken, kam er vorbei, um sich für ein paar Nächte aufzuwärmen.

Das Baumhaus gibt es noch. Nur er und sein Freund wissen, wo es ist.

Lass uns da heute übernachten!

Maike sieht einen Moment irritiert aus, dann sagt sie: In Ordnung.

Und, habt ihr dort geschlafen?, frage ich am nächsten Tag.

Nicht wirklich, sagt Maike.

Sie sind hingefahren, haben ihre Schlafsäcke auf das Bett gelegt – ein großer viereckiger Ballen aus Heu, das dieser Freund säckeweise hochgeschleppt und dort gebunden haben muss –, aber um Mitternacht sind sie heimgefahren, es war einfach viel zu kalt.

Trotzdem war's schön, sagt Maike.

Keine Einzelheiten, bitte.

Bist du etwa neidisch?

Nein, sage ich, das nicht. Es ist nur einfach so anders. Es scheint so leicht, so …

Jung?

Vielleicht. Es geht halt nur um euch zwei.

Nicht um fünf, wie bei euch.

Ja, sage ich, das ist es wohl.

Hat alles seine Vor- und Nachteile, sagt Maike. Sie klingt plötzlich müde.

Wenn man nicht verliebt ist, vergisst man immer, wie anstrengend das Verliebtsein ist.

Geschenk

Von Viola trifft ein kleines Päckchen ein. Ein silberner Anhänger an einem Lederband. Das Zeichen für Stille, Harmonie, Frieden und Glück, schreibt sie auf der beiliegenden Karte. Ich hänge mir die Kette um, und Leve spielt damit, bis er einschläft.

Montag

Kannst du kommen?, fragt Maike. Es geht ihm nicht gut, und ich muss morgen zurück.

Sie ist heute mit ihm ins Krankenhaus gefahren. Hat neben ihm gesessen, drei Stunden lang. Hat seine Hand gehalten, ihm vorgelesen. Er hat so gefroren. Und während er da saß, dünn und ausgemergelt und am Ende seiner Kräfte, tröpfelte die Lösung in seine Adern. Das Gift, sagt Maike. Wenn auch ein heilsames, vielleicht. Obwohl ich nicht mehr daran glaube, sagt sie.

Hat er dir erzählt, dass sie es zu hoch dosiert hatten?

Nein.

Weil sie in seiner Akte 85 statt 58 Kilo gelesen hatten.

Das kann doch nicht sein!

Ist aber so.

Darum ging es ihm also so schlecht die letzten Wochen.

Ja. Weißt du, was ich manchmal glaube, Susa? Ich glaube, dass es hier gar nicht mehr um Heilung geht. Nur noch um Verlängerung des Lebens. Oder vielmehr des Leidens. Und dass alle hier das wissen. Und es ihnen egal ist.

Später, im Auto, hat er sich nass gemacht.

Er hat was?

Ich habe es gesehen und nichts gesagt, sagt Maike.

Und Papa?

Hat aus dem Fenster geschaut, konzentriert, kein Wort gesagt.

Als müsste er sich wiederfinden in der vorbeiziehenden Landschaft. Als gelte es, etwas zu fassen zu bekommen. Sein altes Leben, sein früheres Ich. Eines, das aufbegehrt hätte dagegen, nichts weiter zu sein als ein hoffnungsloser Fall, der so oder so sterben wird: an der Krankheit oder an deren Behandlung. Mein Vater im Auto, die rechte Hand am Türgriff. Wo bin ich hier, wie hat es so weit kommen können?

Zu Hause hat er sich im Büro aufs Sofa gelegt. Das Bett tabu während des Tages. Nur ein bisschen ausruhen.

Und Mama, sagt Maike, hat geschimpft, dass die Buche noch immer nicht beschnitten wurde.

Sie spinnt, sage ich, sie ist vollkommen verrückt.

Aber Maike sagt nein. Nein, weißt du, das ist ihr Weg, damit umzugehen. Sie denkt, sie muss ihn antreiben, damit er am Leben bleibt.

Packen

Zwei Bodys, zwei Strampler, Pullover, T-Shirts, Schnuller, Augensalbe, Windeln, Fiebersaft, Zäpfchen, Fieberthermometer – hast du das Thermometer gesehen? Schlafsack. Für mich ein Pullover, ein Rock, Schuhe, Unterwäsche. Wo ist das verdammte Thermometer? Greifring, Rassel, das Buch mit den Beißecken, Zahnsalbe, Wundsalbe, Feuchttücher, Mütze.

Wie lange bleibst du?

Ein, zwei Tage, denk ich. Wo ist dieses beschissene Thermometer?

Keine Ahnung. Und du willst wirklich mit dem Auto fahren?

Flüge gab's keine mehr. Schlaf ich halt eine Nacht nicht, wird schon gehen.

Und wenn du ihn doch hierlässt?

Bei wem denn? Du hast ja deine Tagung. Bekacktes Timing!

He, komm mal wieder runter.

Verfluchte Scheiße, nein! Mein Vater stirbt, er krepiert! Kapierst du das nicht?

Doch, sagt Henryk leise. Stell dir vor. Ich versteh's besser, als du denkst.

Worüber wir so selten sprechen
Was hatte ich denn gedacht. Geliebt, begraben, vergessen?

Tatjana starb in einem Hospiz, mit Blick auf eine Wiese, dahinter eine stillgelegte Autoschrottpresse. Bevor sie starb, hatte sie Henryk gebeten, ihr aus dem Schreibtisch einen Karton mitzubringen. Er war angefüllt mit Streichholzschachteln.

Henryk hatte sich mit dem Karton zu ihr aufs Bett gesetzt. Hatte eine Schachtel nach der anderen hochgehalten, den Namen des Restaurants darauf vorgelesen. Bocca di Bacco. Dapur Indonesia. La Bringue. Ach das. Und das. Weißt du noch?

Ja, sagte er. Er konnte sich tatsächlich erinnern.

Aber weißt du, was seltsam war?, sagt er zu mir. Ich hatte nie mitbekommen, dass sie Streichholzschachteln sammelte.

Dienstag

Sie sitzen auf der Terrasse, meine Mutter in einer weißen Bluse, mein Vater in seinem roten Wollpullover. Den er nie anziehen wollte. Zu dick, zu wollig. Ich bin doch kein norwegischer Holzfäller! Er sieht auf, als wir auf die Terrasse kommen, lächelt. Streckt die Hand nach Leve aus und tippt ihm auf die Nase. Die ersten milden Tage. Schon morgens steht die Sonne am blassen Himmel.

Soll ich dir Kaffee holen?

Nein, Papa, lass mal. Aber du könntest Leve halten.

Er nimmt ihn auf die Knie, und als Leve den Mund zum Weinen verzieht, sagt mein Vater leise hopp, hopp, und lässt ihn sehr vorsichtig auf und ab hüpfen. Als ich mit dem Kaffee zurückkomme, hat Leve sich an das Hüpfen gewöhnt.

Ich glaube, er hat mich eben angelächelt, sagt mein Vater.

Das glaube ich auch.

Dein Ei ist im Stoffhuhn.

Ich hol's mir gleich.

Wenn er noch immer das Frühstück macht, heißt das nicht, dass er wieder gesund wird?

Die Nacht

In der Nacht weckt mich ein Geräusch. Mein Vater steht in der Tür zum Badezimmer, er hält sich mit beiden Händen am Rahmen fest, starrt aufs Holz. Papa, ich bin's. Er reagiert nicht. Ich lege ihm eine Hand auf den Arm. Wie schön warm du bist, flüstert er. Mein Arm um seine Schulter, er fühlt sich kalt an und zerbrechlich wie Glas, so bleiben wir stehen, minutenlang.

Soll ich dich ins Bett bringen?

Er antwortet nicht.

Sollen wir es versuchen?

Er nickt.

Wir gehen, unendlich langsam, zum Bett. Meine Mutter schläft. Sei leise, sagt mein Vater.

Es ist so schwer, sich hinzulegen. Es ist so schwer weiterzumachen. Zu atmen, einzuatmen in diesen Körper, der ihn im Stich lässt. Ich lege die Decke über ihn, noch eine darüber. Geht es so, Papa?

Er zittert, er nickt.

Ruf mich, wenn du mich brauchst, okay?

Er nickt wieder.

Ich hoffe nicht mehr, dass er wieder gesund wird.

Ich hoffe nur noch, dass es jetzt schnell geht.

Mittwoch

Er zieht tatsächlich einen Anzug an, Krawatte, Einstecktuch, jetzt erst recht. Fährt mit meiner Mutter in die Firma. Als sie mittags nach Hause kommen, badet er. Dann legt er sich aufs Sofa. Meine Mutter isst im Stehen die Reste vom Abendessen. Mach sie doch wenigstens warm! Sie antwortet nicht. Trinkt hastig ein Glas Wein dazu, beim zweiten setzt sie sich zu mir an den Esstisch.

Du müsstest mal seinen Schreibtisch in der Firma sehen.

Sie spricht so laut, dass er sie hören muss.

Ein einziges Chaos. Typisch Männer! Was sie nicht alles versprechen zu tun, und dann versinken sie im Chaos, und alles bleibt unerledigt.

Mama!

Ich schaue sie wütend an, während ich versuche, Leve zu

füttern. Er haut so fest gegen den Löffel, dass der Brei herumspritzt. Er lacht dazu.

Was denn?, fragt meine Mutter.

Siehst du nicht, wie es Papa geht?

Doch! Sie flüstert jetzt auch. Ich will ihm doch helfen. Sonst hat er gar keine Motivation mehr.

Nach dem Essen rufe ich Henryk an. Ich kann nicht zurückkommen, sage ich, ein Schluchzen drängt gegen jedes Wort, und er versteht sofort: Wir kommen am Wochenende zu euch.

Donnerstag

Maike ist wieder da. Sie inspiziert die Medikamente in der Küche, die Schmerzpflaster und -tropfen, die Mittel gegen Übelkeit, die Kamillenlösung, mit der mein Vater gurgelt. Das ist alles nicht stark genug, sagt sie, wir brauchen Morphiumspritzen.

Und wo kriegen wir die her?, frage ich.

Sie zuckt mit den Achseln. Nur übers Palliativteam. Aber das will er nicht. Er will sich ja nicht mal ins Bett legen.

Palliativpflege, sagt mein Vater am Nachmittag auf der Terrasse, nimmt man in Anspruch, wenn man stirbt. Das habe ich noch nicht vor.

Wir betrachten Leve, der auf dem Bauch liegt. Sobald man nicht hinschaut, steckt er sich Blumenerde in den Mund. Nein, rufe ich, nein, nein, nein. Dazu bewege ich den Zeigefinger hin und her, wie der Lehrer in der Häschenschule. Dem Kind fehlt wohl Eisen, überlege ich, und Maike sagt, vielleicht sucht er nach Würmern, was nicht lustig ist, aber ich muss trotzdem lachen, und Maike stimmt ein, wie ein Vogeljunges, sagt sie, oder ein Küken, wir lachen immer mehr, und meine Mutter sieht uns verwundert an, ihr seid albern, dann muss auch sie lachen, und schließlich lacht auch mein Vater. Als es ihm schlechter geht, lässt er sich von uns allen ins Bett bringen. Maike redet besänftigend auf ihn ein, bis er sie anfährt: Lass das, ich bin krank, aber nicht am Sterben.

Wir sehen einander nicht an.

Klar, ich lass dich jetzt schlafen.

Am Abend lese ich ihm aus der Zeitung vor, das Baby liegt neben ihm und scheint zu lauschen. Noch einen Artikel?, frage ich, und er sagt, ja, wenn du Lust hast. Als ich um zwölf ins Bett gehe, schaue ich nochmals nach ihm. Er schläft ruhig.

Freitag

Am nächsten Morgen die Kapitulation. Der Kampf ist vorbei, der Krebs hat gesiegt, hat mühelos ernst gemacht, das Spiel beendet, den König entmachtet. Mein Vater hält sich den Kopf, die Schmerzen lassen ihn aufstöhnen, seit Stunden geht das so, und wir haben nichts gemerkt.

Ich rufe die Ärztin an: Wir brauchen Morphiumspritzen.

Gut. Sie klingt, als habe sie darauf gewartet. Das Palliativteam ist um zwölf bei Ihnen.

Ich lege auf.

Zwölf, das sind noch vier Stunden, sagt Maike.

Ich wähle die Nummer nochmals.

Es tut mir leid, aber vier Stunden kann er das nicht mehr aushalten.

Gut, sagt die Ärztin wieder, ich komme gleich vorbei.

Jetzt haben wir das Zepter übernommen. Haben das Bett aus dem Untergeschoss nach oben geschafft, sodass er bei uns liegt. Die Ärztin hat ihm eine Spritze gegeben und dann noch eine, er hat sich zum Bett führen lassen, geht's besser, Papa? Nein, er schüttelt den Kopf, er scheint benommen, wenn ich nur wüsste, wie stark seine Schmerzen sind, die Ärztin lässt sich zur Tür bringen – er hat schon länger durchgehalten, als ich es erwartet habe, er ist ein Kämpfer.

Ich weiß, sage ich, ich wünschte, es wäre anders.

Die Frau vom Palliativteam kommt um halb eins. Sie ist noch jung, höchstens dreißig, sie lächelt Leve zu, der auf meinem Arm liegt und jedem neuen Besucher interessiert entgegenschaut, wie süß der ist, sie hält ihm ihren Finger hin, und er greift danach, dann sagt sie, es geht um Ihren Vater, nicht wahr?, und ich nicke und führe sie ins Wohnzimmer, wo Maike und meine Mutter bereits warten, einen Kaffee, fragt meine Mutter, möchten Sie einen Kaffee?, aber die junge Frau schüttelt den Kopf, danke.

Wir werden, sagt sie, dafür sorgen, dass Ihr Vater – Ihr Mann – die nächsten Stunden oder Tage möglichst schmerzfrei erlebt. Sie gibt uns eine Broschüre. Hier steht alles Wissenswerte drin, aber wenn Sie weitere Fragen haben, sind wir immer für Sie da. Sie gibt mir ihre Handynummer. Ich komme, wann immer nötig, auch nachts.

Dann geht sie in das Zimmer, in dem mein Vater liegt, sein Büro, das Sterbezimmer nun, er atmet heftig, und ich höre die Frau leise mit ihm sprechen.

Der Todeskampf hat schon begonnen, sagt sie, als sie wieder aus dem Zimmer kommt.

Wie lange wird es dauern?, fragt Maike.

Ich weiß es nicht. Die junge Frau sieht von Maike zu mir und dann zu meiner Mutter, die am Tisch sitzt und das Tischtuch immer wieder glatt streicht. Stunden, sagt sie, vielleicht auch ein, zwei Tage.

Leve fängt an zu weinen.

Ich gehe jetzt, sagt die Frau, aber ich komme heute Abend wieder.

Sie hält Leve noch einmal ihren Finger hin, aber diesmal greift er nicht danach, sondern schreit nur noch mehr. Da ist jemand müde, stellt sie fest, dann nickt sie uns noch mal allen zu und geht aus der Tür. Meine Mutter ist bereits in der Küche, um das Mittagessen zu machen, wer soll jetzt etwas essen, aber als Suppe und Brot auf dem Tisch stehen, haben wir plötzlich alle Hunger. Aus dem Büro dringt das Atmen zu uns, das jetzt eher ein Keuchen ist, er stirbt, und wir essen Suppe. Nach dem Essen geht meine Mutter zu ihm, Maike und ich räumen den Tisch ab und spülen. Als wir ins Zimmer kommen, ist meine Mutter neben ihm eingeschlafen, seine Hand in ihrer.

Am Nachmittag

Die Sitzung. Gegenüber am Tisch ein Vertreter der Bank, das blaue Logo auf Mappe und Krawatte, warum sehen eigentlich alle Bankberater so aus, als hätten sie ihren Beruf in einem Wochenendseminar gelernt? Daneben, hinter riesenhafter Brille (wahrscheinlich Fensterglas), seine Assistentin, der Produktdesigner, dessen starrer Blick mit geradezu demokratischem Gerechtigkeitssinn die Brüste aller anwesenden Frauen bedenkt, der Geschäftsführer, die Prokuristin, ich. Die Sekretärin bringt Kaffee, Kekse dazu, zittern ihre Hände etwa? Wenn Sie einmal sehen wollen: die Zahlen des laufenden Geschäftsjahres (die Prokuristin), die Liquiditätsunterdeckung macht uns Sorgen (der Banker), die Auftragslage ist solide und wird – so erwarten wir – im zweiten Halbjahr sogar noch besser (der Geschäftsführer), die Sache mit dem Finanzamt – den Finanz*ämtern* vielmehr – wird sich regeln lassen, die haben ja auch kein Interesse daran, eine

Firma in den Bankrott zu treiben (die Prokuristin), was für uns von größter Bedeutung ist, ist die Sicherheit unserer Kredite, das verstehen Sie ja sicherlich (der Banker), natürlich, das verstehen wir (ich), kurzes Schweigen, die zu erwartenden Aufträge haben eine Größenordnung von je hundertfünfzig- bis zweihunderttausend Euro (der Geschäftsführer), drei neue Sesselmodelle für den europäischen Markt, sehr erfolgversprechend (der Produktdesigner), was mach ich hier, denke ich und stehe auf, ich muss los, Genesungswünsche, ich renne zu meinem Auto.

Beruhigungen

»Von Patienten, die aus dem Koma aufgewacht sind, wissen wir, dass Menschen in diesem Zustand alles genau hören können, dass sie für alles sehr empfänglich sind. Es gilt darum, ›ganz Ohr‹ für sie zu sein.« (*Prospekt des Palliativteams der Ambulanten Krankenpflege e.V.)*

Es ist alles gut, Papa. Die Sache mit dem Finanzamt ist geklärt. Drei neue Aufträge so gut wie sicher. Und die Bank so klein mit Hut angesichts der eigenen Misere. Alles ist gut, wirklich. Du kannst loslassen. Wir haben alles im Griff.
Du kannst gehen.
Du kannst gehen.
Ich wünschte, du könntest bleiben.

Samstag/Sonntag

Gegen Mittag kommen Henryk und die Mädchen. Paula erschrickt, als sie ihren Großvater sieht, aber Rena setzt sich zu ihm, streichelt seinen Arm, wir lassen sie mit ihm allein, als sie eine halbe Stunde später aus dem Zimmer kommt, sagt sie, er hat gelächelt, ich glaube, er hat einmal gelächelt.

In der Nacht höre ich ihn fallen. Er liegt auf dem Boden, sieht mich nicht an. Ich helfe ihm auf, führe ihn zu dem Rollstuhl, den die Johanniter am Morgen gebracht haben.

Brauchst du mehr Morphium?

Da ist eine Wand zwischen uns, und kaum ein Laut dringt durch.

Brauchst du mehr Morphium?

Er nickt langsam, und ich wähle die Nummer, die mir die Frau vom Palliativteam gegeben hat.

Willst du etwas überziehen?

Er schüttelt den Kopf.

Ich meine, wegen der Frau, die gleich kommt.

Er sieht mich ausdruckslos an und sagt, scheißegal, ich muss fast lachen, weil er beinahe klingt wie früher, als er uns beibrachte, dass wir uns nicht um das kümmern sollen, was Fremde von uns denken.

Ich öffne das Tor, lasse die Haustür einen Spalt offen. Der Nachthimmel ist voller Sterne, eine Schönwetterperiode hat eingesetzt, viel zu warm für die Jahreszeit. Nur diesen Sommer noch, denke ich, diesen Herbst.

Bis die Pflegerin kommt, sitze ich neben meinem Vater, meine Hand auf seinem Arm, er hat die Augen geschlossen, aber er schläft nicht. Nachdem er die Spritze bekommen hat, helfen wir ihm gemeinsam ins Bett. Leise, sagt er, weckt Mama nicht, und tatsächlich schläft sie immer noch: Sie, die unter Schlaflosigkeit leidet, flüchtet sich jetzt in den Schlaf. Ich behalte drei Spritzen mit Morphium hier.

Trauen Sie sich zu, die zu setzen?, fragt die Frau.

Am Morgen die erste, der Arm ist so dünn, es gibt keine einzige Stelle mit Fett mehr, aber er zuckt nur kurz zusammen, dann beruhigt sich sein Atmen ein wenig. Auf Maikes Arm Leve, sie bringt ihn mir und setzt sich zu unserem Vater, streicht über seine Wange. Die Mädchen harken im Garten ein Beet, setzen Blumenzwiebeln, gießen sie.

Montag

Und dann gehen Maike und meine Mutter einkaufen, und Henryk und die Mädchen sind auf dem Spielplatz, und ich bin im Wohnzimmer mit Leve. Seit wann ist es so ruhig? Seit Sekunden? Minuten schon? Leve schreit, als ich ihn von der Brust nehme, er ist noch nicht fertig.

Die Augen meines Vaters sind offen, aber er ist nicht mehr hier, und ich war nicht bei ihm, als er ging. Seine Haut fühlt sich warm an, nur seine Hände sind kühl. Ich schließe seine Augen und klemme ein Kissen unter sein Kinn. Ich gehe Maike und meiner Mutter entgegen, die mich im Vorgarten stehen sehen und sofort Bescheid wissen.

Er sieht friedlich aus, sagt Maike später zu mir, und ich sage nicht, dass ich das nicht finde. Für mich sieht er aus, als sei er mitten in etwas überrascht worden, als habe er im letzten Moment erkennen müssen, dass alles ganz anders ist als gedacht. Ich wünschte, wir hätten am Morgen die Pflegerinnen weggeschickt: Noch einmal aufdecken und waschen, obwohl er reflexhaft die Decke festgehalten hat. Beim nächsten Mal bin ich klüger.

Weiter

Wir suchen Karten aus und machen Listen, wir empfangen die Ärztin, wir lassen ihn noch diesen Tag bei uns und diese Nacht, wir essen und trinken und wechseln Leves Windeln, die Kinder weinen und dann lachen sie wieder, auch Rena will jetzt nicht mehr in das Zimmer, nachts schreiben Maike und ich eine Trauerrede, bloß kein Pfarrer, sagt meine Mutter, keine Religion am Ende, wir suchen den Sarg aus, die Blumen, wir telefonieren mit den Verwandten, mit seinem Bruder, der selbst am Sterben ist, mit unseren Cousinen, wir sind eine kleine Familie und werden immer kleiner, wir machen den Fernseher an und aus und versuchen zu schlafen, wir küssen einander und die Kinder, wir weinen, wir spülen ab, wir organisieren Babysitter und stehen neben dem Grab und lassen uns die Hände schütteln und uns umarmen, und einer, den ich lange nicht gesehen habe, schluchzt laut auf; du hast dich aber verändert, sagt meine Mutter zu einer alten Freundin, die erschrocken nickt, während ich lächle und vor Verlegenheit fast vergehe, und alles geht weiter, und wir gehen mit.

Geschäftliches

Am nächsten Tag das Treffen beim Anwalt: die Akten auf dem Tisch, denn so prekär ist die Lage, dass keine Zeit bleibt, kein Aufschub möglich ist; der Steuerberater, die Prokuristin, der Geschäftsführer, meine Mutter, die mit einem Ausdruck jähen Erstaunens von einem zum anderen sieht, Maike, ihr trauriger Blick zu mir, der mich tröstet. Der Anwalt, jovial, mit dem weichen Zungenschlag des Franken – da gibt es folgende Probleme: die Steuernachzahlung zum einen, die Umsatzlage zum anderen; wir sind ja unter uns: Wenn nicht bald ein Wunder geschieht… Aber er war doch nur noch im Aufsichtsrat – und voll haftbar, darum mein Rat: Überlegen Sie gut, ob Sie das Erbe antreten. Er hält kurz inne: Sie wissen, wie sehr ich Ihren Mann, Ihren Vater schätzte, er war ein großartiger Geschäftsmann, aber eben:

Am Ende hat sich alles gegen ihn verschworen. Die Augen meiner Mutter quellen über, mit einem weißen Taschentuch fährt sie sich immer wieder über die Wangen, so ein verbohrter Kerl – niemand wagt, den anderen anzusehen –, wie konnte er mir das antun, sogar über seinen Tod hinaus macht mich die Scheißfirma fertig.

Retter

Dann kommt er doch noch, der neue Käufer. In letzter Minute die Rettung in Gestalt eines zuversichtlichen Mannes, entschlossen, alle Fehler zu vermeiden, er hat schon eine Liste dabei, *To do* steht auf dem Zettel, der zuoberst auf seinem Stapel liegt. Meine Unterschrift auf dem Vertrag, als Vorstandsvorsitzende, wenn auch nur pro forma. Anstoßen mit Sekt, trotz des symbolisch zu nennenden Kaufbetrags. Die Ersparnisse werden reichen. Aber wie hätte das letzte Lebensjahr meines Vaters ausgesehen, wenn er hätte sagen können: Ich kann nicht mehr. Ich gebe auf. Etwas hält ihn hier, hatte die Ärztin gesagt. Alles ist gut, flüsterte ich ihm zu. Geh jetzt, bitte geh. Du wirst mir fehlen.

Haut

Sein Foto steht auf der Kommode im Esszimmer. Seine Haut, die immer so dünn schien. Sein Blick, angefüllt mit Wohlwollen, bedingungslos parteiisch. Sein fedriges Haar, mit dem Messer geschnitten (dafür fuhr er alle drei Wochen nach München, zu einem alten türkischen Friseur, der immer eine Zigarette im Mundwinkel hatte und die Asche auf seine Kunden herabrieseln ließ).

Ich erinnere mich, wie mein Vater mich einmal zum Bahnhof

brachte. Er war schon sehr dünn geworden, eingefallene Wangen, die Augen von diesem fast wässrigen Grün. Die S-Bahn zum Hauptbahnhof stand bereit, aber sie würde noch nicht losfahren. Er nahm mein Gesicht in seine Hände, sah mich lange an, sagte nichts (und doch: dass wir uns vielleicht nicht wiedersehen würden, dass er mich liebe, dass ich das nicht vergessen solle). Ruf an, wenn ihr zu Hause seid, sagte er schließlich.

Mach ich.

Er ging zu seinem Auto, es war nicht das letzte Mal, dass wir uns sahen, aber das einzige Mal, dass wir den Tod wahrnahmen, diesen zudringlichen Besucher, den wir ansonsten ignorierten.

Was am Ende bleibt, ist so wenig. Ich weiß schon nicht mehr, wie er beim Lachen aussah.

Ich denke an dich, am Morgen, am Mittag und am Abend, und dazwischen noch etwa hundertmal (schrieb ich ihm, als er im Krankenhaus lag). Zu viel, zu viel. Ich drehe das Foto um.

WEITERMACHEN

So ist das also. So fühlt sich das an, wenn einer stirbt. Gestorben *ist*, verbessert sie sich in Gedanken. Sie denkt an ihn, am Morgen, am Mittag und am Abend.

Wenn wenigstens Winter wäre, vereiste Autoscheiben, Schnee auf den letzten braunen Blättern und den Ästen, die sich unter der ungewohnten Last bögen, die Straßen so glatt, dass nur ganz langsames Gehen möglich wäre, fast ein Innehalten, feste Wolkenpakete am weißen Himmel, unbeweglich und still.

Stattdessen dieser nicht enden wollende Sommer, diese aufdringliche Sonne, die die Menschen aus den Häusern lockt, wie sie ins Licht blinzeln. Die Straße ist gesperrt, Kanalarbeiten, die Arbeiter lassen die Kinder durchs Wasser springen, ihr Jauchzen dringt herauf, sie kann sie vom Fenster aus sehen, vier, fünf, sechs Kinder zählt sie, Paula unter ihnen, Shirt und kurze Hose nass, wenn sie klug ist, legt sie sich nachher auf den heißen Asphalt, um zu trocknen.

Leve ist auf seinem Lammfell eingeschlafen, mitten im Spiel, sie sieht ihn an, sein ruhiges Atmen, manchmal ein Zucken seiner Arme. Sie denkt an ihren Vater. Bilder tauchen auf, ungeordnet und willkürlich: Wie er mit ihr von der Firma nach Hause fährt, sich über ihre Knie beugt, um Zitronenbonbons aus dem Handschuhfach zu holen, die er da für sie reingetan hat. Das Frühstück am Morgen, ihr lauernder Blick auf sein Frühstücksei, willst du die Krone?, sie nickt und ignoriert den tadelnden Blick ihrer Mutter, und er halbiert das Ei in der Mitte. Einmal, als sie krank war, die

Geschichte, die er sich ausdachte: von der mutigen Maus und dem ängstlichen Löwen. Einmal ein heftiger Streit, den sie schnell beilegten, weil sie beide keine Ausdauer im Streiten hatten.

Eine Nichtigkeit, und noch eine und noch eine. Nichts, von dem sie jemals erwartet hätte, dass sie es sich merken würde. Wie sie auch nicht geahnt hatte, dass insgesamt so wenig bleiben würde, alles Erlebte eine einzige nebelgraue Masse, ein Wust, aus dem ein paar Erlebnisse wie Spitzen hervorragen, durchaus nicht die wichtigsten. Und was sie auch nicht geahnt hat: dass sie das alles einmal so vermissen würde. Jetzt zum Telefon gehen, seine Nummer wählen. Sie weiß, wie seine Stimme klingen würde – sie kann sie sich so exakt vorstellen, dass es einfach unmöglich scheint, sie nie mehr hören zu können. Sanne, würde er sagen, und seine Stimme klänge, als freute er sich, und dann würde er warten, was sie zu sagen hätte, und wenn das nichts wäre, wenn sie tatsächlich nichts zu sagen hätte, nur so anriefe, ohne Grund und ohne Absicht, ja, selbst wenn ihr nicht mal was in den Sinn kommen würde, sie nur darauf zählte, dass ihm schon etwas einfiele, sodass es vielleicht ein etwas schleppendes Gespräch würde, mit Pausen, in denen man den anderen atmen hören würde, im Hintergrund der Fernseher, zehn nach acht, mitten in den Nachrichten, und immer noch würde ihr nichts einfallen, nur auflegen wollte sie nicht – dann wäre auch das gut.

Sie öffnet das Fenster. Komm hoch, Paula!, ruft sie, und das Mädchen schaut nach oben, warum denn schon?, sie zieht ein unwilliges Gesicht, sogar aus dieser Entfernung kann Susa das sehen. Weiß auch nicht, denkt sie, weil ich nicht will, dass du vor Freude rumschreist? Weil ich will, dass du den Schmerz nachfühlen kannst, aber wie soll das gehen, wo du dir doch unter dem Tod nichts vorstellen kannst, unter der Endlichkeit, wenn überhaupt, dann irgendwas Schönes, Himmel, Engel, späteres Wiedersehen eingeschlossen.

Ist schon okay!, ruft Susa und schließt das Fenster wieder.

Drei Kinder in diesem Raum. Rena knirscht mit den Zähnen, und Paula wälzt sich im Schlaf, nur Leve schläft so ruhig, dass sie eine Hand auf sein Herz legen muss, um zu sehen, ob er noch lebt.

Sie zieht an der Schnur des Rollos und dann am Stoff selbst. Das macht fast kein Geräusch. Ganz anders als der Rolladen in ihrem Kinderzimmer: Da liegt sie, im Bett, gegen die Kissen gelehnt. Sie schaut ihrem Vater zu, wie er den Rolladen runterrattern lässt und wie er seine Fahrt verlangsamt, bevor er auf dem Fensterbrett aufschlagen kann, immer gelingt ihm das. Gleich dreht er sich zu ihr um und nimmt ergeben den Bären, den sie ihm hinhält, Vorsicht mit dem Hals! (aus irgendeinem Grund hat sie Angst, dass der Hals zu dünn wird, ein schlaffer abgegriffener Stängel, an dem der Bärenkopf wie eine verfaulende Blüte hängen würde). Geht's dir gut?, fragt der Bär, und sie sieht ihm in die braunen Glasaugen und nickt. Bist du auch so müde? Noch nicht, sagt sie streng. Der Bär gähnt, aber sie tut ihm nicht den Gefallen: Sie gähnt nicht mit. Hast du Hunger? Nein, sagt der Bär. Erzähl mir etwas Lustiges. Der Bär seufzt. Na gut, aber nur ganz kurz. Und es wird nicht so laut gelacht, verstanden?

Das muss ich ihm erzählen, denkt sie kurz. Fragen, ob er sich auch erinnert.

Fünf Monate sind vergangen. Wenn es so wäre wie im Märchen: Wenn sie ihn für einen Tag zurückholen könnte, für eine Stunde nur.

Jede Nacht, zwischen eins und zwei, wird Leve wach, und immer ist sie es, nach der er verlangt; er schreit und streckt die Arme nach ihr aus, und sie nimmt ihn zu sich ins Bett. Er ist aus höchster Not gerettet, er murmelt Unverständliches vor sich hin und macht deutlich, dass er seine Hand in ihrer haben will. So liegen sie, seine Wangen sind kühl und prall, wenn sie sie küsst.

Und wenn wir ihn einfach ein bisschen schreien ließen?, schlägt Henryk beim Frühstück vor.

Um ihm was beizubringen?, fragt sie. Dass niemand kommt, wenn man ihn braucht?

Na ja, sagt Henryk, zumindest, dass nicht immer *sofort* jemand kommt.

Er ist *zehn* Monate alt.

Eben.

Vom Esszimmerfenster aus winkt Susa den Mädchen hinterher, Leve winkt auch. Im Raum ist ein Chaos, als habe ein Feueralarm alle gleichzeitig aus dem Haus getrieben. Sie schiebt ihren Mund an Leves Ohr. Wollen wir uns hinlegen, nur ein bisschen? Leve schlägt lachend nach ihr. Auf dem Sofa bleibt er einige Sekunden neben ihr sitzen, dann beginnt er, auf sie zu klettern, er zieht an ihren Haaren und rutscht von ihrer Hüfte. Sie setzt ihn auf den Boden und sieht ihm hinterher, wie er in die Küche krabbelt. Er öffnet die Schublade, in der die Plastikflaschen und -behälter sind, und räumt sie der Reihe nach aus, und sie schließt für einen Moment die Augen.

Als sie sie wieder öffnet, ist Leve nicht mehr in der Küche. Sie springt auf und ruft seinen Namen. Im Kinderzimmer ist er nicht und auch nicht im Schlafzimmer, immer wieder ruft sie seinen Namen, aber natürlich antwortet er nicht, und als sie ihn schließlich findet – im Badezimmer, wo er sämtliche Shampooflaschen,

Zahnpastatuben, Zahnbürsten und Haarspangen aus dem Schrank geräumt hat –, lacht er sie zufrieden an. Eine der Flaschen ist offen, und sie beugt sich zu ihm herab.

Hast du davon getrunken?

Sie hält ihre Nase vor seinen Mund, um seinen Atem zu riechen, und Leve schiebt sie mit beiden Händen von sich und lacht, sobald sie sich wieder seinem Mund nähert, für ihn ist das alles ein Spiel, aber Susa zittert, als sie Henryks Nummer wählt.

Ist es schlimm, wenn ein Kind Shampoo trinkt?

Hat er denn viel davon getrunken?

Ich weiß nicht, ich weiß nicht mal, ob überhaupt.

Wenn's nicht viel war, dann gib ihm Wasser zu trinken, und achte einfach darauf, wie es ihm die nächste halbe Stunde geht.

Susa merkt, wie sich ihr Puls etwas beruhigt. Sie ist dankbar, dass Henryk ihr keine Vorwürfe macht. Dass er nicht einmal nachfragt, wie es dazu hat kommen können, dass Leve womöglich Shampoo getrunken hat. Sie weiß ziemlich sicher, dass sie ihn im umgekehrten Fall danach gefragt hätte.

Ist offenbar ein sehr reinlicher Typ, sagt Henryk und lacht, und Susa versucht auch ein Lachen.

Die Kinderkrippe ist nur zwei Straßen entfernt. Hilke, die Erzieherin, nimmt Leve aus Susas Arm, und die sagt zu ihm, dass sie jetzt gehe, aber bald wiederkomme, dass er viel Spaß haben wird, so viel Spaß, und Leves Weinen wird schrill, sie winkt ihm noch einmal zu, während Hilke ihn tröstet. Vor der geschlossenen Tür bleibt Susa stehen, mit vorgerecktem Kopf lauscht sie, noch vier endlose Minuten lang kann sie Leves Weinen hören, dann verstummt er, und sie schleicht aus dem Haus, leise wie ein Dieb und mit schlechtem Gewissen.

Malte ist immer schon im Institut, wenn sie kommt. Er sitzt an seinem Schreibtisch und winkt ihr zu. Seine Tür ist jetzt ständig geöffnet, als wolle er alle einladen, bei ihm vorbeizuschauen, besonders jene, die er bis vor gar nicht so langer Zeit nur aus der Ferne bewundern konnte, Koryphäen des Fachs, würde Malte sagen (*sagt* Malte: Ko-ry-phä-en, erst mit ungläubigem Stolz in der Stimme, dann, irgendwann, mit Genugtuung). Wenn Susa ins Labor kommt, sieht sie ihre erfolgreichen Würmer sich weiter tummeln und paaren. Daraus wird, sagt Malte, etwas ganz Großes, verstehst du?, etwas, das evolutionsbiologische Aufschlüsse zulassen wird, von denen wir jetzt noch nicht mal ahnen, wie weitreichend und so weiter und so fort.

Er hat sich verändert. Wer hat ihm verraten, dass zugeknöpfte Hemden, in deren Brusttasche sich eine Vielzahl von Kugelschreibern tummeln, und Hosen, die mit einem Gürtel immer ein kleines Stück zu hoch gezogen sind, nicht ansehnlich sind? Wer hat ihm geraten, sich die Haare schneiden und die Koteletten zähmen zu lassen? Nur seine Witze sind noch dieselben: Treffen sich zwei Bakterien in der Bar – du hast da übrigens einen Fleck auf der Schulter, unterbricht er sich.

Susa schaut zur Seite, zieht an ihrem T-Shirt. Milch, stellt sie fest.

Aha. Malte sieht sie an, sein Blick eine Mischung aus Verwirrung und Belustigung. Was macht der Kleine?

Aber noch bevor sie antworten kann, sagt er, sorry, ich brauch einen Kaffee, bin gleich wieder da. Du auch?

Nein, danke.

Als er mit dem Becher in der Hand zurückkommt, sagt er: Es gibt da dieses Angebot. Eine Forschungsreise. Der Dekan meint, er könne das Geld lockermachen.

Forschungsreise wohin?

Kolumbien. Am Centro de Investigaciones Marinas gibt es zwei Forscher – Teresa Botero und Javier Joybrato, kennst du sie? –, die ein ganz ähnliches Feld beackern, allerdings nicht mit Würmern, sondern mit Meeresschnecken. Ich bin auf sie gestoßen, als ich ihren Aufsatz in den *Rostocker Beiträgen* las, es gab da irgendeine Kooperation. Erinnerst du dich, ich hab dir den Aufsatz ins Fach gelegt.

Wann?

Er zuckt mit den Schultern. Vorletzte Woche oder vor drei Wochen, so was um den Dreh.

Nein, sagt sie, muss ich wohl übersehen haben. Tut mir leid.

Ich dachte, fährt Malte fort, man könnte sich zusammenschließen, ich weiß noch nicht genau, wie, aber ich habe den beiden mal eine Mail geschrieben, und Botero hat geantwortet. Sie schien auch interessiert.

Okay, sagt Susa gedehnt. Klingt spannend.

Wie läuft's mit Fricke und den Stichlingen?

Wir sind dran.

Sie nimmt ihre Tasche, steht auf. Also, sagt sie, ich muss noch mein Seminar vorbereiten. Wir sehen uns morgen, okay?

Ja. Malte nickt und setzt ein väterliches Lächeln auf. Lies mal den Artikel, den ich dir reingelegt habe, und sag mir, ob's dich auch interessiert. Das könnte echt was Großes werden. Was ganz Großes.

Bevor das Seminar beginnt, macht sie ihre Atemübungen. Sie hat damit angefangen, nachdem ihr zwei Mal in Folge mitten in einem Vortrag die Luft weggeblieben war. Während sie in ihrem Bürostuhl sitzt, die Ellbogen auf den Knien, und in sich hineinhorcht, *mein Herzschlag ist ruhig, ganz ruhig, es atmet in mir tief und fest, meine Beine sind warm und schwer*, klopft es an die Tür.

Es ist einer ihrer Erstsemester, sie kann sich seinen Namen nicht merken, Michael oder Thomas. Von gedrungener Statur, irgendwie kompakt. Das Haar schwarz und wellig, es liegt ihm über der Stirn wie hindrapiert, dunkle ernste Augen, die Wangen von Pockennarben übersät. Wie viel sie immer verraten, diese winzigen Einkerbungen, denkt sie.

Er lächelt, zeigt weiße, gerade, lückenlose Zähne, er fragt, haben Sie einen Moment Zeit? Ich wollte Ihnen etwas zeigen.

Ja, sagt sie und blickt gleichzeitig auf ihre Uhr, fünf Minuten, dann muss ich los.

Er fasst in seine Umhängetasche aus buntem Kunststoff. Holt einen Packen Fotos heraus und reicht sie ihr. Die hat ein Freund gemacht, sagt er. Am Wochenende.

Sie sieht die Bilder an, es ist immer Michael (Thomas) darauf zu sehen, in verschiedenen Posen. Aufnahmen seines Gesichts, frontal und im Profil, Aufnahmen mit größerem Ausschnitt, er, im weißen T-Shirt und Jeans, er, ohne das weiße T-Shirt, der Oberkörper überraschend muskulös, der Bauch flach, auch hier zeichnen sich Muskeln ab. Einmal die Hand in den Haaren, einmal die Arme vor dem Bauch angespannt, sodass die Muskeln an den Oberarmen hervortreten, die Hose sitzt tief.

Sie blickt auf, begegnet seinem gespannten Blick. Sie würde ihn gerne fragen, was das soll, aber dann sagt sie nur, schön, das sind gute Fotos, sie schiebt sie wieder zu einem akkuraten Stapel zusammen und hält sie ihm hin. Danke, dass ich sie anschauen durfte.

Michael (Thomas) lächelt. Er sagt: Ich dachte, das würde Sie vielleicht interessieren.

Okay, sagt sie. Toll. Sie sieht auf ihre Uhr. Ich muss jetzt leider los …

Schon gut. Der Junge steckt die Bilder wieder ein. Er lächelt ihr noch einmal zu, nicht triumphierend, auch nicht verlegen, eher komplizenhaft.

Sie gehen den Flur entlang, dann entschuldigt sie sich und geht auf die Toilette. Sie sieht sich im Spiegel an, das Gesicht blass, nur die Wangen unnatürlich rot, die Augen vor Müdigkeit noch schmaler als sonst.

Nach dem Seminar begegnet ihr Wolfgang auf dem Flur. Alles gut?, fragt er. Du siehst irgendwie mitgenommen aus.

Ich hab nur schlecht geschlafen.

Er selbst trägt einen weißen Rollkragenpullover, gegen den sein Gesicht gebräunt wirkt. Die dunklen Haare fallen ihm in die Stirn und lassen ihn deutlich jünger wirken als die sechzig, die er ist. Sein Anzug sieht aus, als stamme er aus den Siebzigern, sei aber gut erhalten, und dadurch drückt er irgendwie aus, dass auch Wolfgang gut erhalten ist.

Die Freuden der Mutterschaft, sagt er. Er grinst, und Susa fragt: Kennst du diesen Erstsemesterstudenten, Michael oder Thomas, so ein kleiner, schwarzhaariger, sieht südländisch aus.

Ja, sagt Wolfgang, Christoph heißt der. Er sieht sie abwartend an. Was ist mit ihm?

Er hat mir heute Fotos gezeigt, sagt sie, Aufnahmen, die ein Freund von ihm gemacht hat.

Ach die. Wolfgang nickt. Hab ich auch gesehen.

Gott sei Dank! Sie muss fast lachen. Ich dachte schon, er will was von mir.

Keine Sorge, sagt er, wenn schon, dann eher von mir.

Ach, so ist das.

Ja, sagt Wolfgang. So ist das. Aber letzten Endes ist das alles ohnehin nur eine Suche nach Vater- oder Mutterfiguren, die ihm bei seinem Coming-out helfen. Nichts Persönliches.

Da bin ich beruhigt, sagt Susa, und Wolfgang sagt im theatralischen Ton: Und wenn ich nur dies heut erreichte, so ist mein Tagwerk vollbracht.

Ach, übrigens, sagt er im Weitergehen, bist du morgen Abend beim Empfang der Forschungsgesellschaft dabei?

Oh, Mist, sagt sie, hab ich total vergessen.

Richte es ein, okay? Einer von uns sollte da auftauchen.

Was ist mit dir oder Malte?, ruft sie ihm hinterher, aber er dreht sich schon gar nicht mehr um, hebt nur die Hand zu einem königlichen Winken.

Sind beide verhindert!, ruft er, bevor er aus ihrem Blickfeld verschwindet.

Sie ist den ganzen Weg von der S-Bahn gerannt. In der Garderobe sind schon drei andere Mütter und ein Vater dabei, ihre Kinder anzuziehen. Als sie in den Gruppenraum kommt, kann sie Leve nirgends entdecken. Weder bei den Bauklötzen noch in der Puppenecke, auch nicht bei einer der Erzieherinnen ist er, und einen kurzen Moment lang bekommt sie Panik, ihr Herz schlägt schneller und ihre Hände fangen an zu schwitzen. Doch wie sollte er hier entwischt sein, man hätte sie doch angerufen, wenn ihm etwas passiert wäre. Es ist, als ob ihr Kopf und ihr Körper gegeneinander arbeiteten. Hallo, sagt sie zu Wanda, der Praktikantin. Wo ist denn Leve?

Wanda sieht sich suchend um. Vielleicht im Kuschelkorb?

Dann nimmt sie ein Mädchen auf den Arm, das bei Susas Anblick zu weinen begonnen hat. Susa geht zum großen Korb beim Fenster. Ein Schaffell darin und unzählige Kissen, und mitten auf den Kissen liegt tatsächlich Leve, er sieht sie an und ein Lächeln breitet sich auf seinem Gesicht aus, er versucht sich aufzurichten und fällt sofort zurück auf den Rücken wie ein Käfer, sie bückt sich und hebt ihn aus dem Korb. Er schmiegt seine Wange an ihre, legt seine Arme um ihren Hals und drückt sie fest zusammen, er lacht, aber im nächsten Moment weint er, als sei ihm eingefallen, dass er eigentlich wütend auf sie ist, nicht doch, sagt sie leise, komm, jetzt gehen wir nach Hause.

Im Buggy schreit Leve, und Susa durchsucht ihre Tasche nach etwas, das ihn ablenken könnte. Hier, sagt sie schließlich und hält ihm ihren Schlüsselbund hin. Leve nimmt ihn und klimpert kurz, dann schmeißt er ihn von sich. Nicht schmeißen! Sie hebt den Schlüsselbund vom Boden auf, Leve beginnt wieder zu schreien und streckt die Hand aus, doch als sie ihm die Schlüssel gibt, schmeißt er sie wieder sofort weg, offenbar mag er den Klang des Metalls auf dem Boden, und sie hebt den Bund auf und lässt Leve ihn noch dreimal werfen, bevor sie sagt, jetzt reicht's, wir sind eh gleich da. Leve stimmt ein neues Protestgeschrei an, das die Leute herüberschauen lässt, aber sie schiebt den Wagen stoisch nach Hause, während sie so leise vor sich hin singt, dass Leve es bei seinem Geschrei unmöglich hören kann.

Susa schaut im Kühlschrank nach Essen. Leve ist ihr hinterhergekrabbelt, er richtet sich an der Kühlschranktür ein wenig auf und beginnt, Dinge aus dem Gemüsefach zu holen, Brokkoli, eine Paprika, eine Zitrone mit harter, bräunlicher Schale. Wollen wir das zu Abend essen? Susa zeigt auf die Paprika, und Leve krabbelt statt einer Antwort weiter und beginnt damit, die Schublade mit den Backformen auszuräumen.

Hackfleisch dazu, eine zweite Paprika, Senf, eine Zwiebel. Susa legt alles auf die Arbeitsfläche und wischt sich die Hände an der Hose ab. Die Müdigkeit vom Morgen kommt zurück, stärker als zuvor, auswegloser. Wenn sie die Augen für Sekunden schließt, muss sie sich zwingen, sie wieder zu öffnen.

Hallo! Paulas Stimme im Flur und gleich darauf Renas Rufen: Hallo!

Wir sind in der Küche, ruft Susa, und als die beiden auftauchen, umarmt sie sie kurz. Wie war's in der Schule?

Geht so, sagt Paula.

Schule halt, murmelt Rena und geht ins Bad.

Leve krabbelt ihr hinterher, er will sich am Klo hochziehen, aber Susa nimmt ihn auf den Arm und geht ins Zimmer der Mädchen. Paula hat sich zu ihrer Ritterburg gesetzt und begonnen, alle Pferde vor der Zugbrücke aufzustellen.

Hast du die Hausaufgaben schon im Hort erledigt?, fragt Susa, und Paula nickt und sagt, glaub schon.

Sie nimmt ein weißes Pferd und stellt es zu einem zweiten weißen, während ganz vorne, direkt vor der Brücke, die schwarzen stehen, dahinter die braunen. Ihre Jacke liegt im Flur auf dem Boden.

Häng die bitte auf, sagt Susa und setzt hinzu: die Jacke.

Gleich.

Hast du die Hände gewaschen?

Mach ich *gleich*, sagt Paula. Sie klingt genervt.

Rena hat sich an den Esstisch gesetzt und ihr Deutschheft aufgeschlagen. Susa schneidet die Zwiebel und die Paprika klein und schiebt sie vom Brett in das heiße Öl. In einem zweiten Topf kochen die Nudeln. Ein Schrei kommt aus dem Kinderzimmer, gleich darauf heftiges Weinen. Als Susa in den Flur kommt, robbt ihr Leve schon entgegen. Tränenüberströmtes Gesicht, die Schluchzer machen ihn ganz atemlos.

Er macht mir immer alles kaputt!, schreit Paula.

Das macht er doch nicht absichtlich, sagt Susa, während sie Leve auf den Arm nimmt. Er ist doch noch ein Baby.

Trotzdem!

Aus der Küche kommt ein strenger Geruch.

Hier brennt was an, ruft Rena.

Oh verdammt!

Susa hat große Lust zu fluchen oder die Küchentür zuzuwerfen.

Sie setzt Leve so unsanft in den Kinderstuhl, dass er wieder anfängt zu weinen, dann reißt sie die Pfanne vom Herd und schüttet die Nudeln ab.

Kannst du vielleicht auch mal was helfen?, fährt sie Rena an, die sich augenrollend erhebt und Gläser aus dem Schrank holt. Susa schüttet die Nudeln auf drei Teller, das Gemüse, das nicht verbrannt ist, dazu, den angebrannten Rest kratzt sie von der Pfanne in den Mülleimer. Rena stellt die Teller auf den Tisch und ruft ihre Schwester. Aus Leves Weinen ist Schreien geworden. Nicht nur, dass er sich grob behandelt fühlt, nun kommt auch noch sein Hunger dazu. Susa sucht im Küchenschrank nach einem Gläschen mit Obstbrei und findet nur Haferbrei.

Sie geht zu Paulas Zimmer. Essen!

Gleich, antwortet Paula.

Nein, sagt Susa, *jetzt* gibt es Essen. Du kannst danach weiterspielen, den ganzen Abend, wenn du willst.

Ich muss das hier noch fertig machen, ruft Paula und zeigt auf ihre Ritterburg.

Susa beugt sich zu ihr runter. Sie fasst nach Paulas Schultern, dreht sie so, dass sie sie anschauen muss. Sie spürt, wie die Wut in ihr aufsteigt. Wie sie ihren Puls beschleunigt, ihren Hals verengt. Sie möchte Paula schütteln oder stoßen, sie fühlt, dass sie ihr wirklich wehtun könnte.

Es gibt *jetzt* Essen, faucht sie. Entweder du kommst, oder du isst heute nichts zu Abend.

Paula sieht sie erschrocken an. Susas Wut ebbt so rasch ab, wie sie gekommen ist, und lässt sie erschöpft zurück.

Immer bist du so gemein!, schreit Paula.

Schon klar, sagt Susa. Hände waschen, und Paula schreit: Ja, ja, ja, ja, ja, und jedes Ja ist wütender und lauter als das vorige.

Auf der Uhr am Küchenherd ist es fünf vor sechs. Noch eine Stunde, bis Henryk kommt.

Als die Kinder im Bett sind, beginnen sie aufzuräumen. Henryk geht in den Keller, um Wäsche zu waschen, und Susa wischt den Esstisch ab, räumt die Spielsachen weg, die überall rumliegen. Leert den Windeleimer, legt die Wäsche zusammen, bringt den Müll in den Hof. Sie sagt zu Henryk, lass uns schnell machen, dann sind wir um halb zehn mit allem durch, und tatsächlich sitzen sie um zehn auf dem Sofa, die Füße auf dem niedrigen Tisch vor sich, sie machen den Fernseher an und stellen den Ton leise, um sich zu unterhalten, bis sie gegen elf ins Bett gehen. Um kurz nach eins meldet sich Leve, Henryk steht schlaftrunken auf und bringt ihn ihr. Mit Decke und Kopfkissen verzieht er sich ins Büro, wo das Gästebett steht. Er muss Peter vom Bett scheuchen, Susa hört den Hund ins Zimmer kommen und sich einen neuen Schlafplatz suchen. Sie streicht über Leves Kopf, fasst nach seiner Hand. Sie liebt ihn so sehr, dass es schmerzt, ein Ziehen in der Brust, eine seltsame Traurigkeit. Sie liebt auch Paula und Rena. Es gibt nur so wenig Gelegenheit, es ihnen zu zeigen. Die Tage sind immer zu kurz, die Kämpfe zu viel. Ich bin eine furchtbare Mutter, denkt sie, einfach grässlich. Dann schläft sie ein.

Als sie nach Büroklammern sucht, findet sie den Brief wieder. Sie hatte ihn zurück in den Umschlag gesteckt, diesen in ein Buch gelegt, das Buch in die Schreibtischschublade, unter einen Schnellhefter, in dem Henryk seine Gehaltsabrechnungen abheftet. Da liegt er, der Brief, sorgsam verwahrt wie eine päpstliche Bulle. Die geschwungene Schönschrift, die Adresse in der linken oberen Ecke, Manhasset.

Im Internet gibt sie Manhasset ein. Fotos von alten Holzvillen, viel Grün drum herum, ein Foto vom Bahnhof, eine Einkaufsstraße, ein Friedhof: hellgraue Steinblöcke, auf denen Kieselsteine liegen; ein Polizeidepartment.

Susa gibt seinen Namen ein, sie hat das schon einmal gemacht, und wieder tauchen Fotos auf, aber wieder scheint ihr keiner der gezeigten Männer als ihr Vater wahrscheinlich.

Das Andere bin ich, Benjamin Thomas Rochlitz, Abkomme jüdischer Einwanderer, die es, im Gegensatz zu ihren Großeltern, Tanten, Onkel, Cousins, Cousinen, Freunden und Nachbarn, noch rechtzeitig hergeschafft haben und sich seitdem mit Schuldgefühlen herumschlagen.

Auf dem Weg zur S-Bahn nimmt sie das Buch aus der Tasche, hält es an ihre Brust gedrückt. Eine Frau an der Haltestelle lächelt ihr zu, sie lächelt zurück. Als sie in der Bahn sitzt, holt sie den Brief heraus.

Schreib mir, bitte, oder besser: Komm her! Befreie mich aus der Enge von Manhasset: zwei Restaurants, eine Bäckerei, ein Seven-Eleven und – der Höhepunkt – ein Pub namens Blue Dog; befreie mich aus den Klauen meiner liebenden Mutter, aus den Schmerzen meines gebrochenen Herzens. Lach ruhig, aber komm!

Viola ist nicht hingefahren, sie hat auch nicht nach ihm gesucht, als sie Jahre später in Amerika lebte. Sie hat ihm nie geschrieben, hat ihm nicht mitgeteilt: Da gibt es etwas, das du wissen solltest. Er weiß es bis heute nicht, er ahnt nichts. Lebt seine

Mutter noch? Hat sie immer noch Angst, dass er zu wenig isst oder die falschen Frauen trifft? Nimmt er manchmal die Fähre nach Ellis Island, um die Namen seiner Vorfahren zu sehen, sie mit dem Finger nachzuzeichnen, Berezky und Rochlitz, Juden aus Krakau. Hat er einen Haufen Kinder, oder konnte er das Geschrei nie ertragen und die Unordnung? Ist er zum dritten Mal verheiratet oder allein geblieben? Feuerwehrmann in einem Dorf in Alaska oder Rinderzüchter in Argentinien? Oder ist alles ganz anders? Ist er vielleicht schon tot? Stirbt er gerade? Und was hat das alles mit ihr zu tun?

Drei Tage lang trägt sie den Brief mit sich herum. Einmal ist sie nah dran, Wolfgang oder Malte davon zu erzählen, doch dann ist sie froh, dass sie es nicht getan hat. Sie will nicht, dass das alles zu einer Anekdote wird. Stattdessen schreibt sie an Viola.

Liebe Viola,
gestern habe ich den Brief von Benjamin wieder einmal gelesen. Und wieder fand ich, dass er sympathisch klingt. Wie einer, den man gern kennen würde.

Warum hast du ihm nie von mir erzählt? Ich stelle diese Frage nicht als Vorwurf, es interessiert mich einfach, welche Beweggründe du hattest.

Noch eine andere Frage bedrängt mich, und wahrscheinlich hängt es damit zusammen, dass Leve jetzt beinahe in dem Alter ist, in dem Cosmo war, als du ihn weggegeben hast: War das nicht unglaublich schwer? Natürlich ist es auch nicht einfach, ein Neugeborenes wegzugeben (du weißt, dass ich das immer eine gute Entscheidung von dir fand; mutig, selbstlos, ja, selbstkritisch auch). Aber ein einjähriges Baby, mit dem man so viele Tage und Nächte verbracht hat, unzählige Stunden der Nähe – denn diese muss es doch gegeben haben –, jemandem zu geben, den man nicht einmal mag und der verlangt, dass man den Kontakt vollkommen abbricht. Was waren deine Gründe damals? Wie schwer fiel dir das? Ich könnte mit diesem Verlust nicht umgehen.

Aber ich bin wohl ohnehin schlecht darin, mit Verlusten umzugehen. Der Tod meines Vaters vor einigen Monaten hat eine Lücke hinterlassen, und diese wird jetzt vor allem durch Leve gefüllt – eine große Liebe gegen eine andere. Ich fühle mich oft glücklich und zur gleichen Zeit verwundet und verwundbar, der Schmerz sitzt so nah unter der Oberfläche, dass ein einziges Wort, ein einziger Gedanke reicht, um ihn hervorbrechen zu lassen.

Leve ist Trost – nicht nur, weil er wunderbar ist (natürlich ist er das), sondern auch, weil seine Geburt sich in den Kreislauf einfügt, in dieses Werden und Vergehen, Kommen und Gehen, in dem es das einzig Richtige ist, wenn Eltern vor ihren Kindern sterben. Und doch. Ich kann nur schwer loslassen. Und was nützt alle Einsicht, wenn man den anderen vermisst?

Ich hoffe, es geht dir gut, wo immer du bist.

Viele Grüße,

Susa

Meine liebe Susa,

so eine lange Mail von dir! Ich war ganz überrascht und erfreut, wenngleich ich natürlich die Vorwürfe, die du so freundlich leugnest, doch heraushöre. Eigentlich hast du nämlich doch das gemeint: Wie konntest du nur? Wie konntest du mich nur weggeben? Wie konntest du bloß dem Kindsvater die Information vorenthalten? Wie konntest du dein einjähriges Kind jemandem geben und danach einfach abhauen, durch die Weltgeschichte düsen, mit nichts als einem unfertigen Plan im Gepäck, dem Wissen um die eigene Bestimmung, die eben nicht die war, Mutter zu sein, sondern Schauspielerin, Künstlerin, Lebens-Künstlerin, und das meine ich genau so, wie ich es schreibe, denn das Leben wahrhaft, ganzheitlich zu erfahren, ist eine Kunst, und nur wenige beherrschen sie.

Ich habe in meinem jetzt immerhin mehr als sechzigjährigen Leben – auch wenn mir, Gott sei Dank, niemand mein Alter glauben will – so manche Höhen und Tiefen durchlaufen. Der erste jähe Absturz erfolgte, als ich acht Jahre alt war und meine wunderschöne Mutter verlor. Sie starb an Eierstockkrebs mit nicht einmal vierunddreißig Jahren, und ich blieb bei meinem Vater, mit dem ich, sobald ich in die Pubertät kam, nur noch Streit hatte. Dies war auch der Grund dafür, dass ich mit sechzehn von zu Hause auszog. Nach der Schule begann ich ein Englischstudium, wollte aber eigentlich Stewardess werden – wahrscheinlich, um mein immer schon bestehendes Fernweh zu kurieren. Well, as you know: Daraus wurde nichts.

Erst brach ich das Studium ab, dann zog ich nach München, wo ich das erste Mal Menschen begegnete, die mich im tiefsten Inneren ansprachen. Menschen, die anders waren als alle, die ich bisher kannte. Hippies, ja, whatever this means… Und plötzlich gab es Möglichkeiten, von denen ich nie wusste: auf der Bühne stehen, aufgehen in einer Rolle, sich die Seele aus der Brust schreien, sich finden, Liebe suchen und geben, Intensität, Hingabe, Sex, auch Drogen, wobei ich da immer wusste, wo die Grenze war: Ich nutzte die Drogen immer, um mein Bewusstsein zu erweitern, aber ich scheute seit jeher vor der Abhängigkeit in jeder Form zurück.

Womit wir beim Thema wären: Abhängigkeit. Diese war es, die sich drohend vor mir auftürmte mit jedem Kind, das ich bekam. Ich war so gerne schwanger, gebar so gerne Leben, liebte es, dieses Treten und zarte Klopfen in mir zu spüren, als brütete ich einen freundlichen Alien aus. Aber das Leben mit einem Kind – das merkte ich bei Alica und dann bei Cosmo wieder – stürzte mich in eine Abhängigkeit, die mich krank zu machen drohte und mir die Luft zum Atmen nahm. Ganz abgesehen von den finanziellen Nöten, in die ich geriet.

Natürlich war es schwer, Cosmo wegzugeben. Noch dazu diesen postfaschistischen Großeltern: der devoten Frau mit ihrem ewig verkniffenen Mund – mal-baisée, wie es die Franzosen so schön und treffend benennen – und dem aufbrausenden Mann, der jeden Ausländer als potentiellen Verbrecher ansah. Aber sie liebten Cosmo, und er liebte sie. Außerdem besaßen sie ein Haus mit großem Garten, ein Apfelbaum darin, in dem noch die Schaukel hing, auf der Cosmos Vater als Kind geschaukelt hatte. By the way: Du könntest als, wie ich doch hoffe: **moderne** Frau auch fragen, wo dieser Vater war. Wie er seine gott- oder naturgegebene Verantwortung wahrnahm. Um es kurz zu machen: Er hatte es mit den Drogen übertrieben. Wobei das nun auch Vergangenheit ist. Inzwischen ist er geläutert und ich glaube fast auf dem besten Weg, ein ebensolcher Spießer zu werden, wie sein Vater es immer war.

Es war schwer, Cosmo wegzugeben, aber es war meine einzige Möglichkeit, das Leben zu führen, das ich führen wollte und musste. Ich wäre eingegangen, hätte ich es nicht

getan, so einfach ist das. Und Cosmo wäre mit mir eingegangen.

Nun noch zu deiner anderen Frage: Warum habe ich
Benjamin nichts von dir erzählt? Dazu meine Gegenfrage:
Warum hätte ich das tun sollen? Du warst auf die Erde
gekommen, mit seiner und meiner Hilfe, du würdest aufwachsen mit Menschen, die dich liebten, davon war ich überzeugt.
Ich konnte dich nicht behalten, und Benjamin war noch ein
halbes Kind. Was hätte er machen sollen? Dich zu sich nehmen,
in sein Kinderzimmer? Die Musik aufgeben, all seine Pläne?
Meine Intuition – und verzeih, wenn ich als spiritueller Mensch
nun mal auf diese höre – sprach dagegen. Und später dann:
Wozu hätte ich ihn beunruhigen sollen, wo ich doch selbst
nicht einmal wusste, ob ich dich je kennenlernen würde?

Dies ist nun geschehen. Und auch wenn ich manchmal
merke, dass von dir eine beständige Ablehnung kommt
und dazu ein vielleicht »wissenschaftliches« Interesse an
Analysen, freue ich mich, dass uns die Möglichkeit gegeben
wurde, einander kennenzulernen. Denn du bist meine Tochter, ob du das willst oder nicht, ebenso und doch anders,
wie du die Tochter deiner Eltern bist. Wir sind miteinander
verbunden, auf's Schönste, wie ich finde, und würdest du
einmal die Ratio beiseiteschieben und auf dein Innerstes
hören, kämst du wohl wirklich zur Erkenntnis, dass Besitzen
lebensfeindlich und Loslassen lebensbejahend ist.
Ich glaube, damit wäre dir sehr geholfen.

Entschuldige, wenn das belehrend klingt. Doch ist es
nun mal so, dass im ansonsten besch… Älterwerden viele
Dinge klarer zutage treten.

Hugs & kisses, Viola

PS: Dass Leve Trost für dich bedeutet, ist gut und schön. Doch wie sieht es mit deinem Mann aus? Müsste nicht gerade eure Verbindung, vor allem die körperliche, dir jetzt Trost sein? Ich frag das nur mal so … zur Anregung gewissermaßen.

Und immer gibt es eine Weisheit gratis dazu. Sie ist ein Bollwerk an Selbstgefälligkeit, das Susa sofort in die Froschperspektive versetzt, aus der heraus sie als Kind die Erwachsenen betrachtete (die erste Ahnung zweier Wahrheiten, die so weit auseinander-liegen wie nur möglich).

Ich fühle mich immer bloßgestellt, wenn ich sie näher an mich heranlasse, sagt Susa. Wenn ich mich ein Stück weiter offenbare, als mir die Vorsicht gebietet.

Was denn noch? Henryk schiebt seinen Teller beiseite. Er sieht sie unwillig an. Warum nimmst du diese Frau überhaupt so ernst? Ignorier sie doch einfach.

Aber *ich* hatte sie doch kontaktiert, verstehst du das nicht? Ich wollte etwas von ihr wissen. Und dafür muss ich mir nun ihre halbgaren Lebensweisheiten anhören!

Dann kontaktier sie halt nicht mehr. Henryks Stimme ist voller Ungeduld.

Zufällig sind das aber Fragen, die mich beschäftigen, und zu-fällig ist sie die Einzige, die sie beantworten kann.

Sie tut es eben in ihrem Sinne, sagt Henryk. Vielleicht hat sie ja den Eindruck, sie müsse sich rechtfertigen.

Möglich, gibt Susa zu. Das kann ich ihr aber nicht nehmen. Ich selbst habe ihr nie einen Vorwurf gemacht.

Na ja. Henryk betrachtet sie nachdenklich, bevor er weiter-spricht. Vielleicht gibt es ja doch die eine oder andere Sache, die du ihr vorwirfst.

Jetzt fang bitte nicht auch noch damit an, sagt Susa. Küchenpsychologie in der Küche, wie passend! Alle Welt will mir einreden, dass ich es Viola übelnehmen müsse, dass sie mich weggegeben hat. Aber das tu ich nun mal wirklich nicht. Ich bin glücklich so, wie es gekommen ist.

Klar. Henryk hebt die Brauen fragend an. Aber dass sie diesem Rochlitz nie etwas sagte, das nimmst du ihr doch schon übel.

Ach Gott, ich weiß nicht. Vielleicht. Ich finde nun mal, es wäre sein Recht gewesen.

Geht es dir jetzt um ihn oder um dich?

Ich *habe* einen Vater!

Worauf Henryk nichts sagt. Ihr nur über den Arm streicht, weil sie den Satz nicht einmal zu Ende sprechen kann.

Ich will doch nichts von dem. Sie wischt sich über die Nase. Es kann keinen Ersatz geben, das weißt du doch.

Ja, sagt Henryk, klar. Trotzdem …

Ja, sagt sie, trotzdem ist da eben jemand, der mich interessiert. Wie auch nicht?

Und was fängst du damit an?

Nichts, vorerst nichts. Sie steht auf. Räumst du die Sachen weg? Ich muss noch was durchlesen für morgen.

Henryk nickt. Hmm. Mach ich.

Als Susa Minuten später zurückkommt, sitzt er noch am Küchentisch, eine Zeitung vor sich, die er über die benutzten Teller und Gläser gelegt hat.

Dieser letzte Punkt, sagt sie. In der Mail. Findest du, dass das stimmt? Dass ich Leve zu wichtig nehme und dich zu unwichtig?

Henryk legt einen Finger an die Stelle, an der er gerade las, und blickt sie an. Er nimmt seine Brille ab, fährt sich mit Daumen und Zeigefinger über die Augen, setzt sie wieder auf.

Unsinn, sagt er schließlich. Die weiß doch gar nicht, worüber sie spricht.

Er lächelt sie an. Und doch. Gibt es da nicht eine Verletztheit, die er zurückhält, weil kein Platz für sie ist? Eine Rücksichtnahme, wie die einer Schwerkranken gegenüber, die er nicht mit seinen Bedürfnissen belästigen will? Fehlt ihm nicht auch manchmal die Verliebtheit des Anfangs, das Überraschende, das in den ersten Berührungen liegt, diese Verwunderung über das fast fremde Gesicht, das sich öffnet und Geheimnisse preisgibt, die Erregung, die daraus entsteht, dass man sich über alle Vernunft hinwegsetzt? Das muss es gegeben haben, damals vor vier Jahren. Sie weiß es. Aber sie kann sich nicht mehr daran erinnern.

Sie stehen sich gegenüber, der Tisch zwischen ihnen wie ein Graben, eine Markierung, bis hierher und nicht weiter, ihre Teller und Gläser halten die Stellung, und eigentlich war sie nur aufgestanden, um noch etwas Wein zu holen (und Henryk – warum war er aufgestanden?). Fehlt nur noch, dass sie die Fäuste ballen.

Warum kann man dieses Thema nicht mit dir diskutieren? Natürlich ist es Henryk, der das fragt.

Warum geht's bei diesem Thema immer nur um dich?

Tut's das?

Meinst du diese Frage ernst?

Sie sollte die Weinflasche abstellen, acht Jahre alter Bordeaux, zur Feier des Tages, weil Henryk eine Einladung erhalten hat zu einer Probevorlesung in D., das Pflichtthema: Die Sangspruchdichtung (nicht gerade sein Fachgebiet). Daneben würde er frei wählen können – wahrscheinlich werde ich dazu ein ganz anderes Thema nehmen, etwas Aktuelleres, Genderdiskurse in der mystischen Dichtung oder so was Ähnliches, genau weiß ich das noch nicht, sind ja noch ein paar Monate Zeit. Aber freust du dich denn gar nicht?

Was soll ich in D. machen?

Aha. Schweigen. Vielen Dank für die Glückwünsche.

Herzlichen Glückwunsch. Was soll ich in D. machen?

Ach, Susa, es gibt so viele Möglichkeiten.

Die da wären?

Museen, Umweltverbände, vielleicht sogar der biologische Fachbereich.

Und wenn ich hierbleiben möchte?

Okay. Warte.

Er war ins Bad gegangen, war sich, als er wiederkam, mit feuchten Fingern durch die Haare gefahren. Um einen kühlen Kopf zu bewahren, dachte sie. So ist es also gekommen, dass sie nun beide dastehen, jeder auf seiner Seite.

Warum kann man dieses Thema nicht mit dir diskutieren?

Warum geht's bei diesem Thema immer nur um dich?

Ich kann doch nicht, sagt Henryk, als sie wieder sitzen, die nächsten Jahre einfach nur abwarten, der ewige Assistent, Faktotum der Universität, und wenn dann endlich einer meiner Professoren das Zeitliche segnet oder sich emeritieren lässt – was im Übrigen noch Jahre dauern kann –, werde ich doch nicht sein Nachfolger, weil Hausberufungen unüblich und allemal nicht beliebt sind, und dann?

Sag mir nur eins, Henryk (ihre Stimme so ruhig wie seine, was, wie er wissen muss, nie ein gutes Zeichen ist), was stellst du dir *wirklich* für mich vor? Ist es nicht eigentlich das, was du willst: Der Herr Professor als pater familias, und daneben seine Frau, die sich um die Kinder kümmert und dazu noch die eine oder andere Führung im Museum gibt, gerade klug genug, dass sie bei gemeinsamen Essenseinladungen auch über anderes als die Kinder reden kann?

Ich bin kein Macho, wenn du das meinst. Und ich habe nicht die geringste Ahnung, wie du darauf kommst. Ich kann doch nicht jede berufliche Perspektive aufgeben!

Aber ich kann?

Wer sagt das denn?

Sagen tust du es nicht, das stimmt.

Verlang ich etwa, dass du bei den Kindern bleibst?

Das wäre ja noch schöner. Wobei es mir übrigens keinen Spaß macht, Leve irgendeiner halbwachen Praktikantin in die Arme zu drücken und noch minutenlang sein Weinen im Ohr zu haben.

Es geht ihm da doch gut.

Und wenn's nicht so wäre, wär's dir auch egal, nicht wahr? Nein, widersprich jetzt bitte mal nicht: Du warst noch kein einziges Mal in dieser Kinderkrippe, so brennend interessiert es dich also nicht.

Was soll ich machen? Meinen Job aufgeben? Zu Hause bleiben?

Warum nicht? Ja, warum eigentlich nicht, zumindest eine Zeitlang? Möglich wär's.

Aber will sie das? Henryk zu Hause mit Leve, und sie, die immunologischen Anpassungen des dreistachligen Stichlings an eine sich ständig ändernde Parasitenfauna weiter verfolgend? Mit Malte auf der Spur des *Macrostomum lignano*, dem sie bisher vielleicht nur das erste, elementarste seiner Geheimnisse entlockt haben, und wer weiß, was sie noch herausfinden werden? Unterrichtend? Aber wo ist ihre Begeisterung hin, weshalb hat sie beständig Angst, etwas zu versäumen, warum sind da plötzlich Gefühle, auf die sie niemand vorbereitet hat, als hätte sie einen

Garten betreten, der ihr bisher verschlossen war und in dem Unbekanntes hinter jedem Busch auf sie lauert? Beraubt und beschenkt steht sie da.

In der Nacht kommt ihr ein Bild in den Sinn, eine Schlange, die sich häutet, nicht sehr originell, falls *sie* das sein soll, aber so fühlt sie sich: aus ihrer Haut heraus, als stünde ein Wechsel bevor, nein, als finde er bereits statt, als stimme ihr Inneres mit ihrem Äußeren schon lange nicht mehr überein, als seien alle Ideen von Fleiß, Ehrgeiz und Pflicht mit ihrem Vater beerdigt worden. Zart wie Firnis hat sich die Vergeblichkeit über alles gelegt – vielleicht weil dieses kleine Imperium, das ihn so viel gekostet hatte an Kraft und Ausdauer, ja, auch an Zeit, so mühelos zerfiel mit seinem Tod, all das plötzlich unwichtig, nur leider nicht für ihn, in dem es bis zum Ende wütete. Daneben Leve, an dem die Zeit sichtbar wird, wie an Rena und Paula auch, nur hatte sie dafür bisher keine Augen. Und wie falsch es sich anfühlt, so durch den Alltag zu hetzen, ständig zur Eile zu mahnen, als müssten sie in kürzestmöglicher Zeit das größtmögliche Pensum schaffen, wo doch am Ende nichts davon bleiben wird. Und wenn wir alle hundertfünf werden? Möglich wär's. Wozu dann die Eile? Warum nicht etwas *Muße und Kontemplation* (so der Titel des kleinen Buches auf Henryk's Nachttisch, nein, kein Ratgeber, ein Buch über das Dichtwerk von Rutebeuf). Und bis dahin? Das beschauliche Leben einer Hausfrau und Mutter? Schon jetzt fühlt sie sich manchmal wie auf einem anderen Stern, auf dem ein Sturz aufs Knie, ein bedrohlich knurrender Hund, der Umstand, dass sie zufällig den Regenschirm dabeihaben, als das Gewitter losbricht, die Ereignisse des Tages sind. Vielleicht ist D. ja eine Chance (der Gedanke schleicht sich an wie eine Katze aus dem Hinterhalt). Hör bloß auf, würde ihre Freundin Natalie sagen und vielleicht darauf verweisen, wie teuer ihre jahrelange

Ausbildung der Gesellschaft zu stehen komme, wenn sie nun, nach einer einzigen wissenschaftlichen Erkenntnis, die nur der Anfang ist, aufgeben würde. Nicht aufgeben, würde Susa sagen, nur etwas verlangsamen, woraufhin Natalie den Kopf schütteln würde: Du bist ja noch naiver, als ich dachte.

Und Henryk? Schläft. Offenbar eins mit sich. Und ob das nun Erziehung ist oder Biologie oder der Umstand, dass sich sein Vater bester Gesundheit erfreut, während er mit der neuen Ehefrau im Wohnmobil durch Skandinavien reist, Elche beobachten und Odinshühnchen auf Varanger?

Ihre Mutter ist gestürzt.

Ich versteh's selbst nicht, sagt sie am Telefon. Ich muss über den Teppich gestolpert sein, keine Ahnung. Jetzt ist das Knie geschwollen und die Hüfte schmerzt. Aber ist auch egal, in meinem Alter schmerzt sowieso alles ein bisschen.

Warst du beim Arzt?

Herrgott, was soll ich da? Schmerzmittel habe ich selbst im Haus.

Vielleicht mal nachschauen, ob etwas gebrochen ist?

Das wüsste ich wohl. Nein, gebrochen ist nichts. Hör mal, ich muss auflegen, es beginnt gerade eine Sendung…

Den Kindern geht's übrigens gut.

Schön, das freut mich. Dann bis bald.

Und bevor Susa noch etwas sagen kann, hat ihre Mutter aufgelegt.

Ich fahre nächstes Wochenende zu ihr, sagt Susa zu Maike, als sie sich im Café treffen.

Gut, sagt Maike.

Sie sehen sich an. Mit ihr kann Susa das: den Blick halten. Irgendwann grinsen sie beide.

Wie geht es dir?, fragt Susa. Und Edi?

Och ja, sagt Maike gedehnt. Zwei Fragen, zwei Antworten. Sehr gut und nicht so gut.

Oh.

Ja: oh, sagt Maike mit schuldbewusstem Gesicht. Dann grinst sie wieder. Weißt du, es war ja von Anfang an nicht auf Dauer angelegt. Sie zuckt die Schultern. Und wenn ich nicht Schluss gemacht hätte, hätte er es eben irgendwann getan.

Und warum? Ich meine, was war der Auslöser?

Ganz klassisch: Ich habe jemanden kennengelernt.

Oh, sagt Susa wieder, und Maike sagt: Kannst du dieses betroffene Oh bitte lassen, ja? Weißt du – sie beugt sich näher zu Susa hin –, es passte einfach nicht, der Altersunterschied oder was immer es war. Wollte ich dies, wollte er das, und tendenziell war's schon so, dass ich die Ruhigere war; die, die nicht jeden Abend rauswollte, die nicht jedes Wochenende zelten, die nicht dauernd Freunde zum Wii-Spielen dahaben wollte. Hast du das mal gespielt? Es ist so dermaßen bescheuert. Dieses Pseudo-Golfspielen, diese Pseudo-Kunststücke. Edi und seine Freunde konnten gar nicht genug davon bekommen, stundenlang hampelten sie vor dem Fernseher herum, und ich saß daneben im Sessel und blätterte in der Zeitung. Sie lacht ihr lautes Lachen. Vom Nebentisch schaut eine Frau herüber, sie lächelt, denn Maikes Lachen ist ansteckend, es ist wie etwas, das dich anspringt, ein Äffchen von einem Lachen ist das.

Und dann traf sie also Nils, auf einem Kongress, *Beyond Babel. On Sameness and Otherness*, was – wie sie zugibt – wie eine ziemlich schlechte Übersetzung klingt, findest du nicht auch?

Auf jeden Fall war da Nils, der zwei Tage nach dem Kongress bei ihr anrief, ob man sich treffen könne. Konnte man. Endlich mal keine Pizza, sagt Maike, und ich ließ ihn sogar bezahlen, stell dir vor. Sie lacht wieder, leiser diesmal. Ihre Augen unter den kurzen Haaren sind dunkelbraun und rund. Wenn sie lacht, hat sie Fältchen in den Augenwinkeln, regelmäßig wie die Streben eines Fächers, sie sieht glücklich aus und schön. Er ist älter, sagt sie, verglichen mit Edi ist er uralt. Und er hat zwei Söhne, zwölf und vierzehn, also im besten Teenageralter. Ich habe sie bisher aber nur auf Fotos gesehen, so weit sind wir noch nicht.

Die Kellnerin kommt. Sie hat sich tatsächlich einen Stift hinters Ohr geklemmt. Fehlt nur noch ein kurzes schwarzes Kleidchen, denkt Susa, aber nein, sie trägt schwarze Hosen, einen Rollkragenpullover, darüber eine weiße Schürze (ohne Rüschen). Nur dieser Stift vor den grau gesträhnten Locken. Sie bestellen das Essen, die Kellnerin zieht den Stift hervor, notiert alles, steckt ihn wieder fest und geht mit einem Nicken davon.

Maike kraust die Nase. Edi findet, dass ich rücksichtslos sei. Stimmt wahrscheinlich auch.

Wie hast du denn Schluss gemacht?, fragt Susa.

Beim Tennisspielen, sagt Maike.

Sie waren in der Halle, Edi hatte, wie immer für Montagabend, einen Platz gemietet. Dieses Tennisspielen sei auch so eine Sache gewesen: Er hatte zwar nie Unterricht gehabt, aber konnte doch ganz gut spielen, schnell war er und vor allem stark. Das heißt, Maike flogen die Bälle nur so um die Ohren, und immer, wenn sie ihn bat, ein bisschen weniger hart zu spielen, lachte er. Das sei es doch, worum es beim Tennisspielen gehe. Dass man gewinne. Und er sei eben jetzt am Gewinnen und sie offenbar eine schlechte Verliererin. Beim letzten Ballwechsel – es war kurz vor sieben und am Rand der Halle stand schon das Ehepaar, das immer nach ihnen drankam – schlug er wieder so fest, dass sie den Ball nicht bekommen konnte. Sie fing an, die Bälle einzusammeln, dann rief sie zu ihm rüber: Ich mach Schluss. Er sagte, okay, und fing auch an, die Bälle auf seiner Seite einzusammeln. Als sie an der Bank zusammenkamen, sagte sie, ich mach wirklich Schluss, und er fragte: Wie meinst du das?

Die Kellnerin bringt das Essen. Salz und Pfeffer dazu. Brot, das in einem grünen Bastkörbchen liegt. Eine kleine Karaffe Weißwein, zwei Gläser.

Und dann?, fragt Susa, als sie wieder alleine sind.

Maike rührt in ihrer Suppe, dann schaut sie Susa direkt an.

Weißt du, das Komische ist, dass ich gar nicht genau weiß, ob ich von vornherein Schluss machen wollte. Es war ein bisschen so, wie wenn man sich verlaufen hat und willkürlich einen Weg wählt, den man weiterverfolgt, gespannt, wo er einen hinführen wird. Ich war nicht ganz sicher, ob meine Entscheidung richtig war, aber ich fand sie auf jeden Fall – hm: interessanter? – als den bisherigen Weg. Ja, ich wollte wohl einfach wissen, wo das hinführen würde. Außerdem war ich echt sauer wegen dem Tennisspiel.

Sie nimmt ein paar Löffel. Bricht von dem Brot ab und tunkt es in die Suppe, dann stoßen sie mit dem Wein an.

Und wo *führte* das hin?, fragt Susa.

Zunächst mal zu Diskussionen, sagt Maike. Am Anfang hielt Edi alles für einen Scherz. Oder eine Überreaktion. Er fragte tatsächlich, ob's wegen des Spiels sei. Weil ich verloren hatte. Es war irgendwie surreal. Wir packten unsere Taschen, das Ehepaar kam und besetzte die zweite Bank und wir führten unser Trennungsgespräch, und natürlich war das alles meine Schuld. Na, wie auch immer. Auf der Heimfahrt schrie Edi rum, als wir zu Hause waren, wurde er weinerlich, versprach sich zu ändern, später ging er

Türen knallend fort, noch später rief er mich an, er hatte offenbar was getrunken. Ich sei eiskalt, ich hätte ihn ausgenutzt, ich hätte einfach mal Lust auf was Jüngeres gehabt und ließe ihn jetzt fallen. Aber das Schlimmste war: Ich war wirklich ziemlich kühl innerlich. Ich meine, er tat mir leid, das schon, aber sonst? Ich war erleichtert, das war das vorherrschende Gefühl. Und ich konnte ihn, sogar als er weinte, nicht ernst nehmen, es ging einfach nicht. Ich fand ihn so theatralisch.

Und jetzt, sagt Susa, ist es natürlich so, wie es immer ist: Je ungerührter einer von beiden ist, desto brennender leidet der andere. Stimmt's?

Tja. Aber er kommt drüber hinweg. Er ist ja noch so jung.

Du bist gemein.

Ich weiß. Maike trinkt ihr Glas leer und löffelt den Rest der Suppe auf. Ich könnte einen Nachtisch vertragen. Du auch?

Susa wirft einen raschen Blick auf die Uhr. Mist, ich muss gleich los. Wir haben eine Sitzung, da sollte ich dabei sein.

Ach, wie blöd, sagt Maike. Jetzt haben wir gar nicht über dich geredet. Wie es euch geht. Was machen die Kinder?

Susa winkt der Kellnerin und die nickt einmal kurz.

Weißt du, mit Kindern zu leben ist ein bisschen wie mit Verrückten, sagt sie. Nette Verrückte, tolle Personen, aber so Sachen wie Ordnung, Zeitplan und so weiter kannst du vergessen. Manchmal ist es, als ob man in Melasse watet. Wie in einem Traum. Man versucht vorwärtszukommen und es klappt einfach nicht. Mit Rena und Paula allein war das nicht so auffällig, aber mit Leve kommt schon alles ziemlich durcheinander. Aber ich liebe es, echt. Ich bin nur manchmal so wahnsinnig k. o.

Die Kellnerin mit dem Stift ist wieder bei ihnen, und Maike lässt es sich nicht nehmen, für sie beide zu zahlen.

An der Treppe zur U-Bahn umarmen sie sich.

Wann lerne ich Nils kennen?

Ach Gott, sagt sie, lass mir mal noch etwas Zeit.

Also?

Heute in vier Wochen. Maike sieht sie herausfordernd an. Wenn es dann noch aktuell ist.

Okay. Susa nickt. Das ist ein Wort.

Doch, doch, das ist es schon: eine Freude, ihn da sitzen zu sehen, und einen Moment wartet sie, bleibt in zwei Metern Abstand vom Fenster stehen, drinnen alles erleuchtet, und sie hier draußen, ungesehen, unter dem schwarzen Nachthimmel. Eine Kerze auf dem Zweiertisch, und wie schön, dass er nicht mit seinem Handy spielt oder Nachrichten liest, sondern einfach nur wartet. Er führt das Glas zum Mund und trinkt, sieht aus wie Weißwein, jetzt blickt er auf die Uhr und gleich darauf zur Tür, die Haare sind noch länger geworden, als hätte er geahnt, dass sie das mag, dann schaut er zum Fenster und entdeckt sie.

Wie lange hast du da gestanden?

Kurz nur. (Ja, fragt man denn so was?) Ist das Wein?

Hmm. Willst du auch?

Sie hat ihn zur Begrüßung umarmt, hat ihm die Haare aus der Stirn gestrichen, sie darf das, große Schwester, jetzt sitzt er ihr gegenüber, älter, als sie ihn in Erinnerung hatte, schmal. Wir haben uns lange nicht gesehen, stellt sie fest, und er nickt: Das stimmt.

Schön, dass du spontan Zeit hattest.

Schön, dass du gekommen bist.

Meine Mutter, erklärt sie, das Knie, sie ist gefallen.

Ja, sagt er, solche Sachen. Und wie geht es dir?

Gut. Und selbst?

Ach, nicht schlecht.

Hast du was von Viola gehört?

Immer mal wieder, sagt er. Das letzte Mal aus Gomera.

Mir schrieb sie aus Berlin. Sie hält jetzt Vorträge.

Zu welchem Thema?

Die sexuelle Erfüllung der Frau.

Kein Witz?

Nein. Sie beschwört die Frauen, nie mit einem Mann zu schlafen, wenn sie nicht wirklich Lust auf ihn haben.

Cosmo sieht sie stirnrunzelnd an.

Richtet sich vielleicht mehr an Frauen ihrer Generation, sagt Susa.

Meines Wissens war sie nie länger als ein paar Wochen mit einem Mann zusammen, sagt Cosmo.

Vielleicht darum.

Kaum sind wir zusammen, reden wir über Sex.

Die Gene, sagt Susa, nichts als die Gene.

Wie lange bleibst du in München?

Morgen früh fahre ich zu meiner Mutter weiter.

Gut. Hast du überhaupt Hunger?

Sie schüttelt den Kopf.

Weißen oder Roten?, fragt er Susa.

Roten.

Eine Flasche Bordeaux, bitte, sagt er zum Kellner.

Ich habe nichts zu Hause, erklärt er ihr, als er, die Flasche in der Hand, ein Taxi anhält. Im Auto sitzen sie jeder in seiner Ecke, schauen aus dem Fenster, es hat zu regnen begonnen, sachte und nicht ganz ernst gemeint. Im Radio läuft Musik. Go out. Fade to grey. Sie könnte an der nächsten Ampel die Tür öffnen und wegrennen, er käme nicht hinterher.

Sind das etwa immer noch die Umzugskartons?

Ich bin kein häuslicher Mensch, sagte ich das nicht? Er stellt die Flasche auf den Tisch. Irgendwo müssen hier Weingläser sein. Kleinen Moment. Er verschwindet in der Küche. Als er zurückkommt, hält er zwei Wassergläser in der Hand. Hier ist irgendwo auch ein Korkenzieher... Ah, hier.

Er beginnt das Stanniol von der Flasche zu pulen.

Ich habe übrigens mit Viola über dich gesprochen, sagt Susa. Na ja, gesprochen. Ich habe ihr eine Frage gestellt.

Aha. Cosmo dreht den Korkenzieher in den Korken. Und was für eine?

Wie es für sie war, dich wegzugeben. Ich meine, du warst ja schon ein bisschen älter. Ein Jahr oder so.

Cosmo nickt abwesend. Er drückt die beiden Seitenstreben des Korkenziehers herunter, die sich beim Eindrehen nach oben bewegt haben wie die Arme eines Hampelmannes. Und wie war es für sie?

Schwierig, sagt Susa, aber anscheinend hatte sie es halt nicht gekonnt. Die ganze Sache mit einem Kind, meine ich. Die eigene Freiheit aufgeben, die eigenen Pläne.

Cosmo hat die Flasche inzwischen geöffnet. Er riecht an der Öffnung, dann schenkt er das erste Glas halb voll. Der Wein sieht schwarz aus im Halbdunkel des Zimmers, das nur von der kleinen Schreibtischlampe auf dem Esstisch erhellt wird. Hier.

Sie nimmt das Glas aus seiner Hand. Cosmo schenkt ein zweites Glas ein und stößt es leicht gegen ihres. Auf den Egoismus, die einzige Konstante der Evolution! Was übrigens auch für die gilt, die Kinder haben. Er zwinkert ihr über den Rand seines Glases zu.

Und warum hast du das wissen wollen?, fragt er, als er getrunken hat. Ich meine, was interessiert dich daran?

Ich glaube, es ist wegen Leve. (Sie sagt nicht: Weil ich zum ersten Mal das Gefühl habe, dass es vollkommen in Ordnung wäre, für jemanden zu sterben.) Wegen ihm wurde mir klar, wie schwer das doch gewesen sein muss.

Cosmo fläzt in seinem Sessel und wirft ihr einen belustigten Blick zu. Na ja, sagt er gedehnt, das sind so deine Empfindungen. Für Viola war's vielleicht nicht ganz so schwer.

Vielleicht. Susa zuckt mit den Achseln. Und dein Vater tauchte nur dann und wann mal auf, nicht wahr?

Ja, sagte Cosmo, meistens, wenn er Geld brauchte. Aber weißt du – er setzt sich aufrecht hin, fasst in seine Haare und bündelt sie kurz zu einem Zopf, den er gleich wieder auseinanderfallen lässt –, ich hatte eigentlich nicht das Gefühl, etwas zu vermissen. Meine Großeltern waren meine Eltern, so zumindest nahm ich das wahr.

Klar, sagt Susa. Verstehe ich schon.

Trotzdem bist du gerade etwas – er überlegt einen Moment – unschlüssig, vollendet er dann seinen Satz.

Ja, gibt sie zu. Irgendwie schon.

Sie schweigen beide. Von draußen ist ein Schreien zu hören, schrill, nicht verzweifelt, eher wütend.

Die Katzen, sagt Cosmo. Sie tragen im Vorgarten ihre Revierkämpfe aus. Oder sie vögeln, so genau weiß man das nicht.

Klingt furchtbar.

Man gewöhnt sich dran. Manchmal geht das ziemlich lang. Cosmo hat sein Glas wieder in die Hand genommen und schaut zum dunklen Fenster. Obwohl er sich in seinem Sessel zurücklehnt, sieht er aus wie ein Besucher. Als wäre er auf der Durchreise und diese Wohnung, dieses Zimmer, nur eine Station auf dem Weg zu einem auch ihm unbekannten Ziel.

Weißt du, dass sie dich als Künstler bezeichnet?

Mich, sagt Cosmo tonlos. Wer? Viola?

Er verzieht das Gesicht zu einem Lächeln.

Ach. Pause. Dann leise: Du weißt schon, dass es bei so einer Aussage um sie geht, nicht um mich, oder? Dass sie damit aufwerten will, was ich mache: Werbung – ich bitte dich. Er lacht spöttisch. Wie gern hätte sie eine Horde von Künstlern in die Welt gesetzt! Und dann das: eine Pilotin, ein Werbefuzzi, eine Biologin und ein – ja, was –, ein Straßenmaler, der im Callcenter jobbt, um über Wasser zu bleiben.

Wolltest du je was anderes machen?

Klar, sagt Cosmo. Ich wollte was ganz anderes machen. Ich wollte zur Handelsmarine.

Zur Handelsmarine?, fragt Susa ungläubig.

Tja, sagt Cosmo, ich war ein Fan von Joseph Conrad, daran muss es wohl liegen. *Herz der Finsternis*, *Der Geheimagent* und so weiter. Es gibt diese Anekdote, wie er als Neunjähriger im tiefsten Polen auf eine Karte von Afrika zeigt und sagt: Da geh ich hin, wenn ich groß bin. So ähnlich habe ich das wohl auch gemacht, zumindest wenn man meinem Großvater glauben möchte: Im Atlas geblättert und mir Orte ausgesucht, möglichst ferne, an die ich reisen wollte. Afrika war so ein Ort. Australien auch.

Und – warst du jemals dort?

Cosmo schüttelt den Kopf und stützt die Ellbogen auf die Knie. Kommt noch. Er grinst. Komm doch mit.

Wohin zuerst?

Du darfst wählen.

Ich glaube, ich reise zuerst mal nach Amerika.

Sie hatte nicht geplant, das zu sagen. Sie hatte auch nicht geplant, das zu machen: eine Reise nach Amerika, aber indem sie es ausspricht, scheint es die einzige Möglichkeit zu sein: Sie würde nach Amerika reisen und – vielleicht, vielleicht aber auch nicht – ihren Vater suchen. Nein, nein, falsch. Nicht ihren Vater. Benjamin Rochlitz. Der ihr Vater ist und eben doch nicht: weil es nun mal nur ein Gesicht geben kann, das sie mit diesem Begriff verbindet. Vielleicht nicht wirklich nach ihm suchen. Vielleicht nur Manhasset besuchen. Die Myrtle Avenue entlanggehen und sich vorstellen, dass Benjamin hier saß, in seinem Kinderzimmer, der Geruch von Reibekuchen im ganzen Haus, wie er das elfenbeinweiße Papier vor sich liegen hat, den Stift in der Hand, wie er seine leserlichste Schrift bemüht, *Meine liebe Viola, wie schön du bist*, während sie, Susa, die ersten Tage ihrer Existenz beginnt, noch kaum mehr als eine Blastozyste – vielleicht hatte sich das Neuralrohr schon geschlossen, sandten Nervenzellen erste Signale, hatte das Herz seine Tätigkeit aufgenommen –, sicher aber noch unbemerkt in ihrer heimeligen Höhle, bereit, mit größter Selbstverständlichkeit das Leben einiger Menschen in Unordnung zu bringen.

Ahnensuche, sagt Cosmo, und Susa sagt: Ja, so was in der Art.

Ich sollte jetzt lieber gehen, sagt sie, nachdem sie die Flasche ausgetrunken haben.

Gut, wie du meinst. Du musst nicht denken, dass ich dich überrede zu bleiben, sagt Cosmo, als sie aufsteht und sich nach ihrer Tasche umschaut.

Tu ich nicht.

Er bringt sie zur Tür. Fährt sich mit beiden Händen übers Gesicht und durch die Haare. Er blinzelt, als könne er nicht ganz klar sehen. Dann sieht er sie an, fasst nach ihrer Hand. Ach Susa, sagt er, Susa, Susa.

Im Treppenhaus ist eine schrille Frauenstimme zu hören, sie schreit etwas Unverständliches, gleich darauf knallt eine Tür und Schritte kommen die Treppe herab, das spitze Klappern hoher Absätze, außerdem ein Geklimper wie von Dutzenden Armreifen.

Die verrückte Lettin, flüstert Cosmo. Er lehnt sich an die Tür, um durch den Spion zu schauen. Ich weiß nicht mal, ob es jemanden gibt, den sie anschreit, oder ob sie einfach so vor sich hin schreit.

Vielleicht ist sie einsam.

Bestimmt ist sie das. Einsam und verrückt, sagt Cosmo. Er nimmt das Auge vom Spion und dreht sich zu ihr um. Wo wirst du schlafen?

Weiß nicht. Im Hotel am Bahnhof wahrscheinlich.

Warum nicht hier? Ich kann dich da nicht rauslassen, die Lettin lauert dir bestimmt irgendwo auf.

Unwahrscheinlich.

Sag bloß, du hast mehr Angst vor mir als vor der Lettin? Cosmos Gesicht sehr nah vor ihrem. Die gleichen Schlupflider, die gleichen dunklen Augen.

Nein, sagt sie leise. Eher vor mir.

Na dann, sagt Cosmo. Kein Grund zur Panik. Wir werden einen Film schauen, irgendeinen in Technicolor, ich werde deine Hand halten, und du wirst einschlafen, unberührt, auch wenn du vielleicht anderes im Sinn haben solltest. Ich werde mich zieren wie eine Pfarrerstochter vom Lande.

Tun die das?

Oder gerade nicht?, überlegt Cosmo. Sind die so ausgehungert, dass sie dem erstbesten Hilfsvikar verfallen? Wir werden sehen.

Um einen Film zu schauen, müssen sie hoch auf die Galerie. Der Fernseher steht gegenüber von seinem Bett. Zwei weiße Kissen, eine breite weiße Decke, glattgezogen, neben dem Bett ein Digitalwecker, ein Stapel Computerzeitschriften.

Mach's dir bequem.

Natürlich haben sie kein Glück, kein Technicolor, dafür *Pulp Fiction*, alle paar Minuten unterbrochen von Werbung.

Ich verschwinde jetzt, flüstert sie Cosmo zu, als sie am frühen Morgen aufgewacht ist und seine Hand von ihrer löst, die kribbelnd erwacht. Er dreht sich auf die andere Seite. Im Bad lässt sie kaltes Wasser über Hände und Arme rinnen und benetzt das Gesicht und die Achseln. Vor dem Spiegel im Flur streicht sie das Kleid glatt. Sie schaut durch den Spion. Keine Lettin im Hausflur. Eine Zeitung steckt in Cosmos Briefkasten. Sie nimmt sie mit, um sie in der S-Bahn zu lesen.

Dafür hättest du doch nicht extra kommen müssen! Ihre Mutter klingt unwillig, dabei hat sie sich im ersten Moment gefreut, als sie die Tür geöffnet hat. Was mache ich denn jetzt zu Mittag, ich habe gar nichts vorbereitet.

Wie wär's, wenn ich dich ausführe?

Sie sitzen im Restaurant des Parkhotels, mit Blick auf den herbstlichen Garten und den kleinen Weiher, auf dem zwei Schwäne und ein Haubentaucher ihre Kreise ziehen, dazu das müde Geplätscher einer halbhohen Fontäne. Susa hat Fotos der Kinder mitgebracht, dazu ein Bild, das Paula gemalt hat. Was ist das?, sieht man doch: ein Mädchen, ein Schwein, ein Haus. Und das in ihrer Hand? So was wie ein Schwert oder eine Peitsche. Ihre Mutter betrachtet das Bild sorgfältig, dann lächelt sie, es ist hübsch, danke. Sie legt das Bild neben sich auf die Speisekarte.

Nach dem Essen gehen sie zum Friedhof. Der Marmorstein

leuchtet weiß, unterhalb des Steins blühen Erika, Herbstzeitlose und Astern.

Schön hast du das gemacht, sagt Susa.

Ja, sagt ihre Mutter. Aber weißt du was? Es gibt mir keinen Trost hierherzukommen. Ist das nicht seltsam?

Nein. Susa ist plötzlich erschöpft wie nach einem langen Lauf. Sie legt einen Arm um ihre Mutter, und wieder einmal bemerkt sie, wie schmal sie geworden ist. Als ob die Jahrzehnte sie verzehrt hätten, millimeterweise und langsam wie Wasser, das einen Stein abträgt.

Nach einem Moment des Zögerns schmiegt ihre Mutter sich an sie.

Nein, wiederholt Susa, ich finde es auch nicht tröstlich.

Zu Hause, im Bücherschrank die Fotoalben. Susa erinnert sich an manche der Bilder. Ihre Mutter auf einem Felsen in der Pose eines züchtigen Pin-ups, ihr Vater, mit den Füßen im Wasser, blond und schlaksig. Die beiden am Tag ihrer Hochzeit, so viel jünger als Susa heute. Auf Hochzeitsreise in der Schweiz, der rote Karmann vor dem blaugrauen Bergmassiv.

Ich würde sie gern anschauen, aber ich kann es noch nicht, sagt sie.

Ihre Mutter sieht sie nachdenklich an, dann lächelt sie. Lass dir Zeit. Sie schaltet den Fernseher an. Eine Kochsendung, stellt sie fest, und Susa denkt, verlass mich nicht, und sagt: Lass ruhig stehen.

Um halb neun liegt Susa im Bett. Es ist das Bett ihrer Eltern. Seit dem Tod ihres Vaters schläft ihre Mutter im Gästezimmer. Susa legt sich auf die Seite, auf der ihr Vater immer schlief. Sie rechnet nach. Er ist seit 184 Tagen tot. Drei Tage vor seinem Tod hatte er hier noch gelegen, sie hatte ihm aus der Zeitung vorgelesen. Die Möbel, hatte er zwischen zwei Artikeln gesagt, sind übrigens wirklich alt und wertvoll, ich weiß nicht, ob sie dein Geschmack sind. Er hatte von ihr zu den goldverzierten Nachttischen geschaut, zur Frisierkommode, zum Schrank, Louisseize, Louis-quinze? Doch, sagte sie, die sind schon ganz hübsch.

Sie weiß: Wo man sitzt und liegt, hinterlässt man eine winzige Dosis seiner selbst. Haare, Hautzellen, Moleküle. Atome, die tausende Jahre überstehen. Sie presst ihr Gesicht ins Kissen. Aber da ist nichts, nur der Geruch nach Waschmittel.

Um zehn Uhr morgens geht ihr Zug.

Ich kann dich aber nicht zum Bahnhof bringen, sagt ihre Mutter. Mit dem Knie kann ich noch nicht Auto fahren.

Kein Problem, sagt Susa, ich habe ja kein Gepäck.

Sie umarmen sich.

Schön, dass du gekommen bist, Butchie.

Sie gehen zusammen bis zum Tor. Ihre Mutter bleibt da stehen, bis Susa um die Ecke gebogen ist, vielleicht sogar noch länger.

Herbst. Der schöne Teil davon – das Strahlen, die seltsame Klarheit der Luft, die Verlängerung des Sommers – ist jetzt vorbei, endgültig, denkt Susa. Sie steht am Fenster und blickt in die morgendliche Dunkelheit, die sich nur zögerlich auflöst, um einen Himmel offenzulegen, der ganz weiß ist, wie leergewischt.

Heute trägt Wolfgang einen nilgrünen Pullover, was mit seinen dunklen Haaren und den grünen Augen gut aussieht. Er ist erst seit einigen Tagen wieder am Institut. *Forschungsreise*, verbessert er Susa, als sie ihn nach seinem Urlaub fragt. Aber bitte, gibt er zu, warum nicht das Nützliche (eine Untersuchung zum Grundwasseraustritt an den Küsten Omans) mit dem Angenehmen verbinden – Nächte im Wüstensand, mit ihm im Zelt Fatema, mit der er seit dreißig Jahren befreundet ist, eine Soziologin an der Universität von Agadir, die ihn, den Jüngeren, nie ganz ernst nimmt, aber schwesterlich liebt, ihren lapin, ihren puce, mit seinem ausgeprägten Interesse am Fischbestand Marokkos.

Wolfgang hält einen Brief in der Hand, mit dem er sich selbstvergessen Luft zufächelt, während er über ihren Kopf hinweg auf den Bildschirm schaut. Worum es geht: Er wird ab Februar ein Freisemester erhalten, und sie soll ein Seminar – Grundlagen der Physikalischen Ozeanographie – und eine Vorlesung – Einführung in die Meeresbiologie – übernehmen; Malte übernimmt dafür die Vorlesung zu den Einflüssen der Mikroplastik auf die Stresstoleranz des pazifischen Wattwurms.

Leider weiß ich nicht, sagt Wolfgang, ob das extra bezahlt wird – du weißt ja, du hast bereits eine Hundertprozentstelle … Er unterbricht sich, du schaffst das schon, nickt aufmunternd und verlässt den Raum.

Wie soll das gehen, sagt Susa am Abend zu Henryk. Was stellt Wolfgang sich eigentlich vor? Ich habe keine Ahnung mehr von Ozeanographie, ich müsste das alles selbst erst wieder lernen. Aber wann denn? Nachts?

Man könnte Leves Zeiten in der Kinderkrippe verlängern …

Ja, sicher. Wir könnten ihn auch einfach wochenweise an einer Sammelstelle abgeben und erst wieder holen, wenn das Wochenende kommt!

Mich musst du nicht anschreien, ich bin nicht schuld.

Und auch nicht zuständig, was?

Im kommenden Semester leider tatsächlich nicht, sagt Henryk. Ich übernehme, wie du weißt, die Vertretung für Viekamp.

Na, wunderbar.

Was sie bräuchten, wäre eine Großfamilie: zwei Großmütter, mit bunten Plastikkämmen im weißen Haar, die sie Leve überlassen würden, damit er damit spielen kann. Großväter, die mit ihm in den Zoo, ins Aquarium, ins Puppenspiel gehen, Tanten und Onkel, die ihn nachmittags vom Kindergarten abholen und zu sich nehmen würden, wo er mit seinen Cousins und Cousinen spielte, bis Susa und Henryk am Abend dazustießen. Es muss ja nicht mal ein ganzes Dorf sein, das ihnen hilft, nur eine Familie, aber sie sind zu wenige und noch dazu verteilt im ganzen Land. Wenn sie wenigstens genug Geld für eine Kinderfrau hätten. Oder ein Au-pair-Mädchen. Doch wo sollte das wohnen? Im Kinderzimmer?

Und jetzt?, fragt Henryk.

Lass uns Schluss machen für heute, sagt Susa. Wird sich schon eine Lösung finden.

(Sie ist nicht böse auf ihn, sie sehnt sich nur nach Schlaf.)

Kurz nach eins meldet sich Leve. Henryk holt ihn herüber, legt ihn neben sie. Er nimmt seine Decke und sein Kopfkissen und geht ins Büro. Peters Tapsen auf dem Holzboden, Leve, der nach ihrer Hand greift, sie streicht ihm die Haare aus der Stirn und küsst seinen Hals gerade unterhalb des Ohres, mein Leve, er lacht, als er das hört, und schlägt vor Freude nach ihrem Kopf.

Nein, nicht dahin – sieh mal, da. Wir haben extra Tischkärtchen gemacht. Tatsächlich. Unglaublich! Na ja, ab zehn Personen schien uns das vertretbar. Aber ihr könnt euch natürlich auch umsetzen. Sind wir tatsächlich so viele? Ja, zähl doch mal nach … Also, wer will einen Aperitif? Ich habe hier Sekt mit oder ohne Cassis, außerdem Aperol oder – wer mag – Martini. Hast du auch Weißwein? Und für Anja etwas Unalkoholisches? Ach ja, natürlich, habe ich fast vergessen. Wobei mir gesagt wurde, dass Ärztinnen da nicht so streng seien. Ja, habe ich auch gehört. Aber so als Risikoschwangere … Lieber nicht noch mehr Risiken eingehen.

Wir machen, sagt Henryk, nachdem er ans Glas geklopft hat, keine Vorstellungsrunde: Fast jeder hier kennt jeden, und die, die sich nicht kennen, haben wir sorgsam nebeneinandergesetzt, auf die Gefahr hin, dass sie sich anschweigen … Nein, das war ein Scherz! Schweigen ist verboten. Das Einzige, was ich euch sagen möchte, bevor Susa jetzt das Lamm hereinbringt – sechs Stunden im Ofen, sage ich nur –, ist, dass wir uns freuen, dass ihr hier seid. Es war uns ein Bedürfnis, mit euch Weihnachten zu feiern, also *vor*zufeiern. An Weihnachten selbst erholen wir uns dann von euch.

Auf diese Beleidigung müssen wir trinken! Gläser heben. Anstoßen oder nicht?, also gut: anstoßen. Was bedeutet: sich quer über den Tisch zu lehnen mit ausgestrecktem Arm, Henryk geht sogar einmal rum, so weit kommt's noch, aber jeden anschauen, *wirklich* anschauen, sieben Jahre schlechter Sex für den, der's verpasst, sagt Philipp drohend. Die Platte mit dem Braten, die Sauciere, die Schüsseln mit Bohnen und Kartoffeln durchreichen, den Wein, die Wasserflasche.

Das Lamm schmeckt übrigens fantastisch. Herzliches Beileid für alle Vegetarier unter uns. Ich glaube fast, es gibt keine.

Kann das wirklich sein? Also, ich *war* Vegetarierin. Ein paar Monate lang. Dann fing ich plötzlich wieder an mit dem Fleisch, mit einem Wiener Schnitzel, um genau zu sein. Keine Ahnung, warum. Vielleicht weil es schmeckte. Schon möglich. Es ist ja ohnehin schwer, politisch korrekt zu sein, nicht wahr? Also nehmt doch zum Beispiel diese ganzen Demos und Gegendemos, die da im Moment laufen. Jetzt gibt es sogar eine, die gegen die Amerikanisierung des Abendlandes mobil macht. Ist Amerika nicht auch Abendland? Klar ist es das. Nein, ursprünglich nicht. Ursprünglich war damit nur der westliche Teil Europas gemeint. Woher weißt du denn *so was*? In der Schule aufgepasst. Und viel gereist. Da fällt mir ein – habe ich euch von dem Typen erzählt, der die Reisen in Krisengebiete anbietet? Ein seltsamer Typ. Um die fünfzig, sieht aber jünger aus. Dreadlocks, langer Bart, so dieser Stil. Einer, den die Flugsicherung sofort rauswinkt, und wenn sie dann seinen Pass sehen, muss er gleich mal ein paar Befragungen über sich ergehen lassen… Nordkorea, Weißrussland, Irak, Pakistan, Afghanistan, Syrien, Nigeria, Saudi Arabien und zur Erholung dann nach Kolumbien, Venezuela oder Kuba. Hat er ein Reisebüro? So was Ähnliches. Ein Souterrainzimmer in der Innenstadt, *Anderswelt*, steht draußen dran. Keine Ahnung, wie offiziell das alles ist, aber wenn du Interesse hast, nach, sagen wir, Pjöngjang zu reisen, organisiert er dir die Visa und den ganzen Kram und nimmt dafür zehn Prozent des Preises. Woher kennst du den denn? Über einen Bekannten. Ist ein Jugendfreund von ihm. Hat er denn viel Kundschaft? Na ja, viel wohl nicht. Aber es gibt schon Leute, die nach Nordkorea oder Afghanistan oder Syrien reisen. Nach Syrien im Moment wohl eher solche mit eindeutigen Überzeugungen. Stimmt wahrscheinlich. Aber Afghanistan zum Beispiel muss wirklich wunderschön sein. Besonders die Provinz Bamijan, da wo früher die riesigen Buddhastatuen standen, bevor die Taliban sie zerstörten. Auf jeden Fall gibt's in Afghanistan einen Tourismusminister, habe ich gelesen. Auch wenn der im Moment nicht so viel zu tun hat. Gibt's noch was vom Lamm? Und Kartoffeln? Wie brav eure Kinder schlafen! Beschrei's nicht. Was habt ihr denn mit euren gemacht? Die Babysitterin ist da. Ein sechzehnjähriges Mädchen. Hat ihren Freund mitgebracht. Oh, là, là, die haben jetzt Sex auf eurem Sofa! Ne, habe ich ihnen verboten. Was? Nicht wirklich, oder? Nein, ich habe ihnen den Fernseher angemacht. Bestes Mittel gegen Sex. Na, wenn du meinst… Hauptsache, sie sind so leise, dass die Kinder nicht aufwachen. Schauen Jugendliche heute eigentlich noch Fernsehen? Ist das nicht viel zu altmodisch? Den Computer habe ich ihnen nicht angemacht. Ach, Tom, du bist auch so ein Ewiggestriger… Die haben doch ihre Smartphones und Tablets dabei. Ist eigentlich noch Champagner da?

Und dann gibt es doch noch einen Streit, zwischen Lydia und Nils, tatsächlich über Religion, als wüssten sie nicht, dass man darüber nie in einer Tischrunde spricht. Nils' provokante Aussagen auf der einen Seite, Lydias ungläubiges Staunen auf der anderen. Sie ist sich der Zustimmung der anderen gewiss, was Susa ein wenig gegen sie einnimmt, während Nils mit einem an Naivität grenzenden Ernst seine Positionen vertritt. Er ignoriert die Ironie in Lydias Fragen und ihr spöttisches Schnauben; er lächelt ihr zu und nickt seinen Sätzen hinterher, die harmlos scheinen wie Enten im Park, und Lydia wird immer ungehaltener, gerade seine Unschuld ist es, die sie reizt, sie schaut Hilfe suchend zu Tom, der die Brauen hebt und seinerseits zu Henryk schaut, tja, sagt der, wer will noch was trinken? Maike steht auf und verlässt den Raum, und Nils sieht ihr interessiert und mit leichtem Bedauern nach.

Zeit für den Nachtisch, sagt Susa und geht in die Küche, um das Eis zu holen. Maike steht vor dem geöffneten Kühlschrank, sie sieht aus, als habe sie vergessen, warum sie ihn geöffnet hat. Als Susa neben ihr steht, schließt sie die Tür und sieht sie fragend an. Na ja, sagt Susa, er ist eben ein Mann mit Überzeugungen, und Maike verzieht ihren Mund, sie legt die Hände vors Gesicht, ein Schluchzen ist zu hören; nicht doch, ist doch nicht so tragisch, aber als sie die Hände vom Gesicht nimmt, sieht Susa, dass sie nicht weint, sondern lacht, es schüttelt sie am ganzen Körper, und auch Susa fängt an zu lachen, sie können nicht mehr aufhören damit, und jedes Mal, wenn das Lachen nachlässt, reicht ein einziger Blick, um es wieder anzufachen. Macht er das öfter?, fragt Susa, als sie sich schließlich doch beruhigt haben. Dauernd. Maike schüttelt ungläubig den Kopf. Und das mir, die ich so gerne *nicht* anecke.

Als sie ins Esszimmer zurückkommen, haben sie das Thema gewechselt. Wer von euch, fragt Philipp gerade, hat noch Kontakt zu seiner ersten Liebe?, und die anderen fangen an, über ihre erste Liebe zu reden, Namen füllen den Raum, Erinnerungen an Jacketts mit Schulterpolstern, gesträhnte Haare, er sah aus wie Limahl, kennst du den noch? Natürlich. Meine hatte Ähnlichkeit mit Kim Wilde, na ja, zumindest redete ich mir das ein. Erinnert ihr euch noch an diese Tanzschritte, dieses wiegende Vor und Zurück, oder machten das nur die *Cure*-Fans in unserem Dorf? Nein, nein, das kenn ich auch! Und jedes Mal spielten sie irgendwann *Come on Eileen*. Oder *Kiss*! Oh Prince! Der war aber auch gut... Fast so gut wie David Bowie. Ich sage nur *Heroes*. Wisst ihr eigentlich, dass damit Visconti und seine Frau gemeint waren? (Während Lydia und Nils sich aus dem Fachsimpeln heraushalten, zwei Löwen, die sich nach einem Patt in ihre Höhlen zurückgezogen haben.)

Der Tisch ist überladen mit Gläsern, Tellern, Espressotassen, dazwischen zerknüllte Servietten, die Stühle zurückgeschoben, die Kerzen fast runtergebrannt. Die weißen Hyazinthen verströmen von der Fensterbank her ihren Duft, einer der bunten Papiersterne am Fenster hat sich halb gelöst. Auf dem Balkon lehnt der Weihnachtsbaum und wartet auf seinen Einsatz. Es ist plötzlich sehr still.

Als wir Kinder waren, sagt Susa, stand in der Weihnachtszeit immer eine Pyramide auf dem Tisch, weißt du, was ich meine?, so eine dreistöckige Holzpyramide, bei der die aufsteigende Wärme der Kerzen die Figuren in Gang setzte.

Ja. Henryk nickt. Kenn ich. Wir hatten so was in klein, mit Batteriebetrieb und elektrischen Lichtern.

Maike und ich konnten da lange zuschauen, erzählt Susa, all diesen Engeln und Hirten, wie sie im Kreis rannten.

Wie viel Uhr ist es?

Kurz nach eins.

Wollen wir noch aufräumen?

Susa zuckt mit den Schultern.

Dann mach ich uns Musik an.

Als Henryk wieder in die Küche kommt, lässt er die Tür zum Wohnzimmer offen. Aus den Boxen kommt Musik.

Ist das etwa Prince?

Henryk spült die Gläser. Trocknet sie ab. Reibt ausführlich an jedem Glas, hält es gegen das Licht und poliert es noch einmal. Bei *Diamonds and Pearls* musst du mit mir tanzen.

Wird gemacht.

This will be the day, that you will hear me say
That I will never run away

Wenn ich bitten darf? Henryk reicht Susa beide Hände. Klammerblues, flüstert er in ihr Ohr. Habe ich das letzte Mal mit siebzehn gemacht. Mit Friederike aus meiner Klasse.

Und, gefällt's dir noch?

Ja. Er lehnt sich ein wenig zurück, um ihr ins Gesicht schauen zu können. Besser denn je.

Lügner, sagt sie.

If I gave you diamonds and pearls
Would you be a happy boy or a girl
If I could I would give you the world
But all I can do is just offer you my love

Nein, sagt er, das stimmt wirklich. Er klingt viel zu ernst für diese Situation, dieses Geschiebe zwischen Spülmaschine und Herd, und sie lehnt ihren Kopf an seine Schulter, um ihm nicht ins Gesicht schauen zu müssen.

Natürlich, wenn sie das könnten, täten sie's: in der Zeit zurückgehen. Zumindest die letzten Tage würden sie nochmals wiederholen, anders (sprich: geduldiger) sein, sowohl mit den Kindern, die die Weihnachtswunschlisten offenbar akkumulativ, nicht selektiv verstanden wissen wollten und darum – statt in helle Freude über ihre Geschenke auszubrechen – mit Donnergrollen in ihren Zimmern verschwanden, was wiederum ein nicht eben leises Donnergrollen ihrerseits nach sich zog, als auch anders (sprich: geduldiger) miteinander sein, vor allem mit ihren Müttern, schließlich ist es kein Geheimnis, dass Eigenheiten im Alter eher mehr als weniger werden, warum sich also wundern.

Die Gans, diesmal ofenfertig im Restaurant bestellt, dazu Rotkohl und Semmelknödel, schmeckte gut, auch wenn ihre Obstfüllung (Äpfel, Pflaumen, Mandarinen) ungewohnt war. Der Nachtisch war ebenfalls gelungen, am leiblichen Wohl lag's also diesmal nicht (trotz Karins Hinweis auf die eigenen Gänse der Vergangenheit, die – natürlich – nie fertig bestellt wurden, und ihrer ganz eigenen Art, die Kritik als Kompliment zu verpacken). Anstrengender war da schon der Gottesdienst mit seinem Krippenspiel gewesen. Paula, das größte der zahlreichen Schafe, schwitzte in ihrem Fellumhang und stolperte beim Einzug der Hirten über einen seinerseits gestürzten Engel, das Geheul des kleinen Engels explodierte schier und brach sich an den hohen Mauern, während Paula zögerte und schließlich weiterging, um ihre Herde nicht zu verlieren. Susa, Henryk und beide Großmütter mussten derweil stehen, da sie zu spät (das heißt: nicht eine Stunde zu früh) erschienen waren. Der Pfarrer, ein Mittsechziger mit weißem Bart und Haar, übernahm die Begrüßung und die Verabschiedung der Gemeinde, seine Predigt ließ er von einer der Gemeindefrauen vortragen, ansonsten saß er in der ersten Reihe, dem Schlaf beneidenswert nah.

Nach der Kirche waren noch drei Stunden Zeit bis zur Bescherung. Die Gans im Ofen, der Tisch schon gedeckt, saßen die Großmütter nebeneinander auf dem Sofa, gewillt, sich zu unterhalten, doch stellte sich dieses Jahr stärker als je zuvor heraus, dass sie sich nichts zu sagen haben. Ja, mehr noch, dass sie gegensätzliche Naturen sind: das Überschwängliche von Karin neben der Zurückhaltung von Susas Mutter, Karins Bereitschaft, sich der Geselligkeit wegen in jede Konversation zu stürzen, während Susas Mutter, nun ohne die vermittelnde Art ihres Mannes, bis an die Grenze der Unhöflichkeit schwieg. Dazwischen die Kinder, die Bilder malten und sie den Großmüttern zur Begutachtung vorlegten. Unbemerkt hatte ein Wettkampf zwischen den Mädchen begonnen und – was verwunderlicher war – zwischen den Großmüttern auch: Jedem Lob Karins setzte Susas Mutter eine ausführliche Bildbesprechung entgegen, die wie auf einer Waage Positives mit Negativem mischte und den Mädchen so den Eindruck vermitteln sollte, ernst genommen und nicht mit achtloser Huldigung abgespeist zu werden. Wodurch auch Karin sich veranlasst sah, ihr Lob ausführlicher zu begründen, während die Mädchen zunehmend ratlos von einer zur anderen sahen und sich, noch während die Frauen diskutierten, an den Tisch zurückzogen, um ein neues, womöglich unstrittiges Bild zu malen.

Das artet ja etwas aus, sagte Henryk leichthin, als er sich über den Ofen beugte, um die Gans mit ihrem Saft zu übergießen.

Meine Mutter mag einfach nicht so drauflosloben, entgegnete Susa.

Henryk schloss den Ofen und richtete sich auf, eine Hand unter dem Schöpflöffel.

Ob eine ausführliche Kunstkritik hier so angebracht sei, lasse er mal dahingestellt. Er schaute Susa nicht an.

Aber immer nur dieses billige Lob, sagte Susa.

Besser, als dauernd zu kritisieren.

Na, das kann deine Mutter aber auch ganz gut. Nur verpackt sie es immer in Lob, was ich übrigens wirklich hasse.

Okay, sagte Henryk. Deine lobt nie, die kritisiert nur. Auch nicht viel besser.

Was kritisiert sie denn?

Du meinst wohl, was kritisiert sie nicht.

Jetzt sag schon: Was kritisiert sie?

Na alles! Henryk lachte trocken. Den Gottesdienst: zu voll,

den Wein: zu kalt, das Gästebett: zu hart, die Wohnung: zu klein.

Was ja auch stimmt.

Sie kann sehr gerne ins Hotel gehen.

Henryk hatte sich die Hände gewaschen und trocknete sie nun am Geschirrhandtuch ab.

Wahrscheinlich will sie mir ja was ganz anderes zu verstehen geben, sagte er.

Nämlich?

Dass ich zu wenig verdiene. Ist doch klar.

Würdest du bitte aufhören, sagte Susa. Wenn schon, verdienen wir *beide* zu wenig. Schließlich bist du nicht mein Ernährer.

Und selbst wenn ich es wollte, könnte ich das nicht – das willst du mir doch sagen.

Wie kommst du denn darauf?

Sei doch ehrlich. Henryk sah sie herausfordernd an. Wenn du könntest, würdest du weniger arbeiten und mehr Zeit mit Leve verbringen.

Ja, sagte Susa wütend, wenn ich dann nicht Angst haben müsste, beruflich keinen Fuß mehr in die Tür zu bekommen. Ums Geld geht's mir gar nicht so sehr. Aber dir geht es doch um was ganz anderes: Du willst Karriere machen, und das ist schwierig mit mir. Du hast den Eindruck, ich hindere dich. Ich verbaue dir deine Zukunft. Und nun drängst du mich in eine Rolle, die ich nicht will, und in Ansprüche, die ich nicht habe.

Wahrscheinlich sind wir, Henryk sah Susa sehr kühl an, einfach zwei Egoisten, die eben darum immer mehr aneinandergeraten.

Und immer wenn deine Mutter in der Nähe ist, bricht der Macho aus dir raus, sagte Susa. Was auch nicht verwunderlich ist, bei all der Bewunderung, die sie dir entgegenbringt.

Ach ja, und wofür soll die sein, diese Bewunderung?

Dafür, dass du nicht dein Vater bist, ist doch klar, sagte Susa. Und ich muss dankbar sein, dass ich nicht wie sie alleinerziehend sein muss. Dass ich dich, ihren Göttersohn, habe bekommen dürfen. Dankbar sein und Schnauze halten – das wär's!

(Dies alles, wohlgemerkt, im wütenden Flüsterton, was die ganze Sache noch unangenehmer machte – nur das Türknallen ließ Susa sich nicht nehmen und den Rückzug ins Schlafzimmer, in das nach einer Weile Paula kam, um sie zu holen.)

Die Großmütter hatten in der Zwischenzeit den Fernseher eingeschaltet und sahen mit den Mädchen einen Weihnachtsfilm. Leve kletterte von der einen zur anderen, während Henryk im Sessel saß und Zeitung las, wie Susa entschlossen, so zu tun, als sei nichts vorgefallen. Am Abend dann die Bescherung, die Verwunderung der Großmütter (diesmal einhellig) über die Ansprüche der Kinder, ihre Erinnerungen daran, wie die Weihnachtsfeiern zu ihrer Zeit ausgesehen hatten, damals, direkt nach dem Krieg, als es so wenig gab, dass alleine der Christstollen, der wochenlang vor sich hin gereift war, Geschenk genug war und die Lichter am Baum, an denen sie sich gar nicht sattsehen konnten und so weiter. Während die Mädchen in ähnlicher Eintracht grollten und Henryk und Susa auch deshalb mit ihnen schimpften, weil sie sich durch die mütterlichen Erinnerungen dazu veranlasst sahen.

Die Toten, sie blieben unerwähnt, lauthals verschwiegen sie sie: Tatjana, wie sie mit Rena den Baum schmückte, die kleine Paula auf dem Arm. Wie sie mit den Kindern im Schlafzimmer wartete, während Henryk die letzten Kerzen am Baum anzündete. Susas Vater, seine Art, sie alle der Reihe nach zu umarmen und danach dem Auspacken der Geschenke, das bei ihnen immer etwas Ungestümes an sich hatte, zuzuschauen, bevor er sich seinen eigenen Geschenken zuwandte – den Büchern, Krawatten, Socken, einmal einem Newtonpendel, das mit beruhigender Gleichmäßigkeit die Kugelstöße der einen Seite auf die andere übertrug. Auch das würde Susa ändern, wenn sie in der Zeit zurückgehen könnte. Sie würde ihre Namen nennen, selbst wenn das alle in Schweigen stürzen würde wie eine unpassende Bemerkung. Sie würde sagen: Erzählt mir von Tatjana. Und wenn Paula und Rena traurig wären, würde sie sie trösten.

Denn das war es doch, was sie tun konnten: einander erinnern und trösten.

Am Ende der ersten Januarwoche bricht Peter zusammen, der halbe Körper gelähmt. Eben noch lief er auf die Haustür zu, im nächsten Moment kann er sich nicht mehr rühren. Er sieht verwirrt zu Susa hoch.

Ich tippe auf einen Gehirntumor, sagt der Tierarzt, der eine Stunde später kommt. Er wird sich nicht mehr erholen.

Susa hält den Kopf des Hundes, während das Beruhigungsmittel gespritzt wird. Aus den Augenwinkeln sieht er sie an, dann senken sich seine Lider. Die Spritze mit dem Narkosemittel bekommt er schon nicht mehr mit. Ihre Hand auf seinem Herzen: Es klopft, dann hört es auf.

Peters Halsband hängt neben der Wohnungstür, sein Samtkissen liegt neben dem Sofa. Wenn Susa das Haus verlässt, dreht sie sich nach ihm um. Eines Tages hängt das Halsband nicht mehr an seinem Haken. Glaub mir, ist besser so, sagt Henryk, du wirst sonst nur immer an ihn erinnert.

Am Telefon sagt Maike: Ich träume so oft von Papa und immer das Gleiche. Er sitzt dann im Wohnzimmer und liest Zeitung, du weißt schon, wie es halt meistens war, wenn man sonntags zu ihnen kam. Ich rufe: Du bist ja wieder da! Und er sagt dann ganz einfach: Ja, ich bin zurückgekommen.

Susa träumt fast nie von ihm. Und wenn, kommt er nur am Rande vor. Er ist dann bloß einer von vielen. Von Peter träumt sie gar nicht.

Irgendetwas ist in Unordnung geraten: Es ist, als ob das Wesentliche fehlt, auch zwischen Henryk und ihr. Sie verpassen es immer um ein paar Zentimeter. Sie sind zwei betrunkene Bogenschützen, daneben, daneben, knapp daneben. Sie reden über Kindergarten, Schule, Uni, sie reden über Lasse und ob sie mit Rena zum Frauenarzt gehen müssen, sie reden über ihre Chefs, über Würmer und Fische, über mittelalterliche Ekstase, sie reden über die Finanzkürzungen des Instituts und darüber, ob ihre Mütter im Alter einsam werden und immer wunderlicher (aber Gott sei Dank: beide gesund, auch das keine Selbstverständlichkeit), sie reden über die Hausarbeit, teilen sie untereinander auf wie faulige Äpfel, sie überlegen, ob sie in Urlaub fahren können, wann und wohin, sie reden über Leves erste Wörter, zitieren sie andächtig und lachen darüber, und manchmal sind sie dann wirklich glücklich, nur ist das nie von Dauer, irgendetwas fehlt, sie wissen nicht, was es eigentlich ist. Ist das eine Lebenskrise, eine *Midlife-Crisis*, was meinst du, Henryk? Aber Henryk sagt nur, hör schon auf, es ist einfach alles etwas viel im Moment. Er will das Wort Krise nicht hören, vielleicht weil er Angst hat, sonst in eine zu stürzen. Wir balancieren am Rande von etwas, merkst du das nicht?, denkt Susa und sagt: Gute Nacht, Henryk. Gute Nacht, Susa. Sie drehen sich voneinander weg, nur so können sie schlafen, das war schon immer so, aber erst jetzt fällt ihr auf, wie das aussehen muss, diese voneinander abgewandten Körper, die abgekehrten Füße, gerade so, als würden sie in unterschiedliche Richtungen rennen, wenn man sie nur ließe.

Das ist neu: Wenn sie andere Paare sieht, fängt sie an zu vergleichen.

Lydia und Tom, seit sechs Jahren verheiratet, seit acht kennt sie sie. Sie war Lydia im Museum begegnet. Lydia hatte ihre Schüler (einen Haufen Erstklässler) im Schlepptau, um mit ihnen die Ausstellung »Wale, Watt und Weltmeere« zu besichtigen. Sie sah damals sehr jung aus, eher wie eine große Schwester als eine Lehrerin, aber das mag auch an ihrer Aufmachung gelegen haben: grasgrüne Turnschuhe, rote Caprihose zum Holzfällerhemd, außerdem ein Rucksack. Sie stand vor dem Pottwal und streckte einen Arm aus, um an das kleine Auge zu reichen. Später legte sie sich mit den Kindern auf die Liegestühle, andächtig hörten sie den Walgesängen zu (dem Vogelgezwitscher der Belugawale, dem Klicken der Pottwale, dem Jaulen der Orcas). Susa war hingerissen von ihr. Sie hätte Lust gehabt, sich neben sie zu legen. Die ersten Male trafen sie sich alleine. Sie gingen ins Kino, Susa mochte Lydias Lachen, das immer an den richtigen Stellen kam. Als Lydia ihr Tom vorstellte, fiel ihr sein seltsamer Gang auf. Nicht schleppend, eher steifbeinig. Ansonsten: ein Seitenscheitel im halblangen Haar, sodass sein rechtes Auge immer wieder hinter den Haaren verschwand, dazu ein grobes Gesicht, wie von einem ungeübten Bildhauer entworfen, ein zu großes Kinn, eine breite Nase, flach wie die eines Boxers, kleine helle Augen. Seine Hände hingegen (etliche Zigaretten drehend): nicht wirklich filigran, aber geschickt, für einen Mann eher klein. Sie mochte ihn nicht. Das hält keine zwei Wochen, dachte sie. Inzwischen weiß sie nicht mehr, warum sie das dachte. Lydia beendet Toms Sätze und er ihre. Ihre Erzählungen aus dem Alltag mit den vier Kindern klingen wie Reportagen aus einem Krisengebiet. Sie lachen selbst am meisten darüber.

Oder Maike und Nils: seltsam, seltsam. Er ist so anstrengend, merkt sie das nicht? Sein ständiges Verlangen zu provozieren auf die immer gleiche Art: indem er sich naiv stellt. Das hat etwas Böswilliges, weil man ihn erst anziehend findet und dann merkt, dass er eigentlich ganz anders ist. Vom Äußeren her ansprechend, zumindest dachte Susa das, als sie ihn das erste Mal traf. Und ja, dass sie gut zusammenpassten, das dachte sie auch. Inzwischen glaubt sie es nicht mehr. Außerdem fühlt sie sich in seiner Anwesenheit, als würde sie sich mit einem Freund ihrer Eltern treffen (die grauen Haare, vielleicht). Was Maike von ihm will, ist ihr unklar, vielleicht nur eine gute Zeit. Sie ignoriert seine Provokationen oder lacht darüber, manchmal berührt sie ihn mit einer Zärtlichkeit, die Susa verwirrt. Er sieht Maike an, einen Moment zu lang für die Situation. Sie sehen dann aus, als hätten sie ein gemeinsames Geheimnis, das sie um keinen Preis verraten würden.

Philipp und Anja: Eine Ehe, die an den gemeinsamen Aufgaben wächst. Zum einen die Welt retten, zum anderen eine Familie gründen. Alles läuft planmäßig, das war bei Anja schon immer so. Obwohl Susa Anja länger kennt als Philipp, kann sie sich kaum an sie als Einzelperson erinnern. Ihr Umgang miteinander ist perfekt, voller Harmonie, wenn sie einander widersprechen, dann wie zwei Politiker derselben Partei, hinzukommt:

seine Hand auf ihrer Schulter, eine Umarmung im Vorbeigehen, ein Kuss. Susa ertappt sich dabei, dass sie an die schnäbelnden Kanarienvögel ihrer Großtante denkt, die, sobald sie sich unbeobachtet fühlten, auseinanderrückten.

Daneben Henryk und sie: Auch sie arbeiten am gleichen Projekt: über Wasser bleiben. Sie streiten sich nur selten, aber manchmal bemerkt Susa abends im Bett, dass sie sich den ganzen Tag nicht berührt haben. Dann beugt sie sich zu ihm herüber und gibt ihm einen Kuss, den er, schläfrig schon, erwidert, manchmal sagt sie, ich liebe dich, und er sagt, ich dich auch. Sie wissen beide, dass das stimmt, nur nicht, ob es noch so viel bedeutet. Sein Vortrag steht bevor, er arbeitet in den frühen Morgenstunden daran und am Abend. Wenn er ihr im Flur oder in der Küche begegnet, ist sein Blick starr, gerade so, als ob er Angst habe.

Sobald die Kinder im Bett sind, bereitet Susa ihre Kurse vor. Sie ist den Studenten immer genau einen Schritt voraus und kann nur hoffen, dass sie diesen Vorsprung behält. Leve bleibt nun bis sechs in der Krippe, wenn sie ihn abholt, ist er müde und unwillig. Essen, Bücher anschauen, Baden, Bett. Dann setzt sie sich an den Schreibtisch.

Um im Bild zu bleiben: Sie befinden sich noch über Wasser. Aber ihr Boot schaukelt, es fehlt nicht viel und sie kentern und kommt da nicht ein Unwetter auf? Wo? Da, schau doch! Sieht denn nur Susa das? Ist das das Problem? Ist das Unwetter in ihr, ist es also am Ende gar nicht da? Wird sie langsam verrückt? Wenn sie doch nur wüsste, was sie eigentlich will. Vielleicht eine Pause. Eine Pause von ihrem Leben. Wenn das so einfach wäre!

So muss es ungefähr gewesen sein: H., ein Mann im besten Alter, Vater dreier Kinder und Experte für die deutsche Dichtung des Mittelalters, traf am Vorabend seines Vortrags in D. ein. Das Städtchen begrüßte ihn – nun, wo nicht überschwänglich, so doch freundlich: Der Winter war noch nicht vorbei, doch der Frühling tat sein Bestes, ihn zu vertreiben. Schon blühten die Primeln und Geranien vor den Fenstern, rot, violett und gelb, und auf dem Marktplatz, an dem das Hotel stand, in dem Frau K., der gute Geist des Germanistischen Instituts, ein Zimmer für ihn gebucht hatte, saßen die Menschen in geöffneten Mänteln an den Tischen des Cafés und hielten ihre Gesichter der Sonne entgegen. Es sah, alles in allem, aus wie ein Ort, an dem es sich leben ließe.

Tatsächlich konnte H. auch in dieser Nacht gut schlafen. Vor dem Zubettgehen hatte er noch einmal seinen Vortrag geübt, ein letztes Mal, auch den kleinen Scherz am Anfang, wobei: nicht wirklich ein Scherz, eher eine launige Bemerkung, D. betreffend und, so hoffte er, als spontane Eingebung durchgehend, bevor dann auf Einleitung und Thesennennung die Argumentation folgte, und schließlich die Schlussfolgerung samt Pointe, sodass auch dem gelangweiltesten Zuhörer klar werden würde, dass es besser gewesen wäre zuzuhören.

Als er eine Viertelstunde vor dem Weckerklingeln erwachte, stellte sich nun doch eine leichte Aufregung ein, die ihn daran hinderte, das überraschend opulente Frühstücksbüfett des Hotels in angemessener Weise zu würdigen; tatsächlich trank er nur zwei Tassen schwarzen Kaffee und aß eine Scheibe Brot, bevor er sich, die Blätter seines Vortrags in der Aktentasche verstaut, auf den Weg Richtung Universität machte. Hätte er ein Taxi nehmen sollen? Vielleicht. Doch war es ihm zu verlockend erschienen, am Fluss entlang zur Universität zu laufen. Auf dem Stadtplan hatte er den Weg herausgesucht und festgestellt, dass er selbst bei großzügiger Schätzung nicht länger als zwanzig Minuten brauchen dürfte. Eine Stunde vor dem Termin erhob er sich vom Tisch und ging los.

Da lief er nun schmale Gassen und breitere Einkaufsstraßen entlang, durch kleine Unterführungen, über windschiefe Treppen, die ihn immer weiter zum Wasser hinabbrachten. Das Wasser selbst: grün und durch eine feste Strömung bewegt, vielleicht sogar mit dem einen oder anderen Boot bestückt. Vom Fluss hinauf in die Neustadt, wo die Banken und Geschäfte allmählich öffneten, die Angestellten in Anzug und Kostüm, dazwischen die ersten Studenten, Coffee-to-go in warmen Pappbechern in den Händen und den blau-weißen Straßenbahnen ausweichend, die sich mit lautem Klingeln und unverminderter Geschwindigkeit näherten. Mittendrin er: mit überwachen Sinnen, fast schwelgend, als wäre dieser Spaziergang durch den Frühlingsmorgen der letzte seiner Art, als wäre alles, was danach käme, in ein anderes Licht getaucht, gefärbt durch den Erfolg oder Misserfolg seines Vortrags, in jedem Falle aber anders.

Im Hauptgebäude der Universität, einem klassizistischen Bau mit lateinischer Inschrift über der breiten Flügeltür, lag links das Sekretariat und rechts die Mensa. An der Wand neben dem Sekretariat befand sich eine riesige Korkplatte, über und über mit Zetteln und Plakaten bestückt; einen Plan der Universität jedoch suchte H. vergeblich. Wo war das Germanistische Institut? Wo Raum 34 b, in dem in knapp dreißig Minuten (denn der Weg hatte doch länger gedauert: Fluglinie war eben nicht gleich Fußweg) sein Vortrag beginnen sollte? Im Sekretariat waren zwei von sechs Schaltern besetzt und davor hatten sich zwei Schlangen gebildet, von denen H. (natürlich) die kürzere wählte. Trotzdem wartete er zehn Minuten, bevor er an die Reihe kam.

Die Sekretärin, deren hellrotes Kraushaar in einem auf dem Oberkopf thronenden Dutt gebändigt war, sah ihn fast unwillig an. *Ganz woanders* befinde sich das Germanistische Institut, er müsse die Fedderstraße hinabgehen, dann links in die Leisnerstraße einbiegen, dort – muss es schnell gehen? Ja, muss es! –, dort dann also den Bus nehmen, Richtung Altstadt, vorbei am Rathaus, was, wie er realisierte, ziemlich genau da war, wo er gestartet war, dann linker Hand in Richtung Dom, und dann komme bald einmal die ehemalige Schokoladenfabrik, in der das Germanistische Institut seit zwei Jahren residiere.

Der Anruf beim Taxidienst, das Warten vor dem Hauptgebäude, die Fahrt im Taxi, ein Stau, der sich auf Höhe des Bahnhofs gebildet hatte (eine Ampel war ausgefallen und ein Polizist mit weißen Handschuhen regelte den Verkehr auf unnachahmlich elegante Weise), die mürrischen Kommentare des Fahrers, die im schönsten (und unverständlichsten) lokalen Idiom erfolgten, während die knappe Zeit verrann, zehn Minuten noch, acht, fünf. Als H. gezahlt hatte, war es elf Minuten nach zehn; um zehn hätte sein Vortrag beginnen sollen.

Tatsächlich roch es im modern ausgebauten Fabrikkomplex nach Schokolade – konnte das sein? –, und der Weg zu Raum 34 b führte vorbei an einer altertümlichen kupferfarbenen Schokoladenpresse, die in einer Art Glaskubus ausgestellt war. Um Viertel nach zehn öffnete er die Tür des Raums 34 b, das Gemurmel darin erstarb, und ein Mann, hoch und schlank wie eine Tanne, seine Hornbrille im gelockten grauen Haar, erhob sich und kam ihm mit zur Begrüßung ausgestreckter Hand entgegen. Es war der Dekan, und er bemühte sich um Schadensbegrenzung, entschuldigte sich sogar, man hätte vielleicht, nein, sicherlich H. darauf vorbereiten müssen, dass die Mediävistik in D. ein Außenposten sei, eine der wenigen geisteswissenschaftlichen Disziplinen, die sich, zumindest räumlich, auf die Industrie eingelassen habe, und nun, bitte, meine Damen und Herren, lassen Sie uns nicht länger säumen, wir erwarten mit Spannung den Vortrag unseres jungen Kollegen aus dem Norden zum Thema und so weiter und so fort. H. entschuldigte sich seinerseits. Räusperte sich. Ob er wohl ein Glas Wasser bekommen könne? Man füllte ihm ein Glas, stellte es auf das Stehpult. Er trat zum Pult, holte die Unterlagen aus seiner Tasche. Ab jetzt, so erzählte H. später, lag es alleine an ihm, aus dem unglücklichen Start eine Steilvorlage zu machen, mit Selbstironie und fachlicher Brillanz zu punkten, doch es wollte ihm einfach nicht gelingen: Er trug seine vorbereitete Rede im Unterton einer Kränkung vor, als verübelte er sich den schlechten Auftakt und gönnte sich selbst nicht das, worum er sich bewarb. Nach seinem Vortrag die obligatorischen Glückwünsche, die lobenden Floskeln, und doch und doch: Es blieb, so H., alles ohne rechte Herzlichkeit, es schien, als seien sie alle wohlmeinend, aber enttäuscht. Als der nächste Kandidat den Raum betrat, hatte H. sich soeben verabschiedet; sie trafen an der Tür zusammen, und H. schaffte es gerade noch, seinem Konkurrenten Glück zu wünschen, ohne dabei allzu verzweifelt zu klingen. Im Zug nach Hause saß er alleine in einem Sechserabteil und starrte bis zum Schluss aus dem Fenster, ohne dass er danach hätte sagen können, was er gesehen hatte.

Das war's also, sagt Henryk im abschließenden Ton und schiebt den Teller, von dem er ohnehin nur wenig gegessen hat, von sich. Wir bleiben hier.

Zum einen, sagt Susa, weißt du das erst, wenn du Bescheid bekommst. Und zum anderen: Es gibt doch noch andere Möglichkeiten.

Nicht viele, das weißt du ja.

Sie steht auf und räumt das Geschirr in die Spülmaschine. Soll ich dir ein Bad einlassen?

Ja, sagt Henryk, warum nicht. Im Notfall kann ich mich ja darin ertränken.

Aber heute nicht. Ich brauch dich morgen; ich habe abends eine Sitzung.

Okay, sagt Henryk. Dann warte ich noch damit. Er bleibt neben ihr stehen, zieht sie an den Schultern zu sich heran und lehnt seine Stirn an ihre.

So was kommt vor, flüstert sie. Nimm es doch nicht so schwer.

Du kennst mich doch, sagt Henryk. Wart's ab, in zwei, drei Tagen geht's mir schon wieder besser. Seine Stimme klingt falsch, doch sie nickt. Ich weiß, du kommst schnell darüber hinweg.

Als müssten sie nur aussprechen, was sie sich wünschen.

Sie wird nicht mit der Achterbahn fahren. Sie wird Leve auf dem Arm halten und geduldig ertragen, dass er ihr mit den Füßen in den Bauch tritt, weil er unbedingt zu seinen Schwestern will, die jetzt mit Henryk vom rotgeschindelten Kassenhäuschen zur Achterbahn gehen. Paula dreht sich um und winkt, die Haare mit einem Stirnband gebändigt, ein Stirnband, das eigentlich nicht mehr als das Seidenband ist, das um die Pralinenschachtel gebunden war, die Susa gestern an der Autobahnraststätte gekauft hatte. Schon möglich, dass Paula jetzt, wo sie in den kleinen Wagen klettert, ein wenig Angst bekommt. Henryk sitzt auf der hinteren Sitzbank und hat bestimmt (aber das kann Susa aus der Entfernung nicht sehen) jeder seiner Töchter eine Hand auf die Schulter gelegt – alles geht gut, habt keine Angst –, doch das sind, wenn man ganz ehrlich ist, leere Versprechungen, denn es liegt, wie beim Fliegen, nicht in seiner Macht: *eine* nachlässige Wartung, *ein* Mechaniker, der an diesem Tag unkonzentriert war, vielleicht in Gedanken, vielleicht auch nur abgelenkt vom Blick auf die Pracht des Tivoli – die schwarzen Pagodendächer des Chinesischen Turmes, die lampiongeschmückten Boote – oder einer Frau hinterherschauend, die ihn auf irritierende Weise an seine Mutter erinnert. Du weißt, dass du mit dieser Einstellung nicht mal S-Bahn fahren kannst, würde Henryk sagen. Willst du mir nun auch noch Angst vorm S-Bahnfahren machen?

Als Paula und Rena wieder zu ihr kommen, sehen sie mitgenommen aus, zwei Amazonen, die sich auf dem Schlachtfeld bewiesen haben, noch etwas blass um die Nase. Toll war das, meint Paula, und Rena nickt nur und legt sich eine Hand auf die Brust. Brrr, macht Henryk und schnappt sich Leve, den er hoch über seinen Kopf stemmt, wo er ihn im Kreis dreht, bis er jauchzt.

Im Boot sitzend, lässt Susa eine Hand durchs eisige Wasser streifen, während Leve beide Händchen auf die Ruder gelegt hat, um gemeinsam mit Henryk ihr Boot einmal um den Teich herumzutreiben. Die Mädchen sitzen in einem eigenen Boot, wo sie sich, mit Blick auf das neben ihnen gleitende Boot, in dem zwei Jungen sitzen, zueinander hinbeugen und flüstern und kichern.

Im Apartment in Østerbro hängen akkurat gezeichnete Vogelbilder an den Wänden, ein krummschnabeliger Sperber, eine elegante Schwalbe, ein Rotkehlchen, ein Kolibri und eine Nachtigall mit zwei Würmern im Schnabel und angstgeweiteten Augen. In der Küche ein Gasherd und eine Reihe milchig blauer Porzellandosen (alle leer), ein Kalender an der Wand mit einem Selbstporträt Modiglianis, das schmale Gesicht unter dem Hut nachdenklich in die Hand gestützt. Die Betten einheitlich mit karierter Bettwäsche bezogen, im Bad ein altertümlicher Spiegelschrank, in dem zwei leere Zahnputzbecher und eine Lavendelseife stehen, auf den Fensterbänken jedes Zimmers dicke Kerzen in hölzernen Kerzenständern. Die Schlüssel hatten unter der Fußmatte gelegen, ein Zettel dabei, Hjertelig velkommen, dazu einige Instruktionen auf Englisch.

Als die Kinder schlafen, schalten Henryk und Susa den Fernseher an und schauen einen dänischen Krimi, dann gehen sie früh ins Bett, müde von Museum, Vergnügungspark, Kutschfahrt und *Pandekagehuset*, in dem auf Henryks Pfannkuchen zur Feier des Tages eine Kerze brannte, die Leve vergeblich auszublasen versuchte.

Das Überraschende und Beruhigende ist, dass sich ihre anfängliche Lustlosigkeit ins Gegenteil wandelt, sie muss sich nur Henryks Händen und Mund überlassen (und ihrer Fantasie), muss sich (so sagt sie das aber nur zu sich selbst) einfach einen Ruck geben, vor allem jeden Gedanken an die Kinder beiseiteschieben. Sie ist fast versucht, Henryk zu preisen, als sie auseinanderfallen, erschöpft wie zwei Ringer. Danach ist sie wach, und Henryk schläft, fällt von der Herrschaft des Sympathikus unter die des Parasympathikus, machtlos gegen den plötzlichen Himmelssturz von Erregung, Puls und Blutdruck.

Sie steht auf. Eine heiße Milch, kein Honig da. Sie schaut aus dem Fenster der fremden Wohnung, hinunter auf die leere Straße und die dunkle Glasfront der gegenüberliegenden Stadtbibliothek. Ihr Gesicht spiegelt sich im Fenster, nur in ihrer Vorstellung ist sie noch immer dreißig.

Die Kinder liegen nebeneinander im riesigen Bett, das Henryk und Susa gegen die Wand geschoben haben, damit Leve nicht rausfällt, Paulas Kopf gegen Renas Schulter gelehnt, und Leve, der auf dem Rücken liegt und die Arme in völliger

Ergebenheit ausstreckt. Der Schlaf bringt die Kinder fort von ihr, bevor sie morgen wieder erwachen, sie festhalten mit ihren Forderungen, sie absichern wie die im Boden verankerten Seile eines Ballons, unmäßig in ihren Ansprüchen. Aber sie ist doch nur eine einzige Person! Noch dazu ist sie nicht heil, sie fühlt das in diesem Moment ganz deutlich. Sie ist zersplittert, wie kann sie all diese Stücke je wieder zusammensetzen? Und fehlt da nicht eines? Ist da nicht eine Leerstelle, die, wenn sie nur erst gefüllt wäre, das Bild vervollständigen würde – siehe da: *Das* war es also, was fehlte, und jetzt, wunderbar geordnet, liegt es vor ihr: Das bin ich.

Als ob es das je gäbe.

Als ob wir je vollständig wären.

Sie sagt sich: Es wäre kein Verrat, das fehlende Teil zu suchen. Vielleicht nicht suchen. Vielleicht einfach Entfernungen ab-schreiten, die damals überwunden wurden, nun in umgekehrter Richtung. Man kann nichts ersetzen. Man kann nur das Bild ver-vollständigen, die Analyse vorantreiben, ein vorläufiges Ergebnis erhalten. Mehr will sie ja gar nicht, sie ist kein Midas.

Eine Woche später ist Leve krank. Er lässt sich am Abend ins Bett legen, aber er schreckt kaum eine halbe Stunde später mit einem gellenden Schrei wieder auf.

Hörst du ihn nicht, Henryk?, ruft Susa aus dem Wohnzimmer, wo sie die Spielsachen einsammelt, geh du doch mal schauen!

Henryk schiebt mit einem leisen Fluchen seinen Schreibtisch-stuhl zurück und geht ins Kinderzimmer. Mit dem schreienden Baby auf dem Arm läuft er dort hin und her. Erst singt er leise, dann ist nur noch das Schreien von Leve zu hören. Susa geht zu ihm. Leve hat inzwischen einen hochroten Kopf bekommen, sein Schreien ist in ein Wimmern übergegangen.

Ich glaube, er hat Fieber, sagt Henryk. Fühl du mal. Leves Stirn glüht.

Ja, sagt Susa, scheint so. Weißt du, wo das Thermometer ist? Umschläge, denkt sie. Aber was für welche? Heiße, kalte, essigsaure Tonerde, was immer das ist? Vielleicht auf dem Wickeltisch, schlägt Henryk vor. Doch da ist kein Thermometer. Susa sucht in der Windeltasche, im Medizinschrank, in der Waschkommode. Als sie es schließlich in der Schreibtischschublade findet, hat Leve schon wieder begonnen zu schreien, lauter noch als zuvor, das Gesicht schmerzhaft verzogen, Kopf und Rumpf nach hinten gereckt, als wollte er sich aus Henryks Arm stemmen.

Leg ihn auf den Rücken, sagt Susa. Sch, macht sie, sch, alles gut, während sie vorsichtig die Temperatur misst, doch Leve schreit nur noch lauter, und Susa ist nun selbst den Tränen nahe, ganz ruhig, bittet sie und zieht die Nase hoch, und 39,8 zeigt das Thermometer an. Wir müssen ein Zäpfchen geben, stellt sie fest, und Henryk fängt an, die Zäpfchen zu suchen, während sie nun Leve herumträgt, ihm Liebesworte ins heiße Ohr flüstert, die er nur in den kurzen Pausen zwischen seinen Schreien überhaupt hören kann.

Sie haben keine Zäpfchen mehr. Henryk schaut im Internet, welche Apotheke geöffnet hat, dann steckt er sein Portemonnaie in die Hosentasche und rennt aus der Tür. Sie wartet endlose fünfundzwanzig Minuten, in denen sie Leve an sich drückt, auf ihren Unterarmen bettet, ihm vorsingt, in denen sie Stoßgebete murmelt, ihm in einem Fläschchen lauwarmes Wasser anbietet, das er von sich stößt, in denen sie wieder einmal feststellt, was für eine schlechte Mutter sie ist, eine, die nicht mal Medizin dahat. Dann kommt Henryk zurück. Hat schon die Packung geöffnet, hält ihr das Zäpfchen hin. Noch einmal muss sie Leve wehtun, dann trägt sie ihn weitere zwanzig Minuten herum, in denen aus dem schrillen Schreien ein Weinen und aus dem Weinen ein ruhiges Atmen wird. Schläft er?, fragt Susa und stellt sich vor Henryk hin, der schon wieder an seinem Computer sitzt, und Henryk wirft einen Blick auf das ihm zugewandte Gesicht von Leve und nickt. Ich glaube, du kannst ihn jetzt ablegen.

Sie legt Leve in ihr Bett. Legt sich daneben, schaut ihn an. Ab und zu zucken seine Arme, dann liegt er wieder so still, dass sie ihr Gesicht ganz nah an seines halten, auf seinen Atem lauschen muss.

Als er wieder wach wird, kommt es ihr so vor, als sei sie gerade erst eingeschlafen, doch das muss eine Täuschung sein: Die blauen Ziffern des Weckers zeigen ein Uhr achtzehn. Leves Schreie gellen durch ein vollkommen stilles Haus. Seine Stirn ist wieder so heiß wie am Abend. Susa rechnet, knapp vier Stunden sind vergangen, eigentlich, das weiß sie, müssen sechs Stunden zwischen den einzelnen Zäpfchengaben verstreichen. Sie will Leve auf sich legen. Als er kleiner war, beruhigte ihn das: sein Körper auf ihrem, vollkommenes Zutrauen zu dieser schwankenden Bettstatt. Doch diesmal windet er sich, und sie steht auf und beginnt wieder, ihn herumzutragen, während sie das Vergehen der Minuten beobachtet, wie immer andere blaue Striche aufleuchten und dadurch neue Zahlen entstehen. Um zwei Uhr siebenunddreißig gibt sie ihm ein neues Zäpfchen, um zwei Uhr fünfundfünfzig legt sie den schlafenden Leve ins Bett und sich daneben, um drei Uhr zwanzig ist sie immer noch wach. Sie steht auf, geht zur Toilette. Sie sieht sich im Spiegel an, ihre Augen sehen geschwollen aus, ihre Haut ist wie vor Kälte rot. Sie hat immer noch ihre Kleider an, nun zieht sie sich den Pullover und die Hose aus, sucht im dunklen Zimmer nach ihrem Schlafanzug, schlüpft zu Leve unter die Decke. Inzwischen ist es drei Uhr dreiundfünfzig. Als Leve um kurz nach sechs glucksende Geräusche von sich gibt, wacht sie aus tiefem Schlaf auf.

Seltsam ist das, sagt Henryk und betrachtet Leve ungläubig, der mit großen Schlucken seine Milch trinkt und sich den Haferbrei bereitwillig in den Mund löffeln lässt. Wie ein Vogeljunges reißt er seinen Mund auf, kaum, dass er geschluckt hat. Ist das die Wirkung der Zäpfchen?

Susa zuckt mit den Schultern. Die Müdigkeit liegt in ihr wie ein tiefer schwarzer See, in dem sie zu versinken droht. Sie nimmt einen Schluck Kaffee. Rechnet nach. Fünf Stunden. Kann sein, sagt sie, dass die noch wirken.

Wie machen wir es heute?, fragt Henryk.

Er hatte den Mädchen Frühstück gemacht, ihnen die Schulranzen bereitgestellt und mit ihnen nach vermissten Schuhen, Mützen, Busfahrkarten gesucht, dann hatte er ihnen vom Wohnzimmerfenster aus nachgewinkt, das alles mit Leve auf dem Arm, der, vom nächtlichen Spuk geheilt, immerzu lachte und brabbelte.

Ich kann heute nicht zu Hause bleiben, sagt er. Eine Vorlesung und ein Doktorandenkolloquium – tut mir leid.

Ich auch nicht, sagt Susa. Ich habe heute meinen und Wolfgangs Kurs.

Beim Gedanken daran breitet sich der See in ihr aus, sein schwarzes Wasser droht überzutreten und aus ihr rauszufließen, sie nimmt einen weiteren Schluck Kaffee. Es geht ihm ja gut, sagt sie, wobei sie ihre Feststellung wie eine Frage ausklingen lässt.

Ja, sagt Henryk, sieht so aus.

Auch seine Feststellung schafft es, wie eine Frage zu klingen.

Sie sehen sich an. Leve gibt ein Murren von sich und reißt den Mund noch weiter auf.

Ist schon unterwegs, lacht Henryk und schiebt einen neuen Löffel Brei in seinen Mund.

Und wenn was ist, sagt er abschließend, rufen die vom Kindergarten ja an.

Unruhe in den letzten Reihen. Natürlich, sie wieder. Das Rabenmädchen, wie Susa sie bei sich nennt. Ihren richtigen Namen kennt sie nicht. Sie kommt immer zehn Minuten zu spät, mindestens, heute – Susa schaut auf die Uhr – sind es sogar fünfzehn Minuten. Die Haare des Mädchens sind so schwarz, dass sie unmöglich echt sein können. Wenn sie sie einmal zurückstreift, geben sie ein schönes Gesicht frei, dunkle, schreckhaft große Augen. Bei jedem Wetter trägt sie einen schwarzen Satinmantel, der Susa immer an einen Morgenmantel erinnert. Sehr theatralisch das Ganze, auch das ständige Zuspätkommen. Wie sie sich, ohne aufzublicken, in die hinterste Reihe schiebt, ihre Tasche vor sich auf das Pult legt und erst einmal die Ellenbogen aufstützt, bevor sie einige Minuten später einen Block und einen Stift herausholt. Irgendwann wird Susa etwas sagen, sie nimmt es sich jedes Mal vor. Sie sucht die Stelle, an der sie unterbrochen wurde. Ah ja. Luftdruckverteilung. Windgürtel.

Tabelle zwei und drei, sagt sie und legt die entsprechenden Folien auf den Overhead-Projektor. Sie spricht über Monsune, über Niederschlag, den weltweiten Wasserhaushalt, über Wasservorrat und Wasserumsatz auf der Erde. Der Stift, mit dem sie auf die Begriffe zeigt, zittert leicht. Zu viel Kaffee, denkt sie. Weil man mit jeder weiteren Tasse den Effekt der ersten wiederherstellen möchte: diesen Energieschub, eine Aufhellung der Stimmung, die sich fast wie Glück anfühlt.

Das Mädchen in der letzten Reihe hat inzwischen einen Block vor sich liegen, aber sie schreibt nicht mit, sondern schaut unbewegt nach vorne. Zu Susa, nicht zum Bild der Tabelle an der Wand. Susa hat das Gefühl, von ihr taxiert zu werden. Wie alt mag sie sein? Achtzehn? Neunzehn? Älter nicht, denkt Susa. Sie hat sie noch nie mit jemandem sprechen sehen. Offenbar ist sie eine Einzelgängerin. Susa lässt den Blick über die anderen Studenten streifen. Sieht karierte Hemden, Haarreifen, dicke Wollpullover, Männerzöpfe, Nickelbrillen, Gore-Tex-Jacken über den Stuhllehnen. Tatsächlich passt das Mädchen nicht zu ihnen.

Der Wasservorrat der Erde, erklärt Susa, befindet sich in einem ständigen Kreislauf mit regional sehr unterschiedlichen Umlaufzeiten.

Sie spricht von den Wärme- und Luftbewegungen, die für den Wasserumlauf verantwortlich sind, verweist auf das Windsystem, die Luftdruckdifferenzen. Immer noch schreibt das Mädchen nicht mit. Sitzt nur da und starrt. Nun gut, denkt Susa, soll sie doch. Vielleicht ist sie ja eine der Unentschlossenen. Eine, die sich alle möglichen Studiengänge anschaut, um sich am Ende dann doch für etwas ganz anderes zu entscheiden. Germanistik, wahrscheinlich. Oder – der Originalität halber – Sinologie. Der starre Blick nach vorn kaschiert vielleicht nur, dass sie von dem, was Susa hier erzählt, nicht das Geringste versteht.

Niederschläge, erklärt Susa, spielen eine große Rolle im Wasserhaushalt der Meere, sie sind aber nur schwer zu erfassen. Wesentlich genauer berechenbar ist die Verdunstung, wenn man den Wärmeumsatz kennt.

Sie schreibt Lvovitchs Formel zur Berechnung des Mittelwerts an die Tafel. Legt eine neue Tabelle auf. Die Weltmeere, Verteilung der Differenz, Verdunstung (V) – Niederschlag (N) an der Erdoberfläche sowie die Hauptrichtungen der Wasserdampfverfrachtung in der Atmosphäre.

Achten Sie bitte, sagt Susa, auf die Pfeile. Können Sie sie erkennen?

Nicken in den ersten Reihen.

Susas Problem ist, dass ihre Daten nicht aktuell sind. Das Buch, dem sie das alles entnommen hat, hatte sie schon im ersten Semester, *Einführung in die Meeresbiologie*, 1988, überarbeitet 1995. Auf einen globalen Temperaturanstieg von 0,4 Grad Celsius zwischen 1900 und 1940 wird da hingewiesen, den man auf eine verstärkte Vulkanaktivität Ende des 20. Jahrhunderts zurückführt. Wenn sie an diesen Punkt kommt, braucht sie neuere Tabellen. Hat sie aber nicht. Irgendwann diese Woche muss sie sich die in der Bibliothek raussuchen. Fotokopien machen. Folien erstellen. Für den Overhead-Projektor. Das ist auch so eine Sache, willkommen in der Gegenwart! Dabei ist es nicht mal so, dass sie noch nie eine Powerpoint-Präsentation gemacht hätte. Hat sie natürlich schon. Aber Fakt ist auch, dass sie im Moment einfach keine Zeit dafür hat.

Das Mädchen in der letzten Reihe meldet sich. Susa braucht eine Weile, bis sie den erhobenen Arm bemerkt.

Ja, bitte?, fragt sie. Das hier ist eine Vorlesung, kein Seminar, denkt sie.

Sie haben vorhin die Lvovitch-Formel genannt, sagt das Mädchen. Sie hat eine überraschend tiefe Stimme, rau und einnehmend. Wäre die Penman-Formel da nicht genauer?

Nun ja, sagt Susa. Das kann sein. Ich muss gestehen, ich sehe die Penman-Formel gerade nicht vor mir …

Das Mädchen lacht, als hätte Susa einen Scherz gemacht. Das tu ich natürlich auch nicht, sagt sie. Ich erinnere mich einfach, dass Penman mehr Parameter berücksichtigt, wie zum Beispiel die Strahlungsbilanz oder die Psychrometerkonstante.

Ich müsste das, sagt Susa, wenn Sie Interesse daran haben, bis zum nächsten Mal nachschauen. Unbestritten ist jedoch – ein Blick auf die Uhr, noch zwei Minuten, sie merkt, dass ihre Stimme wieder fester wird –, dass die Verdunstungsmessung immer nur einen Schätzwert ergeben kann. Das gilt für Lvovitch wie für Penman und alle anderen Ansätze.

In diesem Sinne, schließt sie und sieht vom Mädchen zum gesamten Plenum, sehen wir uns nächste Woche hier wieder. Danke für Ihre Aufmerksamkeit.

Sie hat es geschafft. Ihr Puls normalisiert sich. Sie atmet tief ein. Packt ihre Unterlagen zusammen, schiebt den Projektor an seinen Platz an der Wand. Schlafen. Sie möchte sich zusammenrollen und schlafen. Stattdessen ist sie zum Essen verabredet. Malte will die anstehende Reise nach Kolumbien mit ihr besprechen. Offenbar haben seine Bemühungen Erfolg gehabt und er hat einen Reisezuschuss bekommen. Mehr weiß sie noch nicht, er verrät nichts, tut stattdessen so, als halte er eine Überraschung für sie bereit.

Auf dem Weg zur Mensa nimmt sie ihr Mobiltelefon aus der Tasche. Drei Anrufe. Drei Nachrichten. Schon bevor sie die Mailbox abhört, weiß sie, worum es geht. Die erste Nachricht ist von Wanda. Leve habe hohes Fieber bekommen, ganz plötzlich sei es ihm schlecht gegangen, wie aus dem Nichts. Wanda wird unterbrochen von lautem Schreien. Sie muss Leve auf dem Arm gehalten haben, während sie telefonierte. Leves Schreie nehmen den direkten Weg: durch Susas Ohr in ihr Herz, das sich zusammenzieht wie ein verschreckter Igel. Noch ein Anruf vom Kindergarten. Es sei wirklich dringend. Die dritte Nachricht ist von Henryk. Sie weiß, was er sagen wird, und tatsächlich sagt er es: Ich kann ihn jetzt unmöglich abholen, in fünf Minuten fängt meine Vorlesung an.

In der Mensa sitzt Malte schon am verabredeten Platz. Als sie an den Tisch kommt, schiebt er gerade einige Blätter und Prospekte zu einem Stapel zusammen. Hühnerfrikassee? Oder lieber vegetarisches Chili con Carne, was dann also ein Chili *sin* Carne wäre?, fragt er statt einer Begrüßung.

Ich kann leider nicht, sagt Susa. Ich muss zum Kindergarten. Leve geht's schlecht.

Oh je. Was Schlimmes?

Fieber. *Hohes* Fieber.

Okay, sagt Malte gedehnt und in fragendem Tonfall.

Ja. Susa widersteht dem Impuls, sich zu entschuldigen. Wir müssen ein anderes Mal über Kolumbien reden, sagt sie und geht schon los. Dann setzt sie doch noch hinzu: Tut mir leid.

Und was ist mit deinem Seminar?, fragt Malte.

Oh Mist, flucht Susa. Mein Seminar … Wenn du es nicht übernehmen kannst, muss es leider ausfallen. Kannst du einen Zettel an den Raum hängen, ginge das? Danke!

Sie wendet sich ab, um Maltes verständnisloses Gesicht nicht mehr sehen zu müssen. Winkt noch einmal kurz, ohne zu schauen, ob er zurückwinkt. Dann ruft sie den Kindergarten an.

Ich bin auf dem Weg, sagt sie. Ich müsste in einer halben Stunde da sein. Wie geht es ihm?

Im Moment schläft er, sagt Wanda.

Gut. Bis gleich.

Die S-Bahn fällt aus, stattdessen Ersatzverkehr. Susa folgt den anderen Fahrgästen, die Straße runter bis zum Botanischen Garten. Dort stehen bereits zwei Busse. Scheißdemonstranten, hört sie einen Mann hinter sich sagen. Eine jüngere Stimme sagt: Na, na. Aber es klingt nur wie die Parodie einer Ermahnung. Irgendjemand lacht.

Vor dem Nordeingang des Bahnhofs steht ein Pulk von Menschen. Manche tragen Transparente. Zwei Regenbogenflaggen, auf einer sind arabische Schriftzeichen zu sehen. Eine gelbe, sehr breite Stoffplane, auf der Susa die Worte *Rassismus* und *Hass* erkennen kann. Sie geht zum Eingang an der Westseite des Bahnhofs, geht am Burger King und einem Blumengeschäft vorbei, zu ihrer Linken die Gleise der Fernzüge, rechts die Markthalle. An der Rolltreppe zu den S-Bahnen hängt ein Schild, das auf die Ersatzhaltestellen verweist. *Hotel Adler/Hafenstraße* liest Susa. Sie liest es noch einmal. Bekommt kein Bild dazu in den Kopf. Sie sieht vor sich, wie sie aus dem Bahnhof rausgeht. Sich auf die Suche macht. Sie wird jemanden fragen müssen. Sie lebt seit mehr als zehn Jahren in dieser Stadt und kennt sich immer noch nicht aus. Sie wird zu spät kommen, sie ist jetzt schon zu spät. Der schwarze See in ihr breitet sich aus, tritt über die Ufer, sie wischt sich über die Augen, sie ist sogar zum Weinen zu müde. Als sie sich umdreht, fällt ihr Blick auf die blau-weiße Abfahrtstafel. Sie liest dreizehn Uhr sechzehn. Sie liest Gleis neun. Die Bahnhofsuhr zeigt zwölf nach eins.

Das Meer ist gefurcht, zerklüftet vom Wind, am weißen Rand wie ausgefranst. Das helle Grau des Himmels geht über in das dunklere des Wassers. Ein paar Möwen, wie ungeduldige Pinselstriche. Hinter dem fahlen Dünengras verläuft ein Weg, von einem Holzgeländer begrenzt. Am Wasser zwei Personen in Windjacken. Sie zieht den Wollmantel enger, sie hat vergessen, wie kalt es Ende April an der Küste noch ist. Der Wind reißt an ihren Haaren, ihre Ohren schmerzen. Sie bleibt stehen, unschlüssig. Sie will nichts entscheiden.

Vom Bahnhof aus war sie losgelaufen, weg von der Stadt, an die sie sich nur vage erinnerte. Spitzgiebelige Backsteinhäuser. Eine Hafenzeile mit Restaurants und Läden, Nippes für Touristen. Sie waren vor Jahren einmal hier gewesen, Paula noch so klein, dass sie die ganze Zeit an Susas Hand gehen wollte.

Sie lief eine Stunde. Kam an einem Hotel vorbei. *Glücklich am Meer.* Sie musste lachen. Was für ein Name. Was für ein Versprechen.

Im Zug hatte eine Frau ihr gegenüber Platz genommen. Sie hatte wie Susa aus dem Fenster gesehen. Manchmal hatten sich ihre Blicke im Fenster gekreuzt, dann schauten beide weg. Als der Schaffner kam, sagte sie ihm, dass sie keine Fahrkarte habe. Sie fragte: Wohin fährt der Zug?, und er schaute sie ungläubig an, bevor er den Namen der Küstenstadt nannte. Gut, sagte Susa, dann einmal dorthin. Sie steckte das Geld wieder ein, die Fahrkarte dazu. Als sie aufschaute, merkte sie, dass die Frau sie ansah. Sie schloss die Augen.

Im Sand ist die Flutlinie deutlich zu sehen, sie geht der Linie entlang, mit dem einen Fuß im trockenen, mit dem anderen im feuchten Sand. Ein Hund kommt ihr entgegen, nass, grau, ein Ohr aufgestellt, als lausche er. Sie streckt die Hand nach ihm aus, und er schnuppert kurz daran, dann drängt er seinen struppigen Körper an ihre Beine, sieht sie von unten herauf mit Bernsteinaugen an, bevor er sich plötzlich unter ihrer Hand wegduckt und weiterläuft. Sie sieht ihm hinterher, geht ein paar Schritte in seine Richtung. Er scheint herrenlos zu sein. Sie denkt an Leve. Sie denkt an Paula und Rena, die inzwischen zu Hause sein müssen. An Henryk denkt sie, sie weiß, wie er aussieht, wenn er wütend ist, wie er ihren Blick meidet, die Zähne zusammenbeißt, um nichts Unbedachtes zu sagen, während ihre Vorwürfe auf ihn niedergehen; sie weiß, dass sie nur scheinbar an ihm abperlen. Stunden später, Tage, setzen sie ihm immer noch zu, während sie den Streit schon lange vergessen hat.

Sie verlässt den Strand, geht durch die Dünen zurück zur Straße, im Hotel brennen jetzt Lichter. *Glücklich am Meer.* Erst jetzt sieht sie die Skulptur neben dem Eingang. Eine Figur aus glänzend lackiertem Pappmaché: eine dicke blasse Frau in rotem Badeanzug, bereit zum Kopfsprung. Die Dämmerung hat eingesetzt, ein frühes Halbdunkel, das die hohen Bäume zu beiden Seiten der Straße schwarz färbt. An einem der Stämme ein Kreuz, mit einem Nagel in das Holz gehauen. Ein Name daran, die Fotografie eines Jungen, er konnte noch nicht lange den Führerschein gehabt haben. Oder vielleicht war er auch nur der Beifahrer gewesen, grundlos euphorisch.

Als sie am Bahnhof ankommt, hat sie Hunger. Sie hat seit dem Morgen nichts gegessen. Die Brezel ist noch warm, der Geruch hatte sie angelockt. Sie steht vor dem gelben Zugplan, sie fährt die Liste mit dem Finger herab, geht zum Gleis.

In der Zugtoilette betrachtet sie sich im Spiegel. Die schmale Nase, der lange Hals, die dunklen Augen. Cosmos Augen. Violas Augen. Sie sieht zum ersten Mal eine Ähnlichkeit.

Das Wasser fließt spärlich aus dem Wasserhahn, sie taucht ihr Gesicht in die Schale ihrer Hände, nimmt einen Schluck, es schmeckt metallisch. Irgendwo neben den Gleisen klingelt seit Stunden ihr Mobiltelefon.

Sie schließt die Tür auf, tritt in den Flur.

Henryk kommt aus dem Wohnzimmer. Sie hebt die Hand. Grüßend. Abwehrend.

Schlafen die Kinder?

Er antwortet nicht. Sieht sie nur feindselig an.

Wie geht es Leve?

Wo um alles in der Welt warst du?

Lass mich nur kurz nach ihm schauen, sagt sie. Sie geht in das Kinderzimmer. Zieht Paulas Decke hoch. Streicht Rena über die Schulter. Leves Bett ist leer.

Sie geht in ihr Schlafzimmer. Leve liegt auf dem Bett, das Gesicht zu der Seite gedreht, auf der sie immer schläft. Er fühlt sich immer noch heiß an, aber sein Atem geht ruhig. Sie beugt sich über ihn, küsst seine Wange, seinen Hals. Er bewegt sich, murmelt Unverständliches, gleitet zurück in den Schlaf.

Sie wird Henryk alles erzählen.

Sie wird sagen: So war das. Ich kann nicht mehr.

Sie wird sagen: Es gibt da etwas, das ich machen muss.

FINDEN

Als das Anschnallzeichen aufleuchtet und Henryk das Tischchen hochklappt, auf dem bis eben noch ein Becher stand, und der Captain sagt, wir haben den Landeanflug bereits begonnen, denke ich: Danke. Danke, danke, danke. Auch wenn es eigentlich zu früh dafür ist, denn noch muss das Flugzeug aufsetzen und zum Stehen kommen, ohne Zusammenstoß und Explosion. Im Bus, der uns zum Terminal bringt, sind die anderen Menschen wieder Fremde, keine Schicksalsgemeinschaft mehr, wie es leicht hätte passieren können: ein Haarriss hätte gereicht, eine Schraube, die nicht angezogen wurde, ein Vogelschwarm.

Siebzehn Stockwerke hoch liegt das Zimmer. Die Stadt wäre der richtige Ort, um jemanden zu verlieren. Wir könnten eben noch nebeneinanderstehen, vielleicht genau vor dem Imbisswagen da unten. Wir könnten eben noch gleichzeitig in den Hotdog beißen, und im nächsten Moment würde einer von uns verschwinden, mitgerissen vom Strom der Passanten, untergetaucht in der Menschenflut, die sich durch die Straßen ergießt, so was passiert, sage ich, hundertmal, tausendfach.

Wem?, fragt Henryk.

Weiß nicht. Den anderen, nehme ich an. Immer den anderen.

Es ist jetzt zehn Uhr, sagt Henryk, zu Hause also vier. Lass uns anrufen, ich will wissen, wie es allen geht.

Den Mädchen bestimmt gut, aber Leve macht mir ein bisschen Sorgen. Er ist so ... umtriebig.

Henryk lacht leise. Umtriebig, wiederholt er, ja, das bestimmt.

Er tippt schon die Nummer ein, lauscht, nach dem wievielten Klingeln ist klar, dass niemand antworten wird? Nach dem achten, beschließe ich. Henryk legt nach dem zehnten auf.

Sie werden draußen sein. Auf dem Spielplatz.

Wie spannend für Rena.

Na, die wird wohl bei Lasse sein. Oder bei einer Freundin.

Oder auf dem Schulhof, Skateboard fahren und Zigaretten rauchen.

Meinst du?

Auf jeden Fall war es das, was *ich* mit dreizehn gemacht habe. Manchmal drehten wir uns Zigaretten aus Papier und Blättern. Ein Wunder, dass wir nicht an Rauchvergiftung gestorben sind.

Rena nicht, sagt Henryk. Er schaut mich streng an.

Schon gut, sage ich, lass uns losgehen, ja?

Wir lassen uns durch Manhattan treiben, gehen an den Schaufenstern entlang, betrachten Kleider, Porzellan, die Auslagen der Bäckereien und Deli-Shops, tollpatschige Welpen in einem Zoogeschäft, daneben Hundeleinen mit Strass und Federn, drapiert wie Schmuck. Ein Mann ohne Beine kommt uns entgegen, macht lange Schritte auf zwei Krücken, schwungvoll und artistisch. Manchmal gehen wir in eines der größeren Geschäfte hinein, die Sicherheitsmänner am Eingang nicken uns zu. Ich berühre Kleider, Teller, Bücher, Schuhe, während Henryk neben mir steht, dann und wann einen Gegenstand in die Hand nimmt, ihn kurz begutachtet, bevor er ihn vorsichtig wieder abstellt.

Zum Abendessen Pizza und Lasagne, Wein dazu. Der Kellner ist kahlköpfig, sein Kopf schön geformt und mit einem Haarschatten darauf, der ihm das Absichtliche, allzu Virile nimmt, er ist vielleicht fünfzig Jahre alt, höchstens fünfundfünfzig. Zu jung. Werde ich mir hier jeden Mann daraufhin anschauen, ob er jener Benjamin sein könnte, der vor vierzig Jahren in München war? Er blieb eine Woche oder zehn Tage, hatte Viola gesagt. Ich glaube, wir kamen in dieser Zeit nie aus dem Bett heraus. Während sie sprach, strich sie den Stoff ihres Hemdes glatt, ein weites, leuchtend pinkes Seidenhemd, das sie aus Indien mitgebracht hatte, der Lippenstift im exakt gleichen Farbton. Was wir haben: einen Namen, eine Zeit. Es muss Mai gewesen sein, Frühling in München vor vierzig Jahren. Eine Adresse. Ich weiß, dass er lange Haare hatte und dass er Gitarrist in einer Band war, die irgendwo in der Stadt aufgetreten war. Ich weiß, dass sie danach alle etwas trinken gingen, in eine Bar, *The Piperman*, und ich weiß, dass seine Freundin dabei war, wütend und fassungslos im Hintergrund. Sie hätten sich, sagte Viola, schlecht gefühlt, aber nicht sehr. Als er abreiste, sagte sie: You were God to me. Das war er wirklich, sagte sie, genau so fühlte sich das an.

Wir gehen zurück ins Hotel, meine Hand in der von Henryk, manchmal mein Kopf an seiner Schulter, der Wein, die Müdigkeit, eigentlich, sage ich, ist es jetzt fast Morgen, du wirst mich ausziehen und hinlegen müssen. Ja, sagt Henryk, in Ordnung; er macht dazu ein Gesicht, das spöttisch ist und liebevoll, und einen Moment lang weiß ich genau, warum ich ihn liebe.

Am dritten Tag mieten wir ein Auto und fahren in Richtung Osten aus der Stadt hinaus. Der Bell Parkway geht über in den Long Island Parkway. Tankstellen, flache weitläufige Einkaufszentren, Restaurants, Möbelläden. Ein Diner ist über und über mit Metallplättchen verkleidet, er funkelt in der Sonne wie ein

Silberkarpfen. Das Dach eines Restaurants ist wie ein Huhn geformt. Riesige Werbetafeln. *Are you insecured?*

In den Ortschaften viktorianische Häuser neben baufälligen Holzvillen, unter grünen Markisen Geschäfte. Einmal ein imposantes weißes Gebäude mit Kuppeldach, offenbar ein Rathaus. An dem hoch aufragenden Tannenbaum, der in einem Rondell steht, hängt eine Lichterkette. In einem Park eine Gruppe von blau gekleideten Spielern, die lange Schläger mit kleinen Netzen an der Spitze in den Händen halten. Sie rennen über die Wiese, die Netze vor sich, als gelte es, eine Horde Schmetterlinge einzufangen. New York scheint weit entfernt.

Am Ortseingang ein Schild: *Welcome to Manhasset.* Wir parken in der Hauptstraße. Ein Geschäft reiht sich ans nächste, Antiquitäten, Makler, eine französische Bäckerei. Vor der Feuerwache steht ein altmodisches Löschfahrzeug. Henryk bleibt stehen und inspiziert das Gefährt, das an ein gigantisches Spielzeug erinnert. Für einen Moment kann ich mir vorstellen, wie er als Junge ausgesehen hat. Wie er Matchboxautos vor sich hinstellte und sie nach Farbe oder Bauart sortierte. Heute Nacht solltest du unbedingt mit mir schlafen, sage ich, als wir weitergehen, und Henryk sagt sehr ernst: Unbedingt.

Wir setzen uns ans Fenster eines Diners, in das blendende Sonnenlicht, das die Glasscheibe wie von Dunst beschlagen aussehen lässt. Aus kleinen Boxen in den Zimmerecken kommt Hip-hop. Die Menükarten sind groß wie Zeitungen. Hinter jedem Gericht stehen die Kalorien, die es bereithält.

Also, sage ich, nachdem wir unsere Hamburger gegessen haben.

Also was?

Wie gehen wir weiter vor?

Was ich mich die ganze Zeit frage ..., Henryk stockt und fängt neu an: Ich meine, wir haben nie darüber diskutiert. Du hast gesagt, du willst nach deinem biologischen Vater suchen, ich fand das eine gute Idee. Oder zumindest eine verständliche. Aber was ist eigentlich, wenn wir ihn nicht finden?

Zwei Männer und zwei Frauen betreten das Lokal, zwei Pärchen mittleren Alters, die am kleinen Pult in der Nähe des Eingangs stehen bleiben und darauf warten, von der Kellnerin einen Tisch zugewiesen zu bekommen. Vier Menschen, bei denen man sofort weiß, wer zu wem gehört. Weil die Partner einander ähnlich geworden sind über die Jahre, ähnlich dick oder dünn, ähnlich sportlich, ähnlich ergraut und in ähnlichen wetterfesten Anoraks. Kein Partnerlook, aber fast. Oder vielleicht waren sie sich von Anfang an ähnlich. Haben im anderen das Gleiche gesucht, im Fremden das Vertraute. Ich mustere kurz Henryks Gesicht, das so viel größer ist als meines, die hellen Augen, die Brauen, die wie auf einer Erhebung liegen und ihm etwas Brutales verleihen, dem der untere Teil seines Gesichts sofort widerspricht, der weiche Mund, die Grübchen, die beim Lachen in seinen Wangen entstehen und die ich trotz seines Bartes sehen kann. Ich könnte ihn bitten zu lachen, nur um dann meine Finger in seine Grübchen zu legen, auf jeder Seite einen.

Ich glaube, sage ich, ich käme damit zurecht. Es geht vielleicht weniger ums Finden als ums Suchen. Vielleicht geht's sogar nur darum, die Neugierde zuzulassen.

Dass es noch um etwas anderes geht, erwähne ich nicht. Solange ich es nicht ausspreche, ist es nicht wahr. Ich bin nicht wie Viola. Bin ich doch nicht, oder? Und doch. Noch als ich im Zug von der Küste nach Hause saß, wusste ich nicht, ob ich zurückkehren würde.

Außerdem, sage ich, hat er auch ein Recht, von mir zu erfahren. Irgendwie sollte man die Sache zum Abschluss bringen.

Du klingst immer, als ginge es dir hier um eine höhere Ordnung.

Keine höhere, sage ich. Keine größere. Zumindest nicht größer als mein Leben. Aber es stimmt schon: Ich möchte die Klammer, die sich bei meiner Geburt öffnete, schließen.

Eine syntaktische Ordnung also.

Genau das.

Ich lache, aber Henryk lacht nicht mit. Er greift über den Tisch, fasst nach meiner Hand, lässt sie wieder los und streicht mit einem Finger über meinen Handrücken.

Habe ich dich in deiner Trauer eigentlich zu wenig unterstützt?

Ich weiß nicht, sage ich, vielleicht. Mir schien es manchmal, dass du sie gar nicht mitbekommen hast.

Und mir schien es, ich *sollte* sie nicht mitbekommen, sagt Henryk.

Ich schüttele den Kopf. Die Kellnerin ist ein verwischter Schemen im Hintergrund, der Glaskrug in ihrer Hand ein Funkeln, die Musik hat von Hip-Hop zu Folk gewechselt.

Nein, sage ich, so war es nicht. Aber vielleicht muss das so sein. Vielleicht ist Trauer einfach der große Vereinzeler.

Mag sein.

Er nimmt seine Hand von meiner, und wir treiben auseinander wie Wellen, die kurz aufeinandertrafen, ihre Fluten miteinander mischten. Gut möglich, dass das noch einmal passiert und immer wieder: dass wir zueinanderfinden. Das ist nicht viel, denke ich, aber das ist doch etwas.

Zwei- und dreistöckige Villen – die meisten aus Holz, aber manche auch aus Backstein – in weitläufigen Gärten, deren Rasenflächen bis an den von Wurzeln aufgebrochenen Bürgersteig heranreichen, ohne Zäune und Mauern, dafür mit himmelstürmenden Bäumen. Der Großteil der Häuser scheint aus der Zeit der Jahrhundertwende zu stammen. Aufwendig geschnitzte Giebel und zierliche Türmchen, auf den Veranden Korbstühle neben bunten Pflanzenkübeln, an den Türen Blumenkränze. Auf den Stufen vor einem hellgrauen Holzhaus liegt ein großer blonder Hund und hebt schläfrig den Kopf, als wir vorbeigehen. Jetzt, am späten Nachmittag, laufen in vielen Gärten die Rasensprenger. Zwei Teenager, schlaksige Jungen, die ihre Schultaschen über den Schultern tragen, nicken uns zu, und wir grüßen zurück. Das Gefühl, eines dieser Häuser besitzen, es pflegen zu wollen wie einen empfindlichen, für jede Krankheit anfälligen Freund. Hierbleiben zu wollen.

Wenn es das gäbe – das plötzliche Angebot von Heimat in der Fremde –, würde es so aussehen, für mich jedenfalls, kannst du das verstehen?

Vielleicht weil man das schon so oft in Filmen gesehen hat, sagt Henryk. Als den typischen amerikanischen Vorort, die heile Welt.

Aber mir gefällt's wirklich, sage ich.

Das Haus Nummer 45 ist gelb mit weißen Zierelementen, rechts und links der Haustür je eine Holzsäule, so schmal, dass man sie fast übersehen kann. Die Haustür rot und glänzend und offenbar eigenhändig angestrichen, worauf einige Farbnasen hinweisen und der an manchen Stellen deutlich zu erkennende Pinselstrich. Über der Klingel, die nicht mehr als ein kleiner Metallknopf ist, ein Namensschild, *Satran*, kein Vorname dazu, in der Ecke der Veranda ein doppelt gesichertes Rennrad, rot glänzend wie die Tür. Hier also hat er im Kinderzimmer gesessen und einen

Brief nach Deutschland geschrieben, während seine Mutter in der Küche Reibekuchen briet, das Lieblingsessen ihres Sohnes, der gerade dabei war, Vater zu werden, was weder sie noch er erfahren sollten; für sie, stelle ich mir vor, war er ohnehin noch weit entfernt von allem, was zu einer Vaterschaft führen könnte – klingelst du oder ich? – ich –, und ich drücke schon die Klingel, und dann noch einmal, kein drittes Mal, denn wenn nach zweimal nicht geöffnet wird, soll's nicht sein.

Lass uns später noch mal vorbeikommen, gegen Abend.

Okay. Ich will nur kurz einen Blick in den Garten werfen, kommst du mit?

Definitiv nicht.

Ich sehe Henryk hinterher, wie er links vom Haus zwischen den Rhododendronbüschen verschwindet, sicheren Schrittes und gerade so, als wüsste er, was ihn im Garten erwartet. Als er nach fünf Minuten nicht zurückkommt, gehe ich zu den Büschen. Dort bleibe ich in Deckung, während ich lausche. Ich höre Henryks Stimme und die einer Frau, nein, zwei Frauen sprechen da, hell und irgendwie zwitschernd die eine, tiefer die andere, dann kommen Schritte näher, und zwischen den rosa- und lilafarbenen Blüten erscheint Henryk, der grinst, als er mich so nah stehen sieht.

Komm mit, ich stell dir Theresa und Ellen vor, sie wohnen hier.

Er fasst nach meiner Hand und zieht mich mit sich.

Theresa, etwa sechzehnjährig, lächelt schon von weitem. Sie trägt einen Bikini, ihre halblangen Haare sind über der Stirn zu einer kleinen Rolle gedreht. Ihre Mutter Ellen ist kaum älter als ich. So nice to meet you! Sie streckt mir die Hand entgegen. Henryk told us who you are looking for. Benjamin Rochlitz selbst kenne sie nicht, aber sie habe seinen Namen im Grundbuch des Hauses gelesen. Er war der Vorvor-, no, let me think, Vorvorvorbesitzer dieses Hauses gewesen. Soll ich mal nachschauen? Sie ist schon auf dem Weg ins Haus. Im hinteren Teil des Gartens ein Swimmingpool, eine honigfarbene Katze liegt auf der Steinumrandung und sonnt sich. Theresa ruft den Namen der Katze, und die erhebt sich, streckt zitternd erst das eine, dann das andere Vorderbein von sich und stolziert mit hochgerecktem Schwanz auf uns zu. Ellen kommt aus der Terrassentür, einen Ordner unterm Arm. Hier, sie zeigt auf ein Dokument, hellgelbe dünne Blätter, deren Ecken zerknittert sind, *Cadastre*, steht in Frakturschrift auf der ersten Seite, auf der zweiten die Geschichte des Hauses, das – 1922 erbaut – von Dorothy und Morris Parker in die Hände von deren Tochter Eileen überging, die es 1955 an Fred Carmichael verkaufte, der es wiederum an Masha und Ezra Rochlitz verkaufte, welche es 1989 ihrem Sohn Benjamin vermachten, der es vier Jahre behielt und dann weiterverkaufte, diesmal – verglichen mit dem Preis, den das Haus 1955 erzielte – mit beträchtlichem Gewinn. Natürlich steht nicht im Grundbuch, wohin Benjamin Rochlitz umzog, und auch Ellen weiß nichts darüber, no, sorry, I never met him, sie schließt den Ordner und lässt den Blick durch den Garten schweifen.

Wir können wählen zwischen einem roten und einem gelben Zimmer, das *Roselyn Inn* hat nicht nur diese zwei Farben in seiner Palette, sondern auch noch ein helles Blau, Apricot, Avocado, ein beruhigendes Braun, ein edles Grau, auch ein weißes Zimmer gibt es, aber heute sind alle ausgebucht bis auf das gelbe und rote. Rot, sage ich, gelb, sagt Henryk. Das rote hat ein Kingsize-Bett, das gelbe nur ein Queensize. Okay, sagt Henryk, das ist ein Argument.

Das Bad, geräumig, mit Dusche und Badewanne, aber ohne Fenster.

Musst du denn so lange duschen? Es ist alles beschlagen.

Ja, muss ich, stell dir vor.

Erst Sex, dann Fernsehen, das ist auch wieder so eine Sache.

Kannst du den nicht mal ausmachen?

Das ist doch das Beste im Hotel: vom Bett aus fernsehen.

Aber nicht um halb zwölf.

Wann denn dann?

Vorher halt irgendwann. Meinetwegen beim Abendessen.

Apropos … Hast du nicht auch Hunger?

Weiß nicht. Bin zu müde dazu.

Henryk springt auf und geht zur Minibar. Nüsse, Schokolade, Ginger Ale, wär das was?

Ich will schlafen, habe ich das nicht gesagt?

Schon gut. Henryks Stimme ist versöhnlich, er stellt den Ton leise. Ich ess nur noch rasch, dann mach ich den Fernseher aus, okay?

Am nächsten Morgen ist meine Laune wieder besser, der Himmel in der Farbe verwaschener Jeans.

So, sagt Henryk beim Frühstück und holt ein Blatt aus seiner Jacketttasche. Ich war gestern Nacht noch mal am Computer, ein bisschen recherchieren. Er schiebt mir das Blatt hinüber, und ich nehme es, ohne es auseinanderzufalten. Hätten wir natürlich auch schon in Deutschland machen können, aber du wolltest das alles ja nicht so programmatisch angehen.

Ein ironisches Lächeln kräuselt seine Oberlippe.

Was ist das?, frage ich.

Schau's halt an. Als ich immer noch zögere, setzt er hinzu: Es sei denn, du willst gar nicht wissen, wo du Rochlitz finden kannst. In diesem Fall …

Ich falte das Blatt auseinander. Am oberen Rand des Blattes steht in kleiner Schrift www.usa-people-search.com, darunter ist eine Tabelle zu sehen.

Name	Age	Adresses
Rochlitz,Binyamin T	62	45 Myrtle Avenue, Manhasset, NY
		5546 Snow Way, Saint Cloud, FL
		675 2nd St. Ponchatoula, [LA]
		989 Chestnut Road, Bainbridge Is., [WA]

Birthday	Telephone	Possible Relatives
12/15/1953	(333) 555-2343	Elias Rochlitz (age: 31)
		Rachel Rochlitz (age: 26)

Binyamin?, frage ich.

Die jüdische Schreibweise. Darum hast du vielleicht auch so wenig über ihn gefunden im Netz.

Und Bainbridge Island? Weißt du denn, wo das liegt?

In der Nähe von Seattle. Eine Fähre verbindet die Stadt mit der Insel.

Ich falte das Blatt zusammen und schiebe es zu Henryk hin.

Was ist?, fragt er. Freust du dich nicht?

Ich weiß nicht, sage ich. Ich glaube, ich will's auch jetzt noch nicht so programmatisch angehen.

Wie du meinst. Henryk zuckt mit den Schultern, aber seinem Gesicht ist die Enttäuschung anzusehen.

Bist du denn sicher, dass er das ist?, frage ich.

Henryk pickt ein paar Krümel von seinem Teller auf, steckt sie sich in den Mund, sieht mich wieder an. Doch, sagt er schließlich geduldig. Scheint mir schon sehr wahrscheinlich.

Wir schweigen beide einen Moment.

Dann sagt er: Wie wär das? Ich ruf ihn mal an, und dann schauen wir weiter.

Okay, sage ich. Einverstanden.

Ich fahre mit meiner Hand zur Mitte des Tisches, öffne sie, und Henryk legt seine Hand hinein.

Danke, sage ich, und er nickt.

Die Sonne steht hoch über Bainbridge Island, schroffe Berge im Hintergrund, davor waldige Hügel, auf einer roten Leuchtboje sonnen sich zwei Seehunde, glänzend und dick. In der Hauptstraße Fachwerkhäuser, eng aneinandergereiht, deutsche, kanadische, amerikanische und österreichische Flaggen vor einem Restaurant.

Nach dem zu schließen, was Henryk erzählt hat, ist das Telefonat mit Benjamin oder Binyamin Rochlitz angenehm, um nicht zu sagen freundschaftlich gewesen, wie das hier anscheinend gehen kann – diese spontane Verbundenheit, die dazu einlädt, Gemeinsamkeiten zu entdecken. Henryk hatte sich mit seinem Namen vorgestellt und den Grund seines Anrufs genannt, der zwar nicht der wahre war, aber in Korrespondenz dazu stand: dass er, Henryk, nämlich im Namen seiner Frau Susanna Berner anriefe, die derzeit ihre Familiengeschichte zurückverfolge und dabei auf ihn, Benjamin Rochlitz, gestoßen sei, wenn er denn der sei, den sie suchten. Ob er aus Manhasset, New York, stamme? Myrtle Avenue? Die Eltern aus Polen geflohen, noch vor dem Krieg? Auf die Reise nach München kam Rochlitz später selbst zu sprechen, nachdem er seinerseits Henryk ein paar Fragen gestellt hatte. Wo er, Henryk, herkomme? The very northern part of Germany, hörte ich Henryk antworten, but Susanna comes from Munich, originally. Hier schwieg er. Munich, sagte Rochlitz, I've been there once, und zwar in den Siebzigern, eine schöne Stadt. Und da, sagte Henryk später zu mir, bestand dann gar kein Zweifel mehr, das wären schon etwas arg viele Zufälle, findest du nicht? Doch, sagte ich, finde ich auch. Bis dahin, fuhr Henryk fort, sei das Telefongespräch vollkommen ungestört verlaufen, aber gerade, als er fragte, ob ein Besuch bei Rochlitz möglich wäre – wir sind gerade in den Staaten und würden Sie sehr gerne treffen –, erklang Hundegebell im Hintergrund, und eine Frauenstimme war zu hören, die nach dem Hund (den Hunden?) rief, Rochlitz entschuldigte sich kurz, und als er wieder ans Telefon kam, musste Henryk seine Frage wiederholen. Is there a possibility to meet you? Sicher, antwortete Rochlitz. Ob allerdings das, was er uns von der Familiengeschichte erzählen könne, interessant für uns sei, wisse er nicht. Aber er habe Fotos seiner Eltern und Großeltern, auch einige wenige seiner Urgroßeltern, Großtanten und -onkel, die im Krieg gestorben seien, ermordet, wie die Mehrzahl seiner Verwandten, sie alle in den Lagern erschossen, vergast oder an Typhus gestorben. Nur zwei Cousinen seines Vaters hätten überlebt, Magda und Valeska, ob Susanna die Tochter von einer der beiden sei? Nein, sagte Henryk, sie entstamme einem weiter entfernten Zweig der Familie, ein Cousin des Großvaters... Ach so, sagte Rochlitz, da gab es gar keinen Kontakt. But you're welcome, of course, if you don't mind the long trip. Nein, sagte Henryk, ganz und gar nicht, we're looking forward und so weiter.

Friday this week?

Friday.

Und da sind wir nun, Freitagmittag, jeder von uns mit einem Hamburger in der Hand, auf einer Bank im Park neben der Hauptstraße von Bainbridge Island City, und beobachten ein Kind und einen Hund, die sich ein Sandwich teilen, einen Bissen für das Kind, einen für den Hund, ein langhaariger Yorkshire Terrier, dessen kleine Schnauze gierig Stücke aus dem Brot reißt, bis der Vater des Kindes von seinem Handy aufschaut, dem Kind (das schrill aufschreit) das Brot aus der Hand nimmt und es zum nächsten Papierkorb trägt, während der kleine Hund ihn mit aufgeregten, hoffnungsvollen Hüpfern begleitet.

Am Abend zuvor hatten wir zu Hause angerufen und mit den Kindern gesprochen, mit Rena, die von einer Matheklausur berichtete; mit Paula, die gerade dabei war, mit Fingerfarben ein Transparent zu malen, und der Karin darum das Telefon ans Ohr halten musste, ein Transparent, mit dem sie, wie sie erzählte, gegen die geplante Schließung der Schwimmhalle demonstrieren wolle, Oma Karin und Oma Lisa würden mit ihr demonstrieren gehen und Rena auch, wenn sie Zeit habe, aber das sei ungewiss, da sie ja ständig bei Lasse sei … Dies war der Moment, in dem Karin ans Telefon kam, alles wunderbar hier, versicherte sie, auch Leve gehe es gut – na ja, zumindest solange es Nudeln gibt –, sie lachte, und im Hintergrund rief meine Mutter, dass sie auch ans Telefon kommen werde, einen Moment noch!, dann war ihre Stimme zu hören, die etwas gehetzt klang, und Leves Rufe, Auto Auto Auto, sag: Hallo, Leve, und Leve sagte hallo, und dann rief er wieder Auto Auto Auto.

Kurz vor halb drei, sagt Henryk. Bist du aufgeregt?

Ja, sage ich, ziemlich. Aber ich male mir einfach alles ganz furchtbar aus, und dann finde ich es bestimmt vergleichsweise gut.

Vielleicht ist es dann nur auf eine andere Art furchtbar, gibt Henryk zu bedenken, und ich sage, danke, das hilft jetzt ungemein.

Wird schon, sagt Henryk versöhnlich.

Im Auto vor dem Haus aus braunen Ziegelsteinen, dessen über die ganze Hausbreite reichendes Vordach von sechs Säulen gestützt wird, davor ein Beet mit üppigen Blumenstauden und ein Rasen, so grün, dass er unecht wirkt, wiederholt er es noch einmal. Wird schon, mach dir keine Sorgen. Wer macht sich denn hier Sorgen?, sage ich und öffne die Autotür. Gegen Lampenfieber hilft es auszuschreiten: eins, zwei, eins, zwei, wie der standhafte Zinnsoldat, aber nein, denke ich, der hatte ja nur ein Bein, während die Tänzerin, die er liebte, in Wirklichkeit zwei hatte, er hatte sich nur getäuscht, weil sie ein Bein so hoch erhoben hielt, dass er es im ersten Moment nicht sah. Mein Vater hatte mir die Geschichte erzählt, als ich sechs war oder sieben, es muss ungefähr zu der Zeit gewesen sein, als ich mit Ballett anfing und abends, im Wohnzimmer, die Schritte vorführte, Plié, Passé, Tendu. Er hatte den Schluss geändert (kein Feuertod erwartete bei ihm die Liebenden), aber das hatte ich erst festgestellt, als ich in einem von Paulas Büchern auf das Märchen gestoßen war; sie lebten glücklich und zufrieden, hatte er erzählt, und bekamen wunderbare Kinder, zwei Mädchen, braun und blond, und eine frecher als die andere. Mein Vater, mein Vater, siehst du mich jetzt? Siehst du, wie ich hier ausschreite, noch drei Meter bis zur Haustür, noch zwei, noch einen, jetzt muss ich nur noch klopfen, es ist kein Verrat, weißt du, es geht nicht um Ersatz, es ist meine Geschichte und deine eben auch, und nichts und niemand ändert etwas daran, dass du mein Vater bist. Also, sagt Henryk, und ich wiederhole, also, und lasse den Klopfer gegen die Holztür fallen, ein Löwenkopf, der einen eisernen Ring im Maul hält, wen soll das erschrecken? Die Tür öffnet sich, und ein Mann steht da, groß und massig (stattlich, könnte man vielleicht sagen), in grünem Poloshirt, hellen Bermudas, Mokassins an den nackten Füßen, mit grauen Haaren, die wie die Mähne des Löwen seinen Kopf umrahmen, und einem erwartungsvollen Lachen im Gesicht. Hier steht sie also, die Enkelin seines Großonkels, seine Nichte wievielten Grades ist das? Er reicht mir seine Hand und sagt seinen Namen. Susanna, sage ich, just call me Susa.

Im Wohnzimmer, auf einem weißen Samtsofa sitzt eine Frau, die Beine übereinandergeschlagen, Carol, stellt Rochlitz sie vor, und Carol erhebt sich und reicht uns über den flachen Glastisch hinweg die Hand. Sie scheint einige Jahre jünger als Rochlitz zu sein, aber vielleicht täuscht das auch, und sie ist einfach eine dieser alterslosen Asiatinnen, die die paar grauen Strähnen im Haar absichtlich nicht färben, sondern wie ein Reifezeugnis mit sich herumtragen. Ich weiß nicht, warum das so ist, aber ihre Anwesenheit verunsichert mich. Die Hunde, die schon am Telefon zu hören waren, trollen sich auf der Terrasse, ein Labrador und ein Collie, dessen lange Schnauze feuchte Spuren auf der Glasscheibe hinterlässt.

Rochlitz bringt Kaffee, außerdem Tee in einer bauchigen Glaskanne, die er auf ein Stövchen setzt. Oder Drinks?, fragt er, etwas Härteres? Er lacht, und Carol fragt, holst du den Kuchen, weißt du, wo der steht? Ich werde ihn finden, sagt Rochlitz im Fortgehen, und wir sehen ihm alle einige Sekunden nach, bevor Carol fragt, so, how long have you been here? Sie hat einen Arm auf die Armlehne gestützt und sieht uns mit abwartendem Lächeln an. Von unserem Besuch des Pike Place Markets erzählt Henryk, vom Spaziergang im Ravenna Park, dann, heute Morgen, die Überfahrt nach Bainbridge, und hier sind wir, here we are. Und da ist der Kuchen, sagt Carol trocken und hält uns die Platte hin.

Benjamin Rochlitz sitzt auf dem Sessel neben mir, er bricht mit der Gabel große Stücke ab und trinkt dazu eine Tasse Kaffee, nichts scheint ihm im Moment wichtiger als diese Nahrungsaufnahme, als habe er seit Stunden auf uns gewartet, um nun endlich den Kuchen essen zu dürfen, den seine viel schlankere Frau vielleicht vor ihm versteckt hatte, und als er das erste Stück gegessen hat, nimmt er sich noch eines, das er nun langsamer isst, während das Gespräch zwischen Carol, Henryk und mir dahinplätschert. Als auch das zweite Stück Kuchen aufgegessen und die zweite Tasse Kaffee getrunken ist, lehnt er sich in seinem Sessel zurück und betrachtet mit beifälligem Lächeln die Szenerie. So, you really think we are relatives, sagt er, als ein Moment der Stille eintritt, er sieht mich fragend an, und ich sage ja, das glaube ich tatsächlich. Aber, füge ich hinzu, ich weiß so gut wie nichts über die Rochlitz-Familie, so if you know something more... Natürlich, sagt Rochlitz und schnaubt belustigt, wie viel Zeit habt ihr? Viel, versichert Henryk, und ich nicke zustimmend. Carol steht auf und verlässt mit einer Entschuldigung den Raum. Sie kennt das alles schon, sagt Rochlitz und zuckt verhalten mit den Schultern, eine nüchterne Asiatin und ein polnischer Schmock wie ich, das ist schon eine gewagte Kombination, aber wir sind seit zweiunddreißig Jahren verheiratet, irgendwas muss also doch stimmen.

Es ist bald sechs, das Licht im Zimmer hat abgenommen, die Schatten sind länger geworden, und wir sind nicht mehr allein. In den dunklen Ecken sind sie, in den lichtlosen Nischen zwischen den Möbeln, all die Toten: Elsa Tujinski, die Großtante Benjamins, und Franciszek, der Kioskbesitzer in Lublin, für den Benjamins Vater Ezra die Zeitungen austrug und heimlich las; nur darum hatte er die Stimmung richtig gedeutet und seine Eltern zur Ausreise überredet. Ezras Großeltern Adam und Kinga, sein Onkel Jazek, seine Tanten, seine Schulfreunde, die Geigenlehrerin. Und Jossip, der Nachbar, der über ihre Idee, alles aufzugeben, den Kopf schüttelte, *nie taki diabeł straszny, jak go malują*, der Teufel ist nicht so schwarz, wie man ihn malt. Ihm brachten sie vor der Abreise nach Warschau den Hahn Pawel vorbei, der so streitsüchtig war und nur Ezra an sich ranließ, viel Spaß damit! Wahrscheinlich wurde der Hahn, noch bevor ihr Schiff in Ellis Island einlief und Ezra dort Masha begegnete, Masha Berezky, die mit ihrem Onkel Cezary geflohen war und die einige Jahre später die Mutter von Benjamin werden sollte, geschlachtet und gegessen.

Und Mashas Eltern?, frage ich. Ihre Geschwister?

Rochlitz hält kurz inne. Sein massiger Oberkörper sackt, kaum dass er zu sprechen aufhört, ein wenig nach vorn; sobald er wieder spricht, setzt er sich gerade hin. Er streicht mit beiden Händen die grauen Haare zurück, diese drahtige Dirigentenmähne, dazu das markante Kinn, die breite Stirn, ein irgendwie solides Gesicht, das das Kind, den Jugendlichen, den jungen Mann zu enthalten scheint, nicht aber den zukünftigen – den *alten* – Mann. Nicht die leiseste Andeutung, wie er dann einmal aussehen wird. Schmaler, blasser, eine irgendwie geschrumpfte Ausgabe seiner selbst? Keine Ahnung, was Viola meinte. Wir sehen uns nicht ähnlich. Vielleicht die Augen, der Ausdruck darin.

Waren alle in Polen geblieben, sagt Rochlitz. Nur sie, Masha, hatte auf der Ausreise bestanden, obwohl ihr Vater zu ihr gesagt hatte, wenn du jetzt gehst, möchte ich, dass du nie mehr zurückkommst. Etwas, woran sie sich übrigens gehalten hat: Sie ist kein einziges Mal nach Polen zurückgekehrt. Sie war stur, meine Mutter. Und klug. Immerhin war sie die Einzige ihrer Familie, die überlebt hatte: die Eltern, die zwei Schwestern und der Bruder, die Tanten, Onkels und Cousinen – alle wurden umgebracht.

Nein, Moment, verbessert sich Rochlitz, das stimmt nicht ganz. Ein Cousin Mashas hat überlebt. Zenon, genannt Zenek. Er kam sie einmal besuchen, Benjamin musste dreizehn, vierzehn gewesen sein. Woran er sich erinnert: dass Zenek immer Scherze machte. Tücher in seiner Hand verschwinden ließ, sie aus seinem Kragen wieder herausholte. Münzen hinter seinen Ohren hervorzauberte, solche Sachen. Und an sein Englisch, das er, in schönster Mann-von-Welt-Manier, gegenüber Kellnern und Garderobenfrauen zur Anwendung brachte: Wir haben gehabt ein Essen, das was warr nicht von dieser Welt!, wir danken vorrrzüglich, gutt bey, do widzenia! Er war im Ghetto gewesen und dann im Lager, er hatte überlebt, weil er gut deutsch sprach und Schreibmaschine schreiben konnte, er hatte Briefe übersetzt und abgetippt. Als Benjamin und Ezra ihn zehn Jahre später in Polen besuchten, waren ihm die Späße vergangen. Eigentlich müsse er weg, meinte er, einmal antisemitisch, immer antisemitisch, aber wohin, inzwischen war er dreiundsechzig. An einem Abend wurde er weinerlich: Ein elender Kriecher sei er gewesen… Hör auf, sagte Ezra da ungewohnt streng, lass das sein, wir waren alle keine Helden.

Ansonsten, sagt Rochlitz, gab es den Holocaust in meiner Familie nicht. Es gab die Toten, das schon. Unser Stammbaum ist voll mit jungen Toten; ich habe das mal aufgezeichnet, als wir den Holocaust in der Schule durchnahmen. Stern und Stern und Stern. Aber das kennst du ja auch, Susa.

Ja, sage ich. Dann schüttle ich den Kopf. Nein.

Nein?

Meine Familie blieb verschont.

Wie das?

Geflohen. Nach Dänemark, sage ich. Mein polnischer Groß-vater, der ein Cousin gewesen sein muss von Ezra, a cousin first-degree, sagt man das so?, war mit seinen Eltern nach Aarhus gegangen, wo er bald darauf Lone getroffen hat, einer Ahnen-reihe von Guttemplern entstammend, die im kleinsten Schluck Wein den Untergang des Abendlandes herannahen sahen. Die er dann heiratete und mit der er drei Söhne bekam, von denen der jüngste, Walter, später mein Vater werden sollte – eine Kette von Söhnen, wie du siehst, das jüdische Erbe ganz und gar verloren, stattdessen ein Hang zum Temperenzlertum, der sich bis heute erhalten hat.

Ich sehe Henryks verwunderte Blicke, aber ich muss das jetzt hier zu Ende bringen. Dass meine Eltern ihr Leben lang Alko-hol gemieden hätten, erzähle ich, und dass auch ich mich daran halte, noch nie sei ich betrunken gewesen, ich lache, und Rochlitz nickt anerkennend und zwinkert Henryk zu, der mit den Achseln zuckt und nachsichtig lächelt, gerade so als wäre ich eine seiner Töchter, die sich vor Fremden aufspielt und mit der er im An-schluss daran (unter vier Augen) ein klärendes Gespräch führen wird, aber nicht jetzt, nicht hier, noch steht er ihr bei, was auch immer sie da glaubt machen zu müssen, und für einen Moment habe ich ihn so satt, seine Überlegenheit, seine Zurückhaltung, seine Korrektheit und Loyalität. Von der jüdischen Geschichte unserer Familie, schließe ich, wisse ich also fast nichts, versunken und vergessen sei sie, und auch darum sei ich hier.

Okay, sagt Rochlitz. I see.

Er nickt und sieht ein bisschen enttäuscht aus, als würde ihm in diesem Moment bewusst, dass die Waagschale zu seinen Ungunsten sinkt: dass er in diesem Gespräch weit mehr zu bieten hat als ich mit meinen enthaltsamen Dänen. Für einen Moment kehrt Stille ein, und ich muss dem Impuls widerstehen, sie zu überbrücken; noch mehr Lügen möchte ich nicht auf mein Haupt laden.

Es habe, beginnt Rochlitz schließlich wieder, ziemlich lange gedauert, bis er sich für sein Jüdischsein interessiert habe. Natürlich hätten seine Eltern jüdische Freunde gehabt, aber sie alle seien so damit beschäftigt gewesen anzukommen in diesem Land, *amerikanisch* zu werden, dass das ganze Religionsthema keine große Rolle spielte. Einige der Freunde seien im Lager gewesen, andere seien, wie seine Eltern, haarscharf daran vorbeigekommen, aber alle hätten Freunde und Verwandte in den Lagern verloren; sie alle Überlebende, deren Verluste so groß waren, dass nichts dagegen ankommen konnte. Du weißt nicht, was Leiden ist, habe seine Mutter immer zu ihm gesagt, sobald er sich beklagt habe.

Na ja, er lächelt entschuldigend. Stimmt wohl. Er sieht für einen Moment so hilflos aus, ein riesiges Kind in seinen lächerlichen Bermudas, darunter die haarigen Knie. Der Anblick seiner nackten Füße, die Zehen so lang, dass sie an Finger erinnern, treibt mir die Tränen in die Augen. Affenfüße, hat Maike immer zu meinen Füßen gesagt, mit denen ich Stifte vom Boden aufheben und Gürtelschnallen öffnen konnte.

Leben deine Eltern noch?, frage ich.

Rochlitz schüttelt den Kopf. Meine Mutter starb schon vor siebzehn Jahren, mein Vater lebte noch bis vor kurzem, was er selbst wohl am wenigsten erwartet hatte, schon vor zehn Jahren hat er sich keine neue Hose mehr kaufen wollen. Und deine Eltern, Susa?

Und natürlich antworte ich, dass meine Mutter lebe und mein Vater gestorben sei, doch noch während ich spreche, bekomme ich plötzlich keine Luft mehr, es ist, als wäre ich im falschen Element. Rochlitz beugt sich vor und legt mir eine Hand auf den Arm, ich höre ein Schluchzen, das unmöglich von mir kommen kann, ich sitze vor meinem Vater und weine um meinen Vater. It's all right. Aber das ist es nicht. Denn wie meine Mutter, die sich seit einem Jahr in Theater- und Museumsbesuche stürzt, in die Sorge um nachbarliche Nierensteine, Gallenkoliken und Darmspiegelungen, wie meine Mutter, die so tut, als sei alles so, wie es immer gewesen ist, als müssten wir einfach nichts weiter tun, als einen Fuß vor den anderen zu setzen, habe auch ich immer noch nicht gelernt, darüber zu sprechen, dass mein Vater tot ist. Es geht schon, sage ich, und Rochlitz' Hand liegt nicht mehr auf meinem Arm, dafür steht er jetzt auf, ich mach noch mal Tee, und ohne eine Antwort abzuwarten, nimmt er die Kanne in die Hand und geht aus dem Wohnzimmer, gefolgt von dem Collie, der sich träge, aber entschlossen erhoben hat, als Rochlitz aufstand. Ich sehe Henryk an. Geht's wieder?, fragt er, und ich nicke, aber warum fühle ich mich plötzlich unwohl unter seinen Blicken, die bestimmt nicht prüfend sind (oder tadelnd), und warum ist da diese Distanz zwischen uns? Draußen hat der Himmel sich zugezogen, ein Gewitter steht bevor, und als es dann losbricht, im selben Moment, in dem Rochlitz mit der Kanne in der einen und einem Buch in der anderen Hand ins Zimmer tritt, sodass der Donner ihn wie ein Paukenschlag ankündigt, verzieht sich der bis eben noch so phlegmatische Labrador von seinem Platz am Terrassenfenster in die hinterste Ecke des Raumes. Rochlitz macht zwei Lampen an und schenkt uns Tee ein.

Hier. Er zeigt auf das Buch, das er auf den Tisch gelegt hat. Wenn ihr schauen mögt.

Ein Fotoalbum. Pergamentpapier zwischen den einzelnen Seiten. Das Hochzeitsbild der Großeltern, der Kopfschmuck der Braut wie Spitzengardinen, der schnauzbärtige Bräutigam, sein herausfordernder Blick in die Kamera. Ein Baby in weißem Leibchen auf einem Sessel, ein Junge in kurzen Hosen und Hosenträgern, das ist mein Vater Ezra, erklärt Benjamin. Die Schwestern Ezras in bäuerlicher Tracht, der erwachsene Ezra, korpulent und mit der gleichen Löwenmähne wie Benjamin, er lacht, neben ihm seine Frau, roter Schottenrock, weiße Bluse, an ihrer Hand ein Kind, Benjamin, ein anderes Foto Mashas, Jahrzehnte später mit grauem Pagenkopf, sie sieht glücklicher aus als auf dem frühen Bild. Neben ihr zwei Kinder, ein Mädchen und, einen Kopf größer, ein Junge, Augen wie Tollkirschen unter schwarzem glatten Haar.

Deine Kinder?, frage ich, und Rochlitz sagt, ja, Eli und Rachel, meine Kinder.

Was machst du eigentlich beruflich?, fragt Henryk.

Nichts mehr, sagt Rochlitz. Von meinem Vater hatte ich eine Firma übernommen – Maschinen zur Glasherstellung –, die habe ich vor einigen Jahren verkauft. Jetzt lebe ich das geruhsame Leben eines Pensionärs. Gehe segeln. Lese viel.

Und spielst Gitarre, sage ich.

Gitarre? Rochlitz sieht mich verwundert an. Ich habe noch nie im Leben Gitarre gespielt. Wie kommst du darauf?

Im Auto zurück ins Zentrum von Bainbridge Island muss ich plötzlich lachen.

Was ist?, fragt Henryk.

Mir kam gerade meine Frage nach dem Gitarrenspiel in den Sinn. Wie er da schaute. Als hätte ich ihm sonst was unterstellt.

Deine Antwort war jedenfalls … hmm … interessant. Er sei so *der Typ dafür.*

Ich weiß ehrlich gesagt nicht mehr, was Viola erzählt hat. Ob er Gitarre spielte. Oder Bass. Oder der Sänger der Band war. Weißt du das noch?

Henryk schüttelt den Kopf. Aber was es auch war: Er schien sich nicht daran erinnern zu wollen. Guck mal, ist das ein Hotel?

Nein, sage ich, das Rathaus.

Etliche Autos parken auf dem dazugehörigen Parkplatz und entlang der Straße, irgendeine Veranstaltung muss gerade stattfinden, vielleicht ein Oboespiel oder ein Kabarettabend oder eine Stadtratssitzung, bei der über den Ausbau der örtlichen Grundschule entschieden werden soll, irgendetwas dieser Art, danach ein Umtrunk, bei dem alle Anwesenden einander kennen; die Insel ist überschaubar in ihren Fluchtmöglichkeiten. Das Beengende und Beglückende daran. Das Vertraute. Die Unmöglichkeit, sich neu zu erfinden.

Vielleicht hätten wir sein Angebot annehmen sollen, sage ich. Wer weiß, ob wir jetzt noch ein Hotelzimmer finden.

Ist das dein Ernst? Henryk sieht mich ungläubig an. Wäre dir das nicht unangenehm gewesen?

Was genau sollte mir unangenehm sein?

Du weißt schon. Er macht eine Pause. Da zu übernachten. Wo wir ihn doch kaum kennen. Und dann seine Frau, die sicher nicht scharf darauf gewesen wäre, uns als Dauergäste zu haben.

Und all die Lügen, sage ich. (Denn das ist es doch, was er meint.)

Ja, sagt er, und all die Lügen.

Natürlich finden wir ein Hotelzimmer. Außerhalb der Stadt zwar, dafür mit direktem Blick auf die Bucht. Ein zweistöckiges Holzhaus mit umlaufender Veranda, zehn Zimmern und einem

Restaurant neben der Rezeption, in dem eine Band gerade den Soundcheck macht, die drei angegrauten Musiker ähnlich derangiert wie das Hotel, nicht direkt verlottert, aber in einem Zustand des Verschleißes, der gleichermaßen anziehend wie mitleiderregend ist.

Die Lampe im Zimmer wimmelt von Glasvögeln, das Licht eine Melange aus Grün, Blau, Orange und Gelb. Vor dem Fenster eine halbhohe Holzbank, offenbar dafür gemacht, sich darauf zu knien, die Ellbogen auf die Fensterbank zu stützen und dem Wasser zuzuschauen, wie es die rotleuchtende Sonne so langsam und unbeirrbar verschluckt wie die Python eine Ratte. Als die Sonne nicht mehr zu sehen ist, stehe ich auf.

Gibst du mir mal Benjamins Nummer?

Steht in meinem Handy, ruft Henryk aus dem Bad.

Und jetzt?, fragt Henryk, als ich aus der Dusche komme.

Und jetzt was?

Was machen wir als Nächstes?

Kann ich mich vielleicht erst mal anziehen?

Ein Streit liegt in der Luft. Schon den ganzen Tag liegt ein Streit in der Luft, und nun braucht es nicht mehr viel, um ihn zu entfachen. Nur noch ein paar Mal dieses Hin und Her.

Wollen wir etwas essen gehen? Oder willst du schlafen?

Statt einer Antwort schaue ich mich im Zimmer um.

Herrgott, gibt es hier keinen Fernseher?

Offenbar nicht. Scheint mein Fehler zu sein.

Hab ich so was gesagt? He? Hab ich?

Ich mache einen Schritt auf Henryk zu. Ich hätte Lust, ihn zu stoßen, ein wenig nur, zur Untermalung meiner Frage.

Ach, weißt du, man muss nicht alles aussprechen.

Man muss nicht alles aussprechen.

Er sieht mich mit hochgezogenen Brauen an, den Kopf leicht zur Seite geneigt, ein ganz und gar herablassender, ein Bist-du-noch-ganz-dicht-Blick, und ich setze genau diesen Blick auch auf, neige den Kopf übertrieben zur Seite, ich spüre eine Wut in mir, wie sie eigentlich nur von den Kindern ausgelöst werden kann, wenn sie mit sicherem Gespür den Moment erwischen, in dem ich nicht zum zehnten Mal das Gleiche erklären mag.

Was gibt das jetzt? Machst du mich etwa nach?

Machst du mich etwa nach?

Das ist so billig, Susa. Ehrlich. Ausgesprochen billig.

Weißt du, was ich billig finde? Diese unterschwellige Vorwurfshaltung von dir. Diese Betroffenheitsnummer. Nur weil ich nicht gleich mit der Tür ins Haus falle. So nach dem Motto: Ach, übrigens, nein, alles gelogen, ich bin nämlich deine Tochter.

Entschuldige bitte, sagt Henryk, wenn ich es irgendwie deprimierend finde, dass er seine ganze Familiengeschichte vor dir ausbreitet, und du denkst dir irgendeinen Scheiß über dänische Temperenzler aus!

Das war überhaupt nicht alles gelogen, sage ich. Und überhaupt: Wär's besser gewesen, ich hätte mir eine Holocaust-Familiengeschichte ausgedacht? *Das* wäre pietätlos gewesen, nicht die Dänenstory!

Es wäre besser gewesen, wenn du die Wahrheit gesagt hättest. Unangenehm wird das sowieso, je länger, je mehr. Oder willst du morgen die ganze Sache auch noch durchziehen?

Ich weiß nicht, keine Ahnung.

Ich weiß es wirklich nicht, und diese Ratlosigkeit verdrängt meine Wut, stattdessen kommt Angst in mir auf, Angst vor dem morgigen Tag, an dem Benjamin uns die Insel zeigen will, vielleicht hätte ich nicht zusagen sollen, als er uns fragte, aber ich wusste nicht, wie ich ablehnen sollte, und außerdem stimmt es ja: Ich muss ihm doch noch sagen, weshalb ich hier bin, aber wie, frage ich mich, wie bloß, und Henryk sagt, als antworte er auf meinen Gedanken, du wirst schon einen Weg finden, er legt einen Arm um mich, und ich greife nach seiner Hand auf meiner Schulter, bevor er sie wieder wegziehen kann.

Punkt zehn stehen wir vor dem Hotel, und kurz darauf fährt Benjamin vor. Carol ist ja auch dabei, sage ich leise, warum denn das?, und Henryk sagt, vielleicht will sie wissen, was passiert, vielleicht ist es das.

Hi, ruft Benjamin im Aussteigen, bereit zur Abfahrt?

Er öffnet die hintere Tür, und Henryk und ich steigen ein. Carol dreht sich zu uns um, alles in Ordnung?, sie lächelt kurz und wendet sich schon wieder ab, sie erwartet keine Antwort. Die Sonne brennt vom Himmel, als ob es bereits Mittag wäre, aber hier im Auto ist es kühl. Ich fasse nach Henryks Hand, und er drückt meine, bevor er sie wegzieht, um die Brille abzunehmen und sie mit seinem T-Shirt zu säubern.

Als Erstes zeigen wir euch das Bloedel-Reservat, kündigt Benjamin an. Er lenkt mit einer Hand, die andere liegt auf seinem Bein. Carol hat eine Sonnenbrille aufgesetzt, weißer Rand, verspiegelte Gläser. Und dann geht's zum Mittagessen zum Hafen.

Wunderbar, sagt Henryk.

So, wie wir hier sitzen, könnten wir Geschwister sein, unsere Eltern vorne, ein Familienausflug, ich grinse Henryk an, aber er sieht es nicht, er schaut aus dem Fenster.

Bloedel-Reservat klingt vielversprechend, flüstere ich ihm zu, und Henryk sagt: Das war einfach der Familienname der Besitzer, nichts weiter.

Ein Park, Weiden, auf denen Schafe grasen, zwei Scheunen, ein Wald, der steinige Boden zwischen den Bäumen voller Moos, schließlich ein Teich.

Man muss leise sein, dann hört man die Vögel und Frösche, flüstert Benjamin, sein Gesicht fast andächtig.

Das Wasser ist voller Bewegung, ein Brodeln wie von unterirdischen Quellen, die Frösche umklammern einander.

Seht ihr das?, fragt Carol und zeigt auf ein zappelndes Froschknäuel. Das sind alles Männchen, das Weibchen haben die inzwischen längst ertränkt. Sie lacht trocken. Wahre Liebe, würde ich sagen.

Gott, Carol, sagt Benjamin. Ich komm trotzdem gern her und lausch den Tieren.

Nur zu, sagt Carol.

Sie setzt sich zu mir auf eine der zwei Bänke, die am Ufer stehen, grünliches Holz, ein silbernes Schild daran. In memory of my wife Irene Taylor, who had a deep love for the outdoors.

Das war Don, sagt Carol überrascht, Don Taylor. Gott, der muss auch schon über neunzig sein. Lebt der noch?

Keine Ahnung. Benjamin beugt sich über die andere Bank, gleiches Modell, aber weniger verwittert. In memory of our father Don Taylor, who loved to sit here, liest er. Da hast du die Antwort.

Hm, macht Carol. Das war so ein Pärchen, sagt sie, na, ihr wisst schon … Immer Hand in Hand beim Spazierengehen, und wenn sie im Supermarkt waren, schob er den Wagen, und sie legte die Sachen rein. Süß. Sie lacht. Wobei ich definitiv keine Lust hätte, irgendwann süß gefunden zu werden.

Tja, zu spät, sagt Benjamin. Er reicht ihr die Hand und zieht sie zu sich hoch. Dahinten gibt's noch das Herrenhaus zu sehen, kommt mit.

Ein weißer, großer Kasten, Gründerzeit, vielleicht Jahrhundertwende. Drinnen eine Ausstellung, Fotos von der Entstehung des Hauses, der Parkanlage, des japanischen Gartens, den wir noch gar nicht gesehen haben. Der Hausherr als junger Mann, ein hübsches, fast androgynes Gesicht. Ein anderes Foto zeigt ihn weißhaarig, um ihn seine auf siebenundzwanzig Mitglieder angewachsene Familie, es sind die sechziger Jahre. Die Sommer verbrachte die Familie hier, die Mädchen in hellen Leinenkleidern und mit Schleifen im Haar sitzen in Seifenkisten und auf den Rücken von Ponys. Ein riesiger Baum, innen hohl, vier Jungen, die aus seinem Inneren herausschauen wie Kaninchen aus ihrer Höhle.

Im Esszimmer stelle ich mich ans Fenster, ich sehe den Park und in der Ferne den Teich, darauf zwei Gänse oder Schwäne. Ich stelle mir vor, wie das gewesen sein mag, hier zu leben, in all diesem Brokat und Zierrat, der schon damals alt war, Rokoko, Barock, Régence, was weiß ich. Wie ich morgens das Fenster öffnen und den Sommer ins Zimmer lassen würde, die von der Nacht kühle Luft, die Weckrufe der Vögel, bevor ich dann in die Küche gehen und zur Köchin sagen würde, Porridge, Sadie, heute nur Porridge für die ganze Familie.

Ich habe Durst, sagt Henryk. Er steht neben mir, teilt jetzt meinen Blick aus dem Fenster. Haben wir was dabei?

Nein.

Henryk dreht sich nach Benjamin um, der mit Carol vor einem der Fotos steht. Ich glaube, die warten nur auf uns, sagt Henryk. Lass uns gehen.

Im Harbour Public House ist ein einziger Tisch frei. Unterhalb der Terrasse liegen etwa sechzig Segelboote verschiedener Größe im Wasser, davor, auf Holzstelzen, ein schmaler langer Pier. Eine Platte mit winzigen Krabben wird gebracht, Brot dazu, Salat, Weißwein. Ich trinke das erste Glas zu schnell. Mein Kopf sitzt wacklig auf meinem Hals, ein schönes Gefühl, und dann auch wieder nicht: Manchmal gleitet das Gespräch von mir weg wie auf Rollen, es ist plötzlich leichter, englisch zu sprechen, nur fürchte ich manchmal den Faden zu verlieren. Carol hat mich gefragt, was ich arbeite, und ich habe gesagt, ich sei Meeresbiologin, woraufhin sie mich musterte und schließlich nickte.

Sie selbst war Anwältin, ist es immer noch, aber nur noch an drei Tagen die Woche. Sie ist Teilhaberin einer Kanzlei, spezialisiert auf Wertpapiertransaktionen ausländischer Firmen in den Vereinigten Staaten, *Bishop, Frank & Rochlitz*, seit zweiundzwanzig Jahren ist ihr Name der dritte im Bunde.

Du magst deine Arbeit, stelle ich fest.

Ja, sagt sie und wirkt überrascht, natürlich tue ich das. Nicht alles daran, aber das meiste. Sie sieht mich mit hochgezogenen Brauen an, als warte sie auf etwas.

Mir, sage ich, wird manchmal alles zu viel. Die Kinder, die Arbeit, immer diese Eile. Manche Tage müssten doppelt so lang sein, um allem gerecht zu werden.

Carol zuckt die Achseln. So ist das nun mal. Und letzten Endes ist es doch so: Entweder bleibst du als Mutter genauso gut wie vorher oder du verlierst deine Stelle, Kinder hin oder her. Sink or swim.

Tja, sage ich, stimmt wohl.

Mir war immer wichtig, fährt Carol fort, dass ich für die Kinder ein Vorbild war. Und das ist für mich eben eine Frau, die für sich selbst sorgen kann und sich nicht auf ihren Mann verlassen muss. Außerdem glaube ich nicht, dass es den Kindern schadet, wenn die Mutter nicht ständig zur Verfügung steht.

Nein, sage ich, das ist nicht, was ich meine. Es geht mir mehr darum, was *ich* will.

Ah, sagt Carol gedehnt, I see.

Also, ich verstehe Susa, mischt sich Benjamin ein.

Ach! Carol schnaubt. Der ehemalige Mister Workaholic versteht das also.

Gerade darum. Benjamin nimmt sich einen weiteren Löffel Krabben auf den Teller. Man verpasst einfach viel.

Ja, sagt Carol. Man verpasst immer etwas: Jede Entscheidung für etwas ist eben auch eine gegen etwas anderes. Und es ist sehr bequem, erst das eine zu haben und dann, wenn es zu spät ist, das andere zu beklagen.

Henryk nickt, sein erster Beitrag zu diesem Gespräch.

Apropos Entscheidungen. Ich räuspere mich. Da gibt es etwas, worüber ich mit dir, Benjamin …

Schön sieht das aus, sagt Henryk und zeigt auf den Hafen unterhalb der Terrasse. Die Nachmittagssonne, die auf das Wasser einen satten Schimmer legt. Die Masten und bunten Wimpel, die Segelboote in allen Größen, die roten Kanus, die wie Paprikaschoten aufgereiht am Pier befestigt sind.

Dahinten kannst du unser Boot sehen, sagt Benjamin. Da, das weiße mit der dunkelblauen Kajüte.

Das gehört euch?, fragt Henryk verwundert.

Benjamin nickt. Plötzlich sieht er ganz aufgeregt aus. Wollen wir am Montag rausfahren, was meint ihr? Habt ihr Lust? Eine kleine Tour?

Ja, sage ich, unbedingt.

Dann sehe ich zu Henryk und Carol, registriere ihre ähnlichen Mienen, nicht gerade erschrocken, aber fast. Vielleicht wird

Henryk nachher lachen, wenn ich ihm das erzähle, vielleicht auch nicht.

Gute Idee. Ich lächle Benjamin zu. Ich liebe Segeln.

Benjamin lächelt auch.

Entschuldige, sagt Henryk, du wolltest gerade etwas erzählen, Susa.

Ich schüttle den Kopf. Ist schon okay. Ich hebe mein Glas. Here's to the sea!

Das versteh ich nicht, sagt Henryk am nächsten Morgen. Sagt es, wie man es in einem Traum sagen würde: *Das versteh ich nicht*, während alles um einen herum mit größter Selbstverständlichkeit aus den Fugen gerät. Es ist sein erster Satz, ich drehe mich zu ihm um. Was verstehst du nicht?

Dass du morgen unbedingt auf diese Segeltour mitwillst. Sonst kriegt dich doch kein Mensch auf ein Segelboot rauf, wenn's nicht zu Forschungszwecken ist.

Was heißt denn *unbedingt*? Er hat's vorgeschlagen und ich fand's eine gute Idee.

Weil du ihn noch besser kennenlernen willst.

Ja. Ich dachte, wenn wir zusammen segeln, können wir uns – na ja, *jenseits* unserer Geschichten kennenlernen. Und dann ist es vielleicht auch einfacher, ihm die Wahrheit zu sagen.

Henryk nickt mehrmals, die Spitzen von Zeige- und Mittelfinger an die Oberlippe gelegt, als ließe er sich das alles durch den Kopf gehen.

Der Morgen vor dem Fenster ist fahl und trübe. Wenn wir Glück haben, sehen wir im großen Baum vor unserem Fenster wieder einen Kardinal. Sein scharlachfarbenes Gefieder hat mich gestern fast erschreckt. Hey, schau mal, habe ich gerufen, und Henryk hat gelacht, so exotisch sind die hier gar nicht, dann hatte er hinzugesetzt: Das ist ein Rotkardinal. Aber der Baum sieht seltsam aus.

Ich musste seine Beine halten, während er sich weit aus dem Fenster lehnte. Henryk riss ein Blatt vom Baum, und der Vogel flog davon.

Guck dir mal die Form an, sagte er. Fünf Zacken, eindeutig ein Stern.

Der Strand ist fast leer, grau und kompakt liegt die Wolkendecke über dem Wasser. Ein alter Mann mit einem Labrador geht vorbei, er hebt die Hand und murmelt einen Gruß, und auch der Hund hebt den Kopf. Ich mach jetzt endlich mal ein paar Fotos von dir, sage ich zu Henryk und umrunde ihn mit meiner Kamera. Er holt die Baseballkappe aus der Innentasche seines Jacketts und setzt sie auf. Wir werfen Steine ins Wasser, flache, runde, die trotzdem nicht springen.

Am Nachmittag ist die Wolkendecke ganz verschwunden, weggewischt von der eifrigen Sonne. Wir legen uns angezogen an den Strand, lassen den Sand durch die Finger rieseln, Steinchen darin, winzige Muscheln. Später ziehen wir die Schuhe aus, laufen durchs Wasser. Nicht weit vom Ufer ragen drei Felsen aus dem Meer, wie wasserscheue Riesen, die vor der Tiefe zögern, die Arme an den Oberkörper gedrückt.

Du hast es ihm gestern sagen wollen, nicht wahr?, fragt Henryk.

Ja, sage ich. Passte gerade so gut.

Und ich hab's vermasselt.

Macht nichts.

Tut mir trotzdem leid.

Kein Problem. Wirklich nicht.

Willst du es ihm morgen sagen?

Ja, will ich.

Gut, sagt Henryk.

Er bleibt stehen und kneift die Augen zusammen, als gäbe es in weiter Ferne etwas zu entdecken, und auch ich kneife die Augen zusammen. Dem Ufer entlang stehen Holzhäuser. Von jedem Haus führt ein Steg ins Wasser, an dessen Ende ein Boot ankert. Irgendwo bellt ein Hund, irgendwo schreien Kinder, springt jemand ins Wasser. Irgendwo spielt ein Radio, *I go on too many dates, but I can't make them stay, at least, that's what people say.*

Ich muss dir auch etwas sagen, sagt Henryk, und plötzlich weiß ich, dass es ihm gar nicht darum ging zu sehen, was in der Ferne ist. Es ging nur darum, mich nicht ansehen zu müssen.

Schieß los, sage ich.

Er schaut ans andere Ufer, ich schiebe mich ein paar Zentimeter in sein Blickfeld, und er sieht immer noch an mir vorbei.

Also?

Gut. Er nimmt die Brille ab, fährt sich über die Augen, setzt die Brille wieder auf, richtet endlich seinen Blick auf mich. Ich wollte es dir schon seit ein paar Tagen sagen, beginnt er. Aber irgendwie war nie der richtige Zeitpunkt dafür.

Mein Herz klopft plötzlich in meinem Hals, siehst du das, dieses Pochen zwischen Ohr und Schlüsselbein? Vielleicht werde ich mich später an diese Situation erinnern: Dies war der Moment, werde ich vielleicht denken, in dem alles auseinanderbrach – du und ich, der ganze Kosmos. Der Moment, in dem sich der Wechsel vollzog von einem Vorher zu einem Nachher, diese Sekunde, die, wenn man zurückblickt, ganz folgerichtig am Ende einer Kausalkette steht, nur erkennt man das eben erst mit einigem Abstand. Jetzt ist da erst mal die Überraschung. Und die

Angst. Und ich möchte dich aufhalten, du sollst nicht weitersprechen, lass uns hier eine kurze Pause machen, denn du weißt
ja, wie das ist, was einmal gesagt wurde, kann man nicht zurück-
nehmen, man kann es versuchen, aber Spuren bleiben, wie Fuß-
abdrücke im frischen Zement. Lass uns erst noch mal schauen,
was wir hier haben: das Wasser, das gleichgültig heranrollt und
sich zurückzieht, das umgedrehte Boot, das zu unseren Füßen
liegt und langsam verrottet, ganz zerfressen vom Salz ist das
Holz und rostig die Eisenteile, außerdem: dich und mich, fünf
turbulente Jahre, drei Kinder, unsere Liebe, und ich versprech dir
auch, dass ich keine Frotteeschlafanzüge mehr anziehen werde
und einmal die Woche eine Babysitterin kommen lasse.

Aber mein Mund bleibt geschlossen, kein Ton kommt heraus,
und du verstehst nichts und sagst: Ich komm morgen nicht mit
zum Segeln. Ich fliege zurück.

Also, es ist eigentlich ganz einfach, das Wichtigste ist, den
Baum nicht an den Kopf zu bekommen, fall einfach nicht über
Bord, okay? Benjamin lacht und beugt sich nach vorn, um eine
Schwimmweste aus der Backskiste zu kramen. Das Boot schaukelt sachte. Carol, in Poloshirt und karierten Shorts, sitzt auf
der Backbordseite und schaut aufs Wasser. Ist die okay? Benjamin hält eine Schwimmweste in leuchtendem Orange in die
Höhe. Klar, sage ich und ziehe sie an. Carol? Was ist mit einer
Schwimmweste? Sie bewegt kaum den Kopf, als sie never sagt,
never ever. Er zuckt mit den Schultern, zieht selbst eine Weste
an, orange wie meine.

Er startet den Motor und löst die Leinen. Auf dem Boot neben unserem richtet sich ein hagerer Mann auf, der bis eben

seine Segel aufgetucht hatte, er legt sich die Hand über die Augen, die Haare über dem gebräunten Gesicht wie toupiert, er ruft, du willst *jetzt* raus?, und Benjamin antwortet, warum nicht, das Wetter hält, mindestens bis heute Nachmittag hält das, und hebt grüßend die Hand. Dann manövriert er das Boot aus dem Hafen, dreht es in den Wind, rollt die Fock aus, zieht das Großsegel hoch und stellt den Motor ab. Der weiße Stoff bläht sich, an allen drei Seiten ein schwarzer breiter Rand wie bei einer Trauerkarte.

Hat das Boot eigentlich einen Namen?, frage ich, und Benjamin sagt, natürlich, hast du ihn nicht gesehen, schau mal zum Rettungsring.

Tatsächlich steht da ein Name. Cataleya, lese ich laut, wer ist das?

Carols Schwester, sagt Benjamin, sie stehen sich sehr nah, meistens jedenfalls.

Carol wendet uns den Kopf zu, sie schaut Benjamin mit hochgezogenen Brauen an, eine Haarsträhne weht ihr ins Gesicht und sie schiebt sie zurück. Wir stehen uns immer nah, sagt sie, wobei sie jede einzelne Silbe betont. Nur manchmal brauchen wir dazu etwas mehr Distanz.

Benjamin, am Steuerrad, gibt ein kurzes Schnauben von sich, als Zeichen seiner Zustimmung. Carol betrachtet ihn noch einen Moment, dann schaut sie, eine Hand über den Augen, in den Himmel. Hast du eigentlich nochmals den Wetterbericht angeschaut?, fragt sie.

Brauch ich nicht, sagt Benjamin.

Carol sieht ihn zweifelnd an, sagt aber nichts mehr.

Das Boot ist vielleicht zehn Meter lang. Vor dem Steuerrad sind zwei Bänke, zwischen ihnen ein schmaler Klapptisch.

Mach's dir gemütlich, sagt Benjamin, eine Cola? Carol, kannst du Susa eine Cola holen? Carol steht auf und geht rückwärts die enge Treppe in die Kajüte hinunter. Et voilà, sagt sie, als sie mir das Glas gibt, und ich bedanke mich und versuche, ihren Blick für einige Sekunden festzuhalten, doch Carol stellt sich neben Benjamin. Lass mich mal ran, sagt sie, und Benjamin überlässt ihr das Steuerrad und setzt sich mir gegenüber auf die Bank.

Das Ufer zur einen Seite ist grün von Bäumen und Büschen, dazwischen Rasenflächen, weitläufige Gärten, die zu den wenigen Villen gehören, die direkt am Meer liegen. Auf der anderen Seite Seattle, die Bergkette im Hintergrund verhangen von Wolken. Der Turm des Columbia Center, schwarz glänzend wie der Leib eines Tausendfüßlers, nicht weit davon, etwas niedriger, der Third Avenue Tower. Wenn Henryk jetzt hier wäre, könnte ich ihn überraschen mit meiner Kenntnis der Namen, siehst du, könnte ich sagen, manchmal höre ich eben doch zu, auch wenn ich deine Vorträge eigentlich nicht mag. Aber Henryk ist ja nicht dabei, ist schon auf dem Weg zum Flughafen, mit einem Ticket in der Jackentasche, das er bereits in Seattle, am Computer in der Lobby des Hotels, gekauft haben muss und das er seitdem mit sich herumtrug, ohne mich auch nur mit einem einzigen Wort darauf vorzubereiten, dass er früher nach Deutschland zurückfliegen würde.

Ich wusste doch, dass du es nicht gut finden würdest.

Wie einfühlsam.

Wenn du polemisch wirst, brech ich das Gespräch ab.

Nur zu.

Tatsächlich gingen wir einige Minuten schweigend nebeneinanderher, bevor ich wieder anfing.

Du hättest es mir sagen müssen, als der Anruf kam. Du hättest mir sagen müssen, dass die aus D. sich doch noch gemeldet haben.

Ja, sagte Henryk lahm, hätte ich. Aber ich wollte es nicht diskutieren. Ich will diese Stelle, ich will sie wirklich.

Mehr als mich.

Ach, hör schon auf.

Mehr als mich?

Susa, lass den Scheiß! Ich will die Stelle, und ich will dich, und wenn sich das ausschließt, haben wir ein Problem.

Wir oder ich?

Wir, Mensch, jetzt hör schon auf. Es ist doch erst mal nur ein Gespräch mit dem Dekan.

Wenn du mich verlässt, behalte ich die Kinder.

Sag mal, spinnst du jetzt?

Alle drei. Dann ist es auch nicht so schlimm, wenn du gehst.

Ja, sagte ich, geh ruhig.

Jetzt hör schon auf, sagte Henryk, aber ich war nicht zu bremsen; es war, als müsste ich das herbeiführen, was ich eben noch befürchtet hatte. Als müsste ich auf diese Weise das ans Tageslicht holen, was ich als sein Motiv vermutete.

Das entscheidest also auch du allein, *wann* wir reden und *wie*, sagte ich, aber zufällig ist mir jetzt danach, mit dir zu reden, und vielleicht ist es ja auch ganz gut, mal ehrlich miteinander zu sein, vielleicht müssen wir uns ja einfach mal überlegen, wo wir eigentlich gelandet sind, ob es das ist, was wir wollten …

Dann sprich, sagte Henryk, die Hände in den Hosentaschen vergraben. Sprich.

Der Hafen liegt weit hinter uns, der Wind hat plötzlich abgeflaut, sodass wir eher dümpeln als gleiten. Benjamin macht sich an den Segeln zu schaffen.

Carol hat den Autopiloten eingeschaltet und ist nach unten in die Kajüte gegangen. Den ganzen Morgen hat sie mit mir nicht mehr als drei Sätze gewechselt. Die oberflächliche Freundlichkeit, die man den Amerikanern unterstellt: Ihr kann man sie nicht vorwerfen. Benjamin holt das Segel dicht und setzt sich mir gegenüber auf die Bank.

Noch eine Cola?

Nein, danke.

Er sieht zum grünen Ufer hinüber, sein Gesicht im Profil, die orangefarbene Weste hockt ihm im Nacken wie ein müder Vogel.

Henryk hatte keine Lust zum Segeln, sagt er, und es ist eher eine Feststellung als eine Frage.

Nein, antworte ich. Oder vielleicht doch, aber er musste überraschend abreisen. Also zumindest für mich war es überraschend.

Benjamin kneift die Augen zusammen und sieht mich fragend an.

Tja, was soll ich sagen, er hat ein Jobangebot, eine Stelle, die er dringend haben will.

Aber das ist doch großartig, sagt Benjamin. Oder nicht?

Nö, sage ich, nicht wirklich.

Ein Lächeln sitzt in seinen Mundwinkeln, eines, das rät, nicht alles so ernst zu nehmen, und ich verspüre eine plötzliche Zuneigung zu ihm, es ist nicht gerade Liebe, aber es ist auch nicht etwas ganz und gar anderes. Es ist etwas, was ich bei Viola nie empfunden habe. Vielleicht weil sie mir ähnlicher ist als Benjamin. Was ich an ihr nicht mag – das wird mir plötzlich hier, auf dem Pazifischen Ozean, tausende Meilen von ihr entfernt, bewusst –, ist das, was ich an mir selbst auch nicht mag. Eitelkeit, ein Hang zur Angeberei, hinter dem sich Unsicherheit verbirgt, die Suche nach Bewunderung und Bestätigung, die auf charmanteste Art alle anderen zu Statisten degradiert. Eigenschaften, die mir vertraut sind und die bei Viola in Reinform vorkommen, vielleicht weil sie keine Bindungen zulässt und damit auch kein Korrektiv.

Und noch etwas wird mir bewusst: die Freiheit, die ich dadurch hatte, dass ich nicht fortwährend mit ihr konfrontiert war. Sondern mit meiner Mutter, die so anders ist als ich, mein Anker und mein Gegengewicht. Was mich an ihr stört – ihr Pessimismus, ihre Sturheit und Verschlossenheit, die dafür sorgen, dass niemand je ihre negative Sicht der Welt geraderücken kann –, ist mir selbst fremd. Ich muss nicht befürchten, ihre Fehler zu wiederholen. Ich darf meine eigenen machen. Wie meine Töchter im Übrigen auch. Weder sehe ich in ihnen das gespiegelt, was ich schon bei meiner Mutter nicht mochte, noch müssen sie befürchten, jemals so zu werden wie ich. Die ganze leidige Mutter-Tochter-Kette ist durchbrochen. Hat das schon mal jemand festgestellt? Diese Freiheit, die eine Adoption mit sich bringen kann?

Wolken haben sich vor die Sonne geschoben, eine kopfwehmachende Schwüle stellt sich ein, nur der leichte Wind, der jetzt wieder aufgekommen ist, lässt das alles erträglich sein. Benjamin fiert die Schoten und schaltet den Autopiloten aus, er fasst das Steuerrad mit beiden Händen, schneller gleiten wir nun über das Wasser, und obwohl ich doch das Meer und das, was in ihm lebt, irgendwann einmal so interessant fand, dass ich es zu meinem Beruf gemacht habe, genieße ich jetzt zum ersten Mal eine Bootsfahrt. Vielleicht weil ich nichts weiter zu tun habe, als zuzuschauen. Nie war ich Herrin über ein Boot, auch wenn es noch so klein war, nie kam der Moment, in dem wir – das Boot und ich – übereinstimmten, in dem ich instinktiv wusste, was im nächsten Augenblick zu tun war, welche Schot anzuziehen, welcher Knoten zu knoten, welches Segel zu bedienen war; immer brauchte ich jemanden, der mir sagte, tu dies, tu jenes, und einen Moment lang fürchte ich, dass das nicht nur fürs Segeln gilt, dass ich auch sonst jemanden brauche, der mir vorausgeht oder mich, wie Henryk, in so eindeutige Zusammenhänge stellt, dass ich keine Entscheidung treffen muss. Denn Henryk zu lieben hieß von Anfang an, Teil einer Familie zu sein und damit Aufgaben zu übernehmen, Verantwortung, ganz zu schweigen von den emotionalen Banden, die sich schon bald nach unserem Kennenlernen festzurrten und mich dreifach an Henryk fesselten, und vielleicht weiß er das und erlaubt sich darum nun, rücksichtslos zu sein.

Benjamin dreht sich zu mir um, er sagt, du bist so schweigsam, und ich stelle die erste Frage, die mir in den Sinn kommt.

Bist du eigentlich religiös?

Er sieht mich verwundert an. Meinst du gläubig oder religiös?, fragt er schließlich.

Ist das denn so ein großer Unterschied?

Ja, sagt er, schon. Also, wenn du wissen willst, ob ich freitagabends die weißen Kerzen raushole und das Sabbatbrot backe, um dann samstags weder Auto zu fahren noch den Lichtschalter zu betätigen: Nein, religiös in diesem Sinne bin ich nicht. Wenn du allerdings wissen willst, ob ich glaube, dass es so was wie eine höhere Macht gibt, eine, die uns weniger lenkt als betrachtet, eine, die allem einen Sinn zugrunde legt, auch wenn wir den nie so ganz erkennen können, ja: An so was glaube ich schon.

Ich frage, weil du irgendwann begonnen hast, deinen Namen jüdisch zu schreiben, sage ich.

Ach das. Benjamin zieht die Stirn in Falten. Das hatte eher politische Gründe. Ich machte das, nachdem ich in Europa gewesen war. Ich war Mitte zwanzig. Mein Vater reiste mit mir, es war für ihn der erste Besuch in seiner Heimat.

Er wirft mir einen Seitenblick zu, für einen Moment scheint er zu überlegen, ob es sich lohnt weiterzureden oder nicht, dann wendet er seinen Blick wieder ab.

Weißt du, sagt er, der Nahostkonflikt ist eine komplizierte Sache, ich mag gar nicht entscheiden müssen, wer im Recht ist und wer nicht. Lässt sich eh nicht beantworten. Aber was mich damals aufbrachte, war etwas anderes, und ich bemerkte es fast ausschließlich in Europa, auf dieser Reise. Eine neue Art des Antisemitismus. Kein rassischer. Eher ein – moralischer. Angeblich waren nicht die Juden nun das Feindbild. Sondern die Israelis. Denn siehe da, die deutschen und polnischen Erziehungslager hatten nicht gewirkt, die Juden waren keine Pazifisten geworden! Wenn ich jetzt darüber rede, regt es mich immer noch auf, merk ich gerade. Aber nicht so wie damals. Damals war ich fassungslos, die Europäer in der Gouvernantenrolle zu finden. Ich meine – *was* war noch mal der Grund für die israelische Staatsgründung gewesen?

Ein Jet-Ski mit zwei Männern schießt an uns vorbei, Kurs auf den Hafen. Möwen umkreisen unser Boot mit ihrer flügelschlagenden Hektik, als wollten sie uns warnen, dazu die beleidigten Schreie. Warum klingen diese Vögel eigentlich immer, als rechneten sie mit dem Schlimmsten?

Und Carol, frage ich. Ist sie auch gläubig?

Carol, sagt Benjamin, ist ihr eigener Schöpfer, da ist kein Platz für einen zweiten.

Redet ihr über mich?, ruft Carol von unten herauf, und Benjamin ruft zurück: Worauf du wetten kannst.

Something good I hope.

Something true I guess.

Sie ist konvertiert, sagt Benjamin, jetzt wieder an mich gewandt. Und natürlich war sie die beste Schülerin, sie kannte die Thora besser als der Rabbi, sie war einfach perfekt und nach einem Jahr tatsächlich Jüdin. Aber das alles hat ja mit Glauben nichts zu tun. – Übernimm bitte mal das Steuer.

Der Wind ist plötzlich stärker geworden, graue Wellen mit kleinen Schaumspitzen rollen heran. Es ist, als habe jemand einen Eimer Schmutzwasser über das sonnige Aquarell von heute

Morgen gekippt. Nieselregen setzt ein, während das Boot willfährig auf den Wellen tanzt, als könnte es so Schlimmeres abwenden. Mit jeder Minute scheinen die Böen stärker zu werden, scheint das Licht abzunehmen. Benjamin macht sich am Außenborder zu schaffen. Der Motor heult auf und erstirbt sofort, heult auf, erstirbt. Beim dritten Versuch gibt er kein Geräusch mehr von sich. Benjamin öffnet die Schoten, er ruft, steuer mehr nach backbord!, dann kommt er zu mir.

Das sieht nicht gut aus, sagt er in singendem Tonfall. Gar nicht gut.

Er übernimmt das Steuerrad wieder, ich bleibe neben ihm stehen.

Kann ich etwas tun?

Nein, sagt er. Am besten setzt du dich einfach hin und hältst dich fest.

Wir fahren eine Wende und nehmen Kurs auf den Hafen.

Wie auch immer, beginnt Benjamin wieder, ich weiß es sehr zu schätzen, dass Carol für mich Jüdin wurde. Woher weißt du eigentlich das mit dem Namen?

Wie bitte?

Woher weißt du, dass ich die Schreibweise geändert habe?

Ich hab's im Internet gesehen. Die neue Schreibweise, meine ich.

Aber woher weißt du, dass ich mich jemals anders schrieb?

Ich sage: Von Viola.

Viola?, wiederholt Benjamin. Welche Viola? Doch noch während er spricht, sehe ich, wie sich sein Gesichtsausdruck verändert, wie sich in die Verwirrung eine Erinnerung mischt. Viola aus München?

Er muss fast schreien, der Wind, die Wellen, dazu das Kreischen der Vögel, und gerade als ich antworten will, kommt Carol die Treppe hoch. Sie wirft mir einen prüfenden Blick zu, dann sieht sie zu Benjamin, what the hell are you doing? Mit zwei Schritten ist sie bei ihm.

Es wird ein Gewitter geben, sagt Benjamin, wir müssen zurück in den Hafen.

Was ist mit dem Motor?

Geht nicht.

Carol stößt einen Fluch aus.

Ich weiß, sagt Benjamin ergeben, ich weiß.

Carol holt das Großsegel dicht, bückt sich unter dem umschwingenden Baum durch, ruft etwas, das ich nicht verstehe. Sie bringt eine Unruhe an Bord, die zuvor trotz des aufziehenden Sturmes nicht da war, und ich weiß, dass ich ihr Unrecht tue, aber vorher fühlte ich mich sicherer als jetzt, wo sie das Kommando übernommen hat. In der Ferne sehe ich das rote und grüne Licht des Hafens, die Küste ist nur eine Ahnung, wild und unpassierbar. Mein Glas ist auf den Boden gefallen, ich gehe auf die Knie, um es aufzuheben – das ist jetzt meine Aufgabe: Es darf nicht zersplittern und uns die Füße zerschneiden –, aber es rollt immer wieder davon, wie kann ich es nur zu fassen kriegen. Ich möchte hierbleiben, unter dem Tisch, auf allen vieren wie ein Hund, ich möchte mich verstecken, vor dem Unwetter, vor Carols Misstrauen, doch als ich das Glas endlich habe, bringe ich es runter in die Kajüte, ich stoße gegen einen Tisch, erreiche taumelnd die Kochnische, an der Wand daneben ein großes Foto, Carol und Benjamin darauf, außerdem ein junger Mann und eine junge Frau. Eli, denke ich, und Rachel. Sie halten sich im Arm, bilden eine stabile Kette, ein Bollwerk, sie lachen über etwas, von dem nur sie wissen. Noch ein Bruder, noch eine Schwester, wie seltsam sich das anfühlt. Ich stelle das Glas ins Spülbecken.

Als ich wieder an Deck komme, ist Carol dabei, das Segel

zu reffen. Eine Welle trifft unser Boot von der Seite, ein Stoß, fast noch im Spiel, und für einen Moment sieht es so aus, als würde Carol den Halt verlieren, doch dann fängt sie sich wieder. Der Bug hebt sich und klatscht aufs Wasser, dann legt sich das Boot so schräg, als würde es im nächsten Moment kentern. Hier rüber!, ruft Benjamin. Halt dich gut fest! Obwohl er direkt neben mir ist, muss er schreien. Ich klammere mich an die Reling. Das Wasser kommt inzwischen von allen Seiten, die Wellen vermischen sich mit dem Regen, die Sonne ist nicht mehr zu sehen, schwarze Wolken haben sich vor ihr zugezogen wie ein Theatervorhang, aber unser Boot richtet sich wieder auf, nachdem die Böe abgezogen ist. Carol und Benjamin stürzen zu den Schoten, geh du zum Steuerrad!, ruft Carol, und ich greife nach dem Steuerrad, das hin- und herruckt wie ein unwilliges Tier. Ich halte dagegen, ohne zu wissen, ob das das Richtige ist, ich bin eindeutig die falsche Person auf diesem Boot. Carol lockert die Leine des Vorsegels, sie gibt Benjamin Anweisungen, die dieser so rasch wie möglich befolgt. Dass sie auf mich nicht zählen kann, hat sie rasch erkannt, sie ist tough und schlau und schnell, wie eine dieser Handballspielerinnen in der Schule, vor deren bellenden Kommandos ich immer Angst hatte und die ich doch für ihre unzimperliche Art bewunderte, gerne wäre ich eine von denen gewesen, die sich nach gewonnener Schlacht gegenseitig auf die Schultern klopften und einander umarmten, gleichgültig, wie sehr man sich vorher angeschrien hatte, doch so war ich nicht; auch wenn ich tat, als hätte ich den rauen Ton verziehen – vergessen hatte ich ihn keinesfalls, und noch heute könnte ich all die Mädchen aufzählen, die mich angerempelt und angeschrien haben.

Es ist schwer zu sagen, ob wir uns der Küste nähern oder dem Hafen, oder ob wir uns, festgehalten vom Wind, immer noch zwischen beiden Ufern bewegen. Wie konnte das so schnell geschehen, dass nichts mehr existiert außerhalb dieses Kokons aus Tosen, Nässe und Kälte? Wir sind gefangen und durch eine Wand aus Wasser von allen anderen getrennt, und jetzt setzt ein Donnergrollen ein und ein Blitz zerreißt für Sekunden den dunklen Himmel. Die nächste Welle ist so hoch, dass das Boot wieder in starke Schräglage gerät, das Steuerrad wird mir entrissen, ich stürze, versuche mich irgendwo festzuhalten, hochzuziehen, mein Knie stößt gegen etwas Hartes, und mit dem Kopf schlage ich gegen die Reling, der Schmerz ist augenblicklich da und die Angst, die Angst zu sterben, hier und jetzt und ohne meine Kinder noch einmal gesehen zu haben, und Henryk, von dem ich im Streit gehen würde, ich, die nicht einmal schlafen mag, wenn wir wütend aufeinander sind, wie oft hab ich ihm gesagt, das ist das Geheimnis einer guten Beziehung, nie im Streit schlafen zu gehen, und ja, auch das würde mir leidtun: Benjamin nichts davon gesagt zu haben, dass ich seine Tochter bin und er mein Vater.

Ich höre Benjamins Stimme, er ruft meinen Namen. Eine Berührung an meiner Schulter, ist er das? Ich fasse mit einer Hand an meinen Hinterkopf, er tut so weh, aber kein Blut an meiner Hand, wieder ruft er meinen Namen, ich sage, mein Kopf, sein Gesicht jetzt dicht vor meinem, die Augen zusammengekniffen, als könnte er mich nicht verstehen, die Haare, diese Löwenmähne, nass und kringelig, wie Leves Löckchen, von denen wir nie wussten, woher er sie hat; ich schau mir den Postboten mal genauer an, hatte Henryk gesagt, und dann mussten wir beide lachen, als wir ihm eines Samstagmorgens im Hausflur begegneten, die krausen Haare, die sich unter der dunkelblauen Schirmmütze ihren Weg bahnten. Ganz ruhig atmen, Susa!, aber ich atme doch, ich atme ein und aus, im Rhythmus der Wellen, seine Hand in meinem Nacken, dann lässt der Schmerz nach, und

Übelkeit setzt ein, und gleich darauf eine Müdigkeit, die so groß ist, dass ich die Augen schließe, gleich mach ich sie wieder auf, keine Sorge. Gleich.

Über mir eine Triangel. Hellgrauer Kunststoff. Fühlt sich kühl an. Eine weiße Bettdecke. Dem Bett gegenüber ein Fenster, hinter dem es dunkel ist bis auf ein paar gelbe Lichter. Andere Fenster, in anderen Häusern. Ich träume. Ich weiß, dass ich träume. Nur weiterschlafen. Mein Kopf tut so weh.

Als ich wieder erwache, hängt die Triangel immer noch über mir. Sieh da, ich kann mich an ihr hochziehen. Stiche im Kopf. Neben meinem Bett ein zweites. Eine dunkle Gestalt darin, Embryohaltung, lange Haare, die sich auf dem Kissen verteilen wie Wollschnüre. Vorsichtig stehe ich auf. Beuge mich über sie. Wo bin ich? Ich berühre sie an der Schulter. Wo bin ich? Sie dreht sich zu mir um, sieht mich verständnislos an, sie ist jünger, als ich dachte, fast noch ein Mädchen, sie sagt, hi, und lächelt, und ich frage, where am I?

Im Krankenhaus. Sie richtet sich in ihrem Bett auf. Im Krankenhaus, wiederholt sie. Ihr Vater hat Sie hergebracht. Oder Ihr Mann? Wie auch immer. Sie zuckt mit den Schultern. Sie müssen liegen bleiben, das ist das Wichtigste.

Gehorsam gehe ich zurück in mein Bett. Im Dunkeln taste ich mein Gesicht ab. Quer über der Nase ein schmales Pflaster, sonst scheint alles unversehrt, nur der Kopf schmerzt. Woran ich mich erinnere: Henryk und ich auf dem Space Needle, die ganze Plattform vergittert wie eine Voliere. Ein Foto (Benjamin, Carol, Eli, Rachel). Benjamin lenkt das Schiff. Die schwarz geränderten Segel. Carol, die mir die Cola reicht, *et voilà*, das von den Wellen geschüttelte Boot, mein Glas am Boden, die Angst zu sterben. Henryk, der schweigend zuhört und nur einmal sagt, okay, du bist jetzt wütend, aber sprich trotzdem nicht alles aus, was dir gerade in den Kopf kommt.

Geräusche auf dem Flur. Die Sonne im Zimmer, auf der Decke, im Gesicht. Ich ziehe mich an der Triangel hoch, setze vorsichtig einen Fuß auf den Boden, an meinem linken Knie ein Bluterguss in der Größe einer Faust. Das Mädchen im anderen Bett ist schon wach, nein, sagt sie, du darfst nicht… Ich weiß, ich weiß, aber ich muss mal. Als die zwei Ärztinnen, eine Krankenschwester und ein Pfleger kommen, liege ich schon wieder im Bett. Auf meinem Nachttisch das leere Frühstückstablett. Meryl, so heißt das Mädchen, hatte mir noch eine Scheibe Brot abgegeben. Ich habe alles aufgegessen und immer noch Hunger. Ich kann Meryls strahlendes Lächeln sehen, bevor der Pfleger den weißen Vorhang zwischen uns zuzieht, und als sich der Trupp schließlich an meinem Bett versammelt, lächle auch ich, obwohl mein Kopf immer noch schmerzt, ich habe mir fest vorgenommen, nach einer Tablette zu fragen. Die beiden Ärztinnen reden leise miteinander, dann fragt die jüngere von beiden, eine zierliche Braunhaarige mit einem herzförmigen Gesicht: Erinnern Sie sich an den Unfall?

Wir waren auf dem Boot…

Wer?, fragt die andere Ärztin, Dr. Swayne, steht auf ihrem Namensschild, und ich sage: Carol, Benjamin und ich.

Sind das Ihre Eltern?

Nein, nicht wirklich.

Nicht wirklich?

Er ist mein Vater, sage ich. Nicht mein richtiger, aber mein biologischer.

Dr. Swayne kneift die Augen zusammen und blättert in den Unterlagen. Die braunhaarige Ärztin, Dr. Anwarzei, sieht mich amüsiert an. Manchmal ist es kompliziert, nicht wahr? Sie blinzelt verschwörerisch, während ihre Kollegin weiter in die Unterlagen schaut.

Hier steht nichts davon, sagt Dr. Swayne, dann klappt sie die Akte zu. Wie auch immer.

Sie beginnt mir zu erklären, was ich habe, doch als sie mein verständnisloses Gesicht sieht, dreht sie sich nach der Krankenschwester um, eine Gehirnerschütterung, sagt diese auf Deutsch, Sie haben eine Gehirnerschütterung.

Und sonst, noch etwas anderes?

Dr. Swayne sieht mich verwundert an: Reicht das nicht?

Sie will schon wieder gehen, aber ich sage: Ich brauche etwas gegen die Schmerzen, bitte.

Dr. Swayne sieht den Pfleger an, der die Augen kurz zusammenkneift und nickt.

Wie lange muss ich bleiben?

Ein paar Tage, sagt Dr. Anwarzei. Sie müssen sich ganz ruhig verhalten, das ist das Wichtigste.

Meryl hat mir erzählt, dass ich am Abend zuvor immer wieder einen Satz wiederholt hätte, und dass ich, als mich niemand verstand, geweint hätte. Es klang, sagte sie, wie ein Witz, ein deutscher Witz. Sie selbst hat einen Motorradunfall gehabt, ihr rechter Arm ist in Gips, außerdem ist eine Rippe gebrochen, I'm lucky, I'm a lefty, sie hält die linke, unversehrte Hand hoch, a lefty, you see?, sie macht Schreibbewegungen mit der linken Hand. Ihr Freund, der Fahrer des Motorrads, kommt jeden Tag zu ihr. Er hat das gutmütige Gesicht einer Marionette, blaue große Augen, die Wangen rund und immer leicht gerötet, als ob er mit offenem Visier auf seinem Motorrad hierhergerast sei, ungeduldig, seine Freundin zu sehen. Er sitzt auf dem Rand ihres Bettes, versorgt sie mit Obst und Schokolade, bringt sie zum Lachen, zwischendurch hält er ihre linke, unverletzte Hand. Als Meryl uns einander vorstellt, nickt er mir mit zerstreutem Lächeln zu. Sie sind beide dreiundzwanzig und Kommilitonen, wie mir Meryl später verrät, sie wollen zusammenziehen, oder doch nicht, so genau weiß sie das noch nicht, sie weiß nur, dass er es will und dass ihr das vorerst genügt. Jetzt hat er ein schlechtes Gewissen, sagt sie und lacht. Weil er gefahren ist, nicht zu schnell, aber zu unsicher, er hat seinen Führerschein erst seit drei Wochen.

Eine Krankenschwester kommt ins Zimmer, während Meryl spricht. Sie wirft Meryl einen strengen Blick zu.

Nur zwei Minuten, sagt sie und hält mir ein schnurloses Telefon hin, das habe ich ihm auch gesagt.

Hallo. Benjamins Stimme klingt fragend. Susa?

Ja, sage ich. Wie geht es dir?

Er schnaubt leise. Ganz gut, schätz ich mal. Ein paar Schrammen, aber nichts Schlimmes. Carol ist auch in Ordnung. Und bei dir, wie sieht's bei dir aus?

Gehirnerschütterung. Concussion. Inzwischen kenne ich das Wort.

Ich weiß, ich habe schon mit der Ärztin gesprochen.

Er schweigt für einen Moment, dann sagt er: Es tut mir so leid, Susa.

Du kannst doch nichts dafür, sage ich, obwohl mir in dem Moment der Mann im anderen Boot einfällt, *du willst jetzt raus? – warum nicht, das Wetter hält.*

Na ja, sagt Benjamin. Dann höre ich ihn atmen, es ist fast ein Seufzen. Du musst dich ausruhen, aber ich würde gerne mit dir sprechen. Ich weiß nicht, ob ich da was falsch verstanden habe …

Er schweigt wieder, und ich sage: Ich kann mich an nichts erinnern.

Ich komme bald mal, sagt Benjamin. Übermorgen?

Ja, klar.

Im Nachttisch liegt die Schwimmweste, in der Schublade darüber eine Bibel, ein schlichtes goldenes Kreuz vornedrauf. Der Kopfschmerz hat nachgelassen, ruf mich, wann immer du mehr brauchst, hatte der Pfleger gesagt, als er mir die Tablette in einem kleinen durchsichtigen Becher brachte. Er hatte so leise gesprochen, dass sein Angebot etwas Anrüchiges bekam, als ginge es um Drogen und nicht um eine Paracetamol, die so sperrig war, dass ich sie wieder aus dem Mund herausfischen und durchbrechen musste. Ich wünschte, ich wüsste, was ich Benjamin erzählt habe. Irgendetwas muss ich gesagt haben. Die Wahrheit oder eine neue Lüge. Aber was? Und wann? Es muss auf dem Schiff gewesen sein, kurz bevor aus dem Wind ein Sturm wurde. Sosehr ich auch nachdenke, die Erinnerung kommt nicht zurück, es ist, als hätte sich ein dunkler Schleier über einen kleinen Teil meines Lebens gesenkt, über einige Minuten, die sich nicht mehr zurückholen lassen, sosehr ich mich auch bemühe, und noch weiß ich nicht, ob das eine Gnade ist oder eine Strafe, für die Lügen, die ich erzählt habe.

Du siehst gut aus, sagt Benjamin. Gar nicht so mitgenommen, wie ich befürchtet hatte.

Es ist der fünfte Tag meines Krankenhausaufenthalts, der erste, an dem ich Besuch empfangen darf. Benjamin hat sich einen der zwei Stühle vom Tisch herüber ans Bett geschoben. Er hat eine

Pralinenschachtel auf den Nachttisch gelegt. Auf meinem Schoß liegt der Strauß Tulpen, den er mir überreichte, förmlich und mit einem verlegenen Grinsen.

Soll ich eine Krankenschwester suchen wegen der Blumen?, fragt er jetzt.

Ja, sage ich, gute Idee.

Seit heute Morgen tut mein Kopf nicht mehr weh. Das ist ein gutes Zeichen, denke ich.

Das hätten wir, sagt Benjamin, als er wieder ins Zimmer kommt. Er hält eine Porzellanvase hoch. Am Waschbecken befüllt er sie mit Wasser, dann nimmt er die Blumen von meinem Schoß und stellt sie in die Vase hinein. Hierhin? Er deutet auf den Nachttisch, und ich sage: Ja, gerne. Danke.

Bist du ganz alleine in diesem Zimmer?

Bis gestern war Meryl hier, erzähle ich. Sie hatte den Arm gebrochen. Motorradunfall.

Ah. Benjamin nickt ein paarmal. Kommt bestimmt bald jemand Neues.

Ja, klar.

Wir sehen beide das leere Bett an. Es ist frisch bezogen, die Decken straff gespannt.

Und wie geht es dir?, fragt Benjamin.

Ganz gut, sage ich. Und dir?

Ja. Auch nicht schlecht. Er sieht mich an, grinst unbehaglich. Dann holt er tief Luft, als stehe eine besondere Anstrengung bevor. Ich war wirklich leichtsinnig, sagt er. Sie hatten das Gewitter am Vortag angekündigt, aber ich dachte, es kommt erst später. Ich wollte so gerne mit euch segeln gehen. Es tut mir leid.

Es ist in Ordnung, sage ich. Wirklich, Benjamin.

Okay. Danke.

Er hat seine Hände ineinander verschränkt. Lässt die Gelenke knacken, an jeder Hand zweimal. Auf dem Gang wird ein Bett vorbeigeschoben. Eine Durchsage ruft nach Doktor Heart: *Doktor Heart, bitte in Zimmer 24*. Meryl hatte mir verraten, dass es keinen Doktor Heart an dieser Klinik gibt. Das ist der Code, hatte sie erklärt, wenn jemand einen Herzstillstand hat. Dann muss einfach der Arzt, der in der Nähe des Zimmers ist, so rasch wie möglich kommen. Keine Ahnung, ob das stimmt. Wenn ja, stirbt vielleicht gerade jemand ganz in der Nähe.

Was du auf dem Boot gesagt hast, beginnt Benjamin, und ich unterbreche ihn schnell: Das ist ja das Problem: Ich kann mich nicht erinnern.

Du hast, sagt Benjamin und sieht mich jetzt direkt an, von Viola gesprochen.

Das also, sage ich.

Ja, das, sagt Benjamin.

Möchtest du einen Kaffee?

Benjamin sieht mich erstaunt an, dann lächelt er. Ja, er atmet hörbar aus, eigentlich schon.

Bleib sitzen, ich mach das, sage ich. Seit gestern darf ich wieder aufstehen.

Am Morgen habe ich zum ersten Mal wieder meine Jeans und das T-Shirt angezogen. Sie hatten die Kleider in der Krankenhauswäscherei gewaschen, jetzt riechen sie fremd. Aber alles besser als das knielange weiße Nachthemd mit dem Rautenmuster, das ich die letzten Tage anhatte. Von dem Teewagen im Flur nehme ich zwei Becher und fülle sie mit Kaffee und Milch. Außerdem stecke ich mir drei Zuckerbeutelchen in die Hosentasche. Für jeden Besucher höchstens eine Tasse Kaffee, hatte Schwester Dorothy Meryl zurechtgewiesen, und Meryl hatte genickt und hinter Dorothys Rücken Grimassen geschnitten.

Ich wusste nicht, ob du Milch und Zucker nimmst.

Beides, sagt Benjamin, aber anders geht's auch.

Ne, sage ich, alles dabei, und pule aus meiner Hosentasche die Zuckerbeutel.

Im Hotel habe ich übrigens Bescheid gesagt, sagt Benjamin. Falls sie das Zimmer brauchten, haben sie deine Sachen zusammengeräumt, aber wahrscheinlich konnte einfach alles so bleiben, wie es war.

Danke, sage ich.

Brauchst du irgendwas?

Ich schüttele den Kopf. Ich komm ja morgen schon raus, sage ich.

Viola also, sagt Benjamin.

Ja, sage ich. Viola.

Sie ist deine Mutter, nicht wahr?

Ich nicke. Zumindest meine biologische.

Das heißt, du bist bei jemand anderem aufgewachsen?

Ja.

Und – war das gut?, fragt Benjamin.

Ja, sage ich, das war sehr gut. Wirklich. Ich hatte … *habe* großartige Eltern. Liebevoll, fürsorglich, manchmal anstrengend, aber immer loyal, all das.

Und seit wann kennst du Viola?

Seit vier Jahren. Fünf, so was um den Dreh.

Magst du sie?

(Wie schlicht und zuversichtlich diese Frage klingt. Wie einfach. *Magst du sie?*)

Wir haben uns nur zweimal gesehen in dieser Zeit, sage ich. Ein paarmal telefoniert und gemailt. Sagen wir mal so: Ich glaube, sie hat damals eine gute Entscheidung getroffen.

Benjamin lächelt vage. Er betrachtet die Tulpen auf dem Tisch, dann seine Hände, dann mich.

Ja, sagt er schließlich, sie war ziemlich unabhängig. Ich fand das überwältigend. Sie war ein paar Jahre älter als ich und so vollkommen anders als all die Mädchen, die ich bis dahin kannte. Ich war ganz schön verliebt.

Ich weiß, sage ich. Ich habe deinen Brief an sie gelesen.

Welchen?, fragt Benjamin. Da gab's einige.

Wirklich? Ich habe nur den einen gesehen. Den ersten, würde ich mal sagen.

Okay.

Benjamin steht auf und geht zum Fenster. Sein Gesicht ist dem Glas so nah, dass sein Spiegelbild vor ihm steht wie ein geduldiger Zwilling.

Sie hat nie geantwortet, sagt er. Was ich schrecklich fand, aber auch, na ja, beeindruckend. Weil – da ist man sich eine Woche lang so nah, wie man sich nur sein kann, und dann bricht sie jeden Kontakt so radikal ab. Das muss man erst mal schaffen. Sie hatte Chuzpe.

Braucht's das dazu?, frage ich. Ich meine, wie schwierig ist es denn, jemanden zu ignorieren, von dem man genug hat?

Tja. So schien es aber eben nicht. Ich kann eine leichte Kränkung in Benjamins Stimme wahrnehmen. Sie schien – er räuspert sich und macht eine ratlose Geste mit den Händen –, ja, sie schien mich mindestens genauso zu lieben wie ich sie.

Vielleicht bedeutet das bei ihr einfach nicht dasselbe, sage ich leise.

Ja. Benjamin nickt. Vielleicht war es das.

Wir schweigen beide. Es ist kein schlimmes Schweigen, keines, bei dem man fieberhaft überlegt, wie man es beenden kann. Benjamin verschränkt die Arme vor der Brust und dreht sich vom Fenster zu mir.

Wie geht's Henryk?

Ich zucke mit den Schultern. Keine Ahnung.

Hast du etwa noch nicht mit ihm gesprochen?

Nein, sage ich, durfte ich nicht. Ich musste Ruhe haben.

Tatsächlich hatte Henryk mir zwei Nachrichten geschickt. Beide SMS waren gestern kurz hintereinander eingetroffen, aber mindestens eine der beiden war schon älter. Gleich starten wir, lautete sie. Es tut mir so leid. Die zweite klang besorgt: Kann dich nicht erreichen. Ist alles in Ordnung?

Er ist ein guter Typ, weißt du, sagt Benjamin. Ich mag ihn.

Ich ruf ihn nachher an, verspreche ich.

Benjamin nickt. Ich soll dich übrigens von Carol grüßen. Sie ist heute in Seattle, in der Kanzlei, sonst wäre sie sicher selbst gekommen.

Danke.

Benjamin setzt sich wieder auf seinen Stuhl. Er legt ein Bein über das andere, dann wechselt er die Beine. Seine rechte Hand spielt an den Schnürsenkeln, ich bin sicher, dass er das selbst nicht bemerkt.

Dir ist schon klar, warum ich zu dir kam, oder?, frage ich.

Ich habe so eine Ahnung, sagt Benjamin zögerlich. Ich find's auf jeden Fall schön, dass du gekommen bist. Wirklich.

Und was sagst du dazu?, frage ich.

Er fährt sich mit gespreizter Hand über die Wangen, wie um zu sehen, ob sie stoppelig sind.

Wozu genau?, fragt er schließlich.

Na, dass du mein Vater bist!

Benjamin atmet hörbar aus, wie jemand, der zu lange getaucht ist. Er stützt die Ellbogen auf den Knien ab. Sieht mich nachdenklich an. Ich erwidere seinen Blick, und dann bin doch ich die, die wegschauen muss.

Susa, sagt er schließlich, und ich schaue ihn wieder an. Er hält mir eine Hand hin, und ich lege meine hinein. Ich bin nicht dein Vater. Ich *kann's* gar nicht sein.

Warum nicht? Ich höre meine Stimme, sie klingt weniger verwundert als flehentlich. Als müsste er nur wollen. Als könnte ich ihn überreden.

Ich kann keine Kinder kriegen, sagt Benjamin. Konnte ich nie. Eine Mumpserkrankung als Jugendlicher.

Er sagt »Mamps«, und ich brauche einen Moment, um zu verstehen, was er meint.

Wirklich?, frage ich. Aber was ist mit Eli? Und Rachel? Sind das nicht deine Kinder?

Doch, sagt Benjamin. Das sind sie. Sie sind es so, wie du das Kind *deines* Vaters bist.

Er lächelt mir zu, und ich sage: Ach so. Verstehe.

Benjamin macht eine Pause, dann erklärt er: Sie sind aus einer Samenspende entstanden.

Ich verstehe, sage ich noch einmal.

Unsere Hände liegen immer noch ineinander, wir sehen uns kurz an, dann schauen wir beide zu Boden. Wir bewegen uns nicht. Irgendwann werden wir die Hände voneinander lösen, aber das wird beiläufig geschehen, absichtslos, und wer von uns es tun wird, steht noch nicht fest.

Und du bist ganz sicher?, frage ich.

Ja, sagt er. Tut mir leid. Und nach einer Pause: Das tut's wirklich.

Trotzdem danke, sage ich. Dafür, dass du mir das Leben gerettet hast.

Ach je. Benjamin lächelt gequält. Dann zieht er seine Hand zurück, um sich am Kopf zu kratzen. Eigentlich war ich eher der, der dich in Lebensgefahr gebracht hat, und Carol die, die dich gerettet hat.

Trotzdem.

Okay.

Sag Carol einen Gruß von mir, tust du das?

Benjamin nickt.

Schaust du vor deiner Abreise noch mal bei uns vorbei?

Ich glaub, eher nicht.

In Ordnung, sagt Benjamin. Du entscheidest.

Er steht auf, reicht mir die Hand. Pass auf dich auf, Susa. Er verharrt einen Moment, dann beugt er sich zu mir runter und küsst mich rasch auf den Kopf.

Benjamin, rufe ich, da hat er schon fast die Tür hinter sich geschlossen.

Ja?

Entschuldige, dass ich dich angelogen habe.

Er sieht einen Moment irritiert aus.

Ich meine, meine Familiengeschichte. Die Dänen und so weiter.

Ach das. Er nickt ein paarmal, dann sagt er leise: Wer weiß schon, was wahr ist und was nicht. Er macht eine Pause. Vielleicht, sagt er, gab's das alles ja nie. Einen Hahn namens Pawel, eine Tante Elsa oder Masha und Ezra auf Ellis Island. Vielleicht sind das alles nur Geschichten, die wir uns ausdenken und so oft erzählen, bis wir daran glauben.

Als er das Zimmer verlassen hat, gehe ich ans Fenster. Zwei Stockwerke weiter unten halten Taxis vor dem Krankenhaus. Menschen mit und ohne Rollator bewegen sich auf den Eingang zu. Krankenpfleger laufen in blauen flatternden Hemden und Hosen vom Haupt- zum Nebengebäude. Als Benjamin aus der Drehtür kommt, schaut er sich nicht um. Am Parkautomaten bezahlt er, dann geht er in Richtung des viergeschossigen Parkhauses.

Er ist nicht der, der ich dachte. Plötzlich fühlt sich das an wie ein Verlust. Stattdessen also der langweilige Physikstudent. Oder ein anderer. Viola wird es nicht wissen und ich werde sie nicht fragen. Ist ein Geheimnis eines, wenn niemand es kennt? Was es auch ist: Es ist nicht schlimm.

Von oben sehe ich seine grauen Locken, seinen behäbigen Gang. Jetzt überquert er den Zebrastreifen. Jetzt betritt er das Parkhaus und ist im nächsten Moment nicht mehr zu sehen. Ich hatte ganz vergessen zu fragen, wie unsere Rettung verlaufen war. Wie waren wir an Land gekommen? Wo waren wir schließlich gestrandet? Gekentert war das Boot offensichtlich nicht. Im Schrank stand neben meinen Schuhen meine Handtasche, alles unversehrt. Ich stelle mir vor, wie Benjamin mich an Land getragen hat: mein großer schwerer Körper schlaff auf seinen Armen. So, wie mein Vater mich aus dem Auto hob, wenn ich auf einer langen Autofahrt eingeschlafen war. Manchmal war ich noch wach genug, um zu merken, wie er mich ins Bett trug, aber ich blinzelte nur und atmete flach, um mich nicht zu verraten. Einen kurzen Moment lang war ich wieder das kleine Kind, das er in seinen Armen geschaukelt hatte, sein Gesicht nah an meinem, sein vertrauter Geruch. Es ist alles da, weißt du. Irgendwo, in mir, ist das alles da. Es fehlt nichts.

Auf dem Schiff nach Seattle stellt sich eine alte Frau neben mich an die Reling. Sie hat ein Kopftuch umgebunden, das sie jünger aussehen lässt, fast wie ein Mädchen. Sie sieht der Stadt entgegen, sie lächelt ihr erwartungsvoll zu wie einem Geliebten. Orcas!, ruft sie plötzlich und fasst mich am Arm. Ich schaue in die Richtung, in die sie zeigt, kneife die Augen zusammen, um in all dem Sonnenlicht etwas zu erkennen, und dann sehe ich sie, vier, fünf, nein, sechs Orcas, ihre spitzen Flossen, die schwarz glänzenden Rücken. Wie sie ganz abtauchen, um dann, synchron und anmutig wie Wassertänzer, wieder aufzutauchen, Fontänen in die Luft stiebend, die sich sofort in feinen Sprühnebel auflösen.

What a farewell, sagt die Frau. You will come back?

I guess not, sage ich.

Ich suche unsere Sachen im Auto zusammen: ein Reiseführer, eine Sonnenbrille, Sonnencreme. Außerdem zwei Tickets vom EMP-Museum und eine Broschüre der Saint James Cathedral. Dann fahre ich zum Flughafen und gebe das Auto ab. In der Abflughalle esse ich ein Sandwich und beobachte die Menschen, die darauf warten, an die Reihe zu kommen. Die wenigsten, die so selbstsicher oder ungeduldig sind, dass sie sich an einen Check-in-Automaten wagen, schaffen es alleine. Den meisten hilft irgendwann eine der nachsichtig lächelnden Stewardessen. Ein Mann verabschiedet sich von einer Frau, sie umarmen sich immer wieder; es ist nicht auszumachen, wem von beiden der Abschied schwererfällt. Ein kleiner Junge winkt seinem Vater hinterher. Immer wenn der Vater sich umdreht, winkt der Junge noch. Von draußen schaut der Vater durchs Fenster, und der Junge, der aufgehört hatte zu winken, entdeckt ihn und winkt wieder. Ein Jugendlicher mit stacheligen Haaren umarmt einen anderen Jugendlichen, sie legen lose die Arme um die Schulter des anderen, dann stoßen sie ihre Fäuste gegeneinander, bevor sich der mit den Stachelhaaren umdreht und weggeht.

Zu Hause muss es zehn Uhr abends sein. Henryk meldet sich nach dem dritten Klingeln.

Schlafen die Kinder?, frage ich, und Henryk ruft: Oh Mann, Susa, wo bist du?

Wieder in Seattle.

Geht es dir gut?

Ja, sage ich, eigentlich schon. Und dir?

Nicht gut, sagt Henryk. Beschissen, ehrlich gesagt. Weißt du, wie oft ich versucht habe, dich zu erreichen? Auf deinem Handy, bei Benjamin, nie ging jemand ran. Im Hotel sagten sie mir, dass du nicht mehr dort schlafen würdest, nur deine Sachen seien noch da. Was war denn los, um Himmels willen?

Tut mir leid, sage ich. Ich erzähl dir alles, wenn ich zu Hause bin.

Warum hast du nie angerufen?

Ich ruf doch gerade an.

Ich kann ein Seufzen hören. Ja, sagt Henryk schließlich. Jetzt.

Was ist mit deiner Stelle?, frage ich.

Hör auf mit der Stelle, sagt Henryk. Die ist mir scheißegal.

Hast du sie?

Ich kann hören, wie er tief Luft holt. Das ist alles total egal, wiederholt er. Ich war ein komplettes Arschloch, ein Riesen-egoist. Es tut mir leid. – Keine Ahnung, ob das noch zählt.

Hast du sie denn?

Ja, sagt er. Aber ich sag ab.

Nein. Warte noch damit.

Wenn wir beide schweigen, ist ein regelmäßiges Klicken zu hören. Als würde irgendwo auf dieser langen Strecke an unse-rer Verbindung gearbeitet, als würde jemand kurbeln und drehen und seine ganze Kraft dareinstecken, dass wir uns atmen hören können.

Kommst du zurück?

Morgen früh um halb sieben geht mein Flug.

Ich meine: Kommst du zurück – zu mir?

Ich war doch nie weg.

Im Restaurant des Hotels ist kein Tisch frei.

Kann ich auch an der Bar essen?, frage ich.

Natürlich, sagt die Kellnerin. Sie legt ein Tischset, Besteck und die Speisekarte auf den Tresen.

Hi, sagt der Mann neben mir. Kurze, lockige Haare, im schwarzen Bart erste graue Schatten, wie Sonnenflecken. Dunkler Anzug, hellblaues Hemd, in seiner Jacketttasche sicher die Krawatte, die er sich vor ein paar Stunden vom Hals gerissen hat. Vielleicht Gründer eines Start-up-Unternehmens. Oder Handelsvertreter. Oder Marketing Manager. Financial Analyst. Sales Engineer. Irgendwas, das ihn in dieses Flughafenhotel geführt hat, in eine Gruppe von Managern, mit denen er vor gar nicht langer Zeit noch nichts gemein hatte. Er ist jünger als ich, höchstens Mitte dreißig.

Die Seafood-Fettuccine sind gut.

Okay. Danke für den Tipp.

Er grinst, deutet eine Verbeugung an. Wo kommen Sie her?

Deutschland.

Ferien?

Ja, sage ich. So was in der Art.

Die Kellnerin nimmt die Bestellung auf. Für Sie noch etwas, Sir?

Noch so eins, bitte. Er deutet auf die Bierflasche vor sich.

Gerne.

Sie reisen ganz alleine?, fragt er.

Ich habe Freunde besucht. Und Sie sind geschäftlich hier?

Er nickt. Der jährlich stattfindende Kongress der Amerikanischen Zahnärzte-Vereinigung.

Sie sind Zahnarzt?

Er nickt wieder. Schrecklich, nicht wahr?

Na ja, es kommt halt niemand gern zu einem, denk ich mir.

284

Wahrscheinlich bringen sich deshalb so viele von uns um. Wobei ich gelesen habe, dass sich mindestens so viele Schafhirten und Holzfäller umbringen.

Er schenkt sich von seinem Bier ein, dann hält er mir seine Hand hin. Joseph, sagt er.

Susa.

Sie erinnern mich an meinen Bruder, sage ich.

Tatsächlich? Wie ist sein Name?

Cosmo. Cosmo like the Universe.

Und, mögen Sie ihn?

Ja, sage ich. Ja, das tu ich.

In meinem Mobiltelefon suche ich nach einem Foto von Cosmo. Ich habe ein einziges gemacht, als ich ihn das letzte Mal besuchte. Er hatte zwei Umzugskisten beiseitegeschoben, um an die Schublade mit dem Korkenzieher zu kommen.

Na ja. Joseph grinst. Verglichen mit mir, ist er ziemlich blond.

Ich nehme mein Telefon und stecke es in die Tasche. Trotzdem, sage ich. Das Gesicht.

Während ich esse, erzählt er mir von Chicago, wo er aufgewachsen ist. Jetzt lebt er in New Jersey. Zwei Kinder, drei und sechs, seine Frau eine Freundin seit Kindertagen, eigentlich sind wir sogar miteinander verwandt, erzählt er, ihr Vater war der Schwager meines Onkels – zählt das noch als Verwandtschaft? Er zeigt mir das Foto seiner Frau auf dem Mobiltelefon, sie hält etwas in der Hand, ein Meerschweinchen, erklärt er, wir haben insgesamt vier, Hinky, Pinky, Tim and George, es klingt wie ein Lied, er lacht.

Waren die Fettuccine gut?

Hmm.

Ich winke der Kellnerin, nenne meine Zimmernummer.

Jetzt schon?, fragt Joseph. Er sieht ehrlich überrascht aus.

Ich muss so früh raus, sage ich.

Schade, sagt er. Verstehn Sie mich nicht falsch, setzt er hinzu …
Keine Sorge, tu ich nicht.

Die Kellnerin bringt mir eine Rechnung, die ich unterschreibe. Ich krame die letzten Dollarscheine aus meiner Hosentasche und gebe sie ihr.

Joseph reicht mir seine Hand: Na, dann gute Nacht.

Er hat wirklich Ähnlichkeit mit Cosmo.

Bist du da und hast du Zeit?, hatte ich ihn gefragt. Bin ich und hab ich, hatte Cosmo gesagt. Natürlich war die verrückte Lettin im Hausflur daran schuld, dass ich blieb. *Pulp Fiction*, vom Bett aus. Ein psychotisches Gangsterpaar am Tisch eines Diners. *I love you, Pumpkin, I love you, Honeybunny*. Siehst du, sagte Cosmo, so einfach ist das. Ich hatte seine Hand in meine genommen, und so waren wir dann eingeschlafen.

Ich sehe Joseph an. Stelle mir seine Berührungen vor, diese jähe Nähe, überwältigend und tröstlich.

Haben Sie zufällig gehört, was ich zur Kellnerin sagte? Meine Zimmernummer? Ich kann mich nicht erinnern.

Er erwidert meinen Blick, lächelt nicht.

Sechsundfünfzig, sagt er. Ich glaube, sechsundfünfzig war Ihre Nummer.

Okay, sage ich, diesmal merke ich's mir.

Ich auch, wenn ich darf.

Dürfen Sie.

Jetzt dämmert es, und ich bin alleine im Zimmer. Auf dem Schreibtisch liegt ein Papierblock, das rote Logo des Hotels am oberen Rand. Ich reiße eins ab, nehme den Kugelschreiber in die Hand, ich schreibe: Lieber Henryk.

Lieber Henryk, schreibe ich, dieses Mittelding zwischen Schlaf und Tod, die Ohnmacht, Schwester des Todes, also so war's: Beinah bin ich gestorben.

Und dann schreibe ich ihm von dem Segeltörn, vom Sturm und vom Aufwachen im Krankenhaus, vom Gespräch mit Benjamin. Das Problem ist, schreibe ich, dass ich in letzter Zeit nicht mehr wusste, was mir wichtig war und was nicht, manchmal war da eine Distanz zu allem, eine große Gleichgültigkeit, und ich musste mich anstrengen, dass niemand es merkte. Es kommt mir vor, schreibe ich, als wäre ich monatelang gerannt.

Lass uns nach D. gehen. Ich werde etwas Neues anfangen, irgendwann, nicht sofort. Gerade weil so wenig Zeit bleibt, will ich sie mir nehmen.

Wenn ich die Vorhänge aufziehe, sehe ich die startenden Flugzeuge. Die schalldichten Fenster schließen ihr Dröhnen aus, sie starten lautlos, arbeiten sich den Himmel empor, schwere eiserne Vögel, unglaublich, dass sie das schaffen. Dass nicht jeder dieser Flüge in einer Katastrophe endet, in einem Absturz, der alles mit sich reißt, nichts übrig lässt. Einen Moment lang überlege ich, weitere Briefe zu schreiben. An Paula, Rena und Leve würde ich schreiben. An meine Mutter und Maike. Und an meinen Vater: um all das zu sagen, was ich nicht sagte, solange er lebte. Ich würde mich nicht scheuen, das Wort Liebe zu benutzen. L-I-E-B-E. Und dann? Ins Flugzeug steigen, zuversichtlich und bereit zu allem, was da kommen mochte: dem Fliegen, Schweben, Gleiten, Schwirren, dem Flattern und Flirren, dem Trudeln. Dem grell-weißen Verglühen, das auf uns alle wartet.

Danksagung

Ich danke meinem Agenten Werner Löcher-Lawrence und meiner Lektorin Claudia Vidoni. Ich danke meiner Freundin Alexandra Maxeiner, meiner Mutter Elfriede Mingels und meiner Schwester Barbara Mingels. Ich danke meinem Mann Guido, meinen Kindern Henry, Margo und Bela. Und ich danke meinem Vater Werner Mingels: für alles, was war.